MÉTODO GASPEY-OTTO-SAUER.

GRAMÁTICA SUCINTA

DE LA

LENGUA ITALIANA

CON EJERCICIOS DE TRADUCCIÓN Y TROZOS DE LECTURA

POR

LUIGI PAVÍA

EX-PROFESOR EN LOS REGIOS INSTITUTOS TÉCNICOS DE ITALIA.

VIGÉSIMAPRIMERA EDICIÓN
REVISADA

1979
EDITORIAL HERDER BARCELONA

JULIO GROOS HEIDELBERG

DEPÓSITO LEGAL: B. 30.840-1979

ISBN 84-254-0099-6

Reproducción offset. GRAFESA - Nápoles, 249 - Barcelona - 13

Prólogo a la tercera edición.

Compuesta en sus líneas principales según el método de las demás gramáticas publicadas por la casa
Julius Groos de Heidelberg, se divide la presente en
dos partes. En la primera he tratado con alguna ex-
tensión la fonología y ortografía italianas, y expuesto
al estudiante observaciones de carácter general sobre
algunos fenómenos fónico-gráficos, que le servirán para
entender muchas particularidades formales, sin que para
cada clase de ellas necesite una regla especial; esto
simplificará el trabajo de su espíritu, y merced a la
generalización se formará él una idea más comprensiva
y clara de dichos fenómenos, que de otra manera po-
drían a menudo parecerle excepciones o dificultades, no
siéndolo en realidad. — A la 2.ª parte he hecho preceder unas «Nociones Preliminares», cuyo objeto es no
sólo servir de introducción a aquélla, sino también
enseñar luego al discípulo cosas que le es importante
conocer desde el principio, para que sus progresos sean
más rápidos.

En cuanto a la morfología, sin perderme en particularidades innecesarias, o inoportunas en un libro
como éste, he procurado exponerla de manera que for-
mase un conjunto de reglas bastante completo, poniendo
también en los lugares propios alguna que otra indicación acerca de la concordancia y sintaxis. Algunos
apéndices añadidos al final de la morfología sirven para

esclarecimiento y complemento a las nociones contenidas
en la 1.ª y 2.ª parte.

En cuanto a los ejercicios de traducción, — que
en un libro como éste, más que para otro fin, deben
servir para la pura aplicación de las reglas contenidas
en la parte teórica, al mismo tiempo que para aprender
algunas palabras y locuciones, pues una *lengua* no se
aprende en un tratado de gramática, sino con la frecuente lectura y conversación — los he compuesto con
frases del habla común, y no con sentencias clásicas
o peregrinas, las cuales no hubieran convenido a la ín-
dole de este libro; pero he tenido cuidado de que fueran
lo menos desatinados posible y que estuviesen inmunes
de ese carácter convencional y rutinario que se encuentra en los de muchas gramáticas. Para mayor ejercicio
práctico he intercalado algunos trozos de lectura que no
son meros cuentecillos. Y al final del libro he añadido
un doble vocabulario.

Concluyo dando las mayores gracias al esclarecido
Sr. D. Fernando de Arteaga, profesor de la lengua
castellana en la universidad de Oxford, quien tuvo la
amabilidad de revisar el libro en la parte castellana,
y pidiendo indulgencia para los defectos de la presente
obrita, que, sin embargo, espero podrá resultar de alguna utilidad a los que estudien la lengua italiana.

Milán.   Luigi Pavía.

A la nueva edición.

El libro permanece en su conjunto el mismo que antes, es decir como lo arreglé en las últimas ediciones precedentes; pero en ésta lo he revisado detenidamente de extremo a extremo, introduciendo en él muchas mejoras tanto formales como substanciales, añadiéndole también algunas explicaciones más amplias que las antiguas donde me pareció útil.

Además, en lugar de señalar la vocal acentuada de ciertas sílabas por medio del único acento agudo, he distinguido en esta edición el doble sonido de las vocales *e* y *o*, señalando con acento grave el sonido *abierto* de dichas letras, y con el agudo el *cerrado*, conforme a la pronunciación toscana.

Bérgamo, 1927.

Luigi Pavía.

Índice.

Parte 1.ª
Ortografía y Fonología.

Parte 2.ª
Morfología.

PARTE I.

Ortografía y fonología.

Alfabeto.

§ 1. — El alfabeto italiano consta de 21 letras, que son:

forma	nombre		forma	nombre
A, a	$\bar{a}$		N, n	énne
B, b	$b\bar{\imath}$		O, o	ó
C, c	$ch\bar{\imath}$		P, p	$p\bar{\imath}$
D, d	$d\bar{\imath}$		Q, q	$c\bar{u}$
E, e	$\bar{e}$		R, r	ér-re
F, f	éf-fe		S, s	és-se
G, g	$\acute{g}i$[1])		T, t	$t\bar{\imath}$
H, h	ácca		U, u	$\bar{u}$
I, i	$\bar{\imath}$		V, v	$v\bar{e}$
L, l	él-le		Z, z	tzeta.[2])
M, m	émme			

§ 2. — Las letras **a, e, i, o, u** son vocales; — las demás son consonantes; la **h** no tiene sonido; la **j** es sustituida por **i** en la ortografía contemporánea.

Las letras **k, x, y, w** no se usan en palabras italianas, pero se emplean (y se pronuncian como en castellano) en palabras extranjeras.

§ 3. — En la escritura y en la prensa usan los italianos los mismos caracteres que los españoles; ad-

---

[1]) El sonido alfabético de la *g* italiana se parece al alfabético de la *c* en el mismo idioma (*ch* castell.), con la sola diferencia de que el primero tiene por fundamento el sonido de la *g* en *gana*, *gordo* — (es el mismo sonido de la *g* o *j* inglesa en voces como *gentle*, *jam*). — Cuando sea preciso ú oportuno, se indicará este sonido con *ǵ*.

[2]) La *z* italiana nunca tiene el sonido dental de la castellana.

viértase tan sólo que en la escritura la **s** puede tener una forma larga /ʃ/, que se emplea a menudo cuando hay **s** doble /ʃʃ/.

Pronunciación de las letras italianas.

§ 4. — Las *vocales* — a, e, i, o, u — se pronuncian, en general, como en castellano; y son *largas* o *breves* en las mismas condiciones en que lo son en esta lengua. — A excepción de la *i* servil en algunos casos que se verán más adelante (§ 9. 1°—3°), *todas* conservan siempre su sonido propio y distinto. Ejemplos:[1]

mamma,	*bène,*	*ivi,*	*onore,*	*mulo;*
mamá	bien	allí	honra	mulo
carità,	*potè,*	*sentì,*	*saltò,*	*virtù,*
caridad	pudo	sintió	saltó	virtud
pianura,	*flèno,*	*dáino,*	*cuóco,*	*guida* (pr. *giïída*),
llanura	heno	gamo	cocinero	guía

fáusto, fèudo, riunióne (pr. *ri-u-nio-ne*), *figliuolo* (pr. *fi-lluó-lo*),
fausto feudo reunión hijito

bacio (pr. *bä´cho*), *braccio* (pr. *brăd´cho*), *ubbriáco.*
beso brazo borracho.

Observación. — Las vocales **e, o** (con acento tónico) tienen dos sonidos en italiano, el uno *abierto*, el otro *cerrado*. — Esta distinción, aunque tiene su importancia, no es precisamente necesaria para los principiantes; por eso no nos ocuparemos aquí de ella. Damos, sin embargo, algunos ejemplos de la diferente pronunciación de esas dos letras (indicando con ` el sonido *abierto*):

bèllo	*amèno*	*tèpido*	*péna*	*vélo*	*fréddo*
bello	ameno	tibio	pena	velo	frío
òro	*lòde*	*tesòro*	*tóndo*	*rispóndere*	*cróce*
oro	alabanza	tesoro	redondo	responder	cruz.

(Véase el Apéndice I°, entre la parte gramatical y el Vocabulario.

§ 5. — La *semiconsonante* (o semivocal) **j** no se emplea ya y es sustituida por **i** en la ortografía contemporánea.

----

[1] Se pondrá un signo convencional, a saber, acento agudo (´), en la sílaba acentuada de las palabras que *no* sean llanas, o en aquellas llanas donde, a causa de un diptongo ú otro grupo de vocales, podría su entonación resultar incierta. Sin embargo, el acento será el grave (`) en las vocales *e, o* con sonido abierto. (V. § 11.)

§ 6. — La **h** no es en italiano ni consonante ni vocal, sino una letra puramente servil, sin sonido. Se usa en tres casos, a saber:

1.⁰ — en las voces **ho, hai, ha, hanno** del presente indicativo del verbo **avere** *(haber)*, para distinguir estas voces de otras que tienen igual sonido, es decir: o *o*, **ai** *a los*, **a** *a*, **anno** *año*; [1])

2.⁰ — después de **c, g**, para darles el sonido duro (velar) antes de *e, i*; v. gr:

chiamare (pr. *quia-ma-re*), *chi* (pr. *quī*), *benchè*, *ghermire*
    llamar   *quien*   *aunque*   *agarrar*
inghiottire (pr. *in-guiot-ti-re*), *ghiribizzo* (pr. *-ttso* = ℞ alem.)
    engullir   *capricho.*

3.⁰ — en algunas interjecciones, v. gr: **ah, àhi, ahimè, deh.** etc.

§ 7. — 1.⁰ Todas las **consonantes** pueden duplicarse en italiano, conservando siempre su propio sonido primitivo, aunque prolongado. [2])

2.⁰ — **d, f, l, m, n, p, r, t.** — Se pronuncian como en castellano; adviértase que la **d** no tiene nunca el sonido dulce de la *d* castellana en *Madrid, virtud,* etc.

3.⁰ — **b, v.** — Nunca confunden sus sonidos, es decir, que la **b** se pronuncia siempre como en las voces *blanco, abrazo* y la **v** siempre con un sonido labio dental — v. gr.: **buóno** *bueno;* **Abramo** *Abraham;* **ebbi** *tuve;* **vino** *vino;* **virtù** *virtud;* **bevve** *bebió.*

4.⁰ — **c.** — Tiene dos sonidos, es decir: el de la *ch* castellana cuando está antes de *e, i* (o de *i* + vocal); — el de *k* cuando está antes de *a, o, u,* o de consonante, o cuando entre ella y la *e* o *i* media *h* — (V. § 6, 2⁰). — Ejemplos:

---

[1]) En *hai* la *a* tiene un sonido más largo que en *ai* (ăi).
[2]) Las letras dobles pertenecen a sílabas distintas, pero se pronuncian en un sonido solo prolongado, en que la primera letra empieza y la segunda acaba el sonido. Así, v. gr.: *fatto* hecho no se pronunciará *fat-to* con las dos *t* distintas, sino casi como *fatt͡-o*, es decir con el sonido prolongado de la *t* (analogamente al de *rr, nn*

Cèsare César, **accento** acento, **ciarla** charla, **cima** cumbre, **vicìno** vecino; — **cane** perro, **ancòra** aún, **acuto** agudo, **cuòre** corazón, **Cristo** Cristo, **cloàca** cloaca, **accorse** acudió.

5.⁰ — g. — Tiene dos sonidos análogos a los de la c (V. nota 1 en la pág. 1), es decir *g* paladial y *g (gh)* velar. — Ejemplos:

gènte gente, *giúngere* llegar, *ginòcchio* rodilla, *ángelo* ángel; — **gallo** gallo, **gola** garganta, **gufo** buho, **guerra** (pr. *güèrra*) guerra, **glèba** gleba.

NB. — En las combinaciones *ci* o *gi* + *a, o, u,* la *i* sirve tan sólo para dar el sonido paladial a las letras *c, g.* — Se encuentra, sin embargo, la *i* en la combinación *cie,* v. gr. *cielo* (pr. *chièlo* o *chèlo*) cielo.

6.⁰ — q. — Va siempre seguida de *u* + otra vocal, como en castellano, pero la *u* se pronuncia siempre (diptongo). — (Para el sonido *cu* + *vocal* en diptongo[1]) se emplea c en lugar de *q* en poquísimas palabras, como: **cuóre** corazón, **cuóco** cocinero, **cuòcere** cocer). — Cuando la q debe duplicarse, se escribe normalmente cq. — Ejemplos:

quasi casi, *questióne* (pr. *cüi-*) cuestión; *ácqua* agua, *acquistare* (*-cüi-*) adquirir. — Por el contrario: *soqquadro* (pr. *soc-cuá-*) desorden, trastorno, y alguna otra voz con *qq.*

7.⁰ — s. — Tiene dos sonidos, *duro* y *suave.* — a) Hay siempre sonido **duro** de la s cuando ésta se encuentra al principio de palabra antes de vocal o de consonante fuerte, cuando es doble, y cuando se halla antes de un diptongo propio[2] que empieza por **i**; — b) en otros casos la s se pronuncia ya *dura,* ya *suave.* Ejemplos:

castellanas en *arriba, ennoblecer).* — Lo mismo se dice para los sonidos de c, g, z, v. gr.: *accòrdo* acorde, **accéso** encendido, casi como *acc͡ordo, adch͡eso* — *ràggio* rayo, **aggradire** agradecer, casi como *radg͡o, agg͡radire* — *pazzo* loco, *rezzo* sombra, casi como *patts͡o, reddz͡o.* — En las combinaciones **che, chi, ghe, ghi** naturalmente se duplica el solo elemento *c, g*; v. gr.: *acchè* para que, **agghiacciáre** helar (casi como *akk͡è, aggh͡iadcháre).*

[1]) V. gr. en el verbo **arcuare** arquear, la u y la a no forman diptongo, sino que pertenecen a sílabas distintas *(ar-cu-á-re)*; y lo mismo la *u* y la *i* en cui (cū-i) *a quien,* — pero no en **qui** (cüí) *aquí,* **quale** cual, etc., donde hay diptongo.

[2]) El diptongo es propio si está formado por una de las vocales *a, o, e* con *u* o *i*; de lo contrario, es impropio.

dura: — **sopra** *sobre*, **santo** *santo*, **strèpito** *estruendo*, **dispèndio** *gasto*, **siéte** *sois;* — **cassa** *caja*, **assassino** *asesino;* — **peso** *peso*, **chiuso** *cerrado*, **casa** *casa;*

suave: — **asilo** *asilo*, **rosa** *rosa*, **résina** *resina;* — **svenare** *desangrar*, **sdegno** *desdén;* — **confusione** *confusión.*

NB. — Tampoco la cuestión de la *s* en los casos *b)* es de tal importancia que merezca ser discutida en este libro. — Téngase presente tan sólo, que la *s* antes de *b, d, g, l, m, n, r, v* se pronuncia *suave*, y antes de *c, f, p, q, s, t* se pronuncia *dura;* y que entre dos vocales muy a menudo se debería pronunciar fuerte.

8.⁰ — z. — Tiene también los dos sonidos *suave* y *fuerte*, que pueden respectivamente ser representados casi por *ds, ts.* Ejemplos:

suave: — **zanzara** *mosquito*, **zelo** *celo*, **dozzina** *docena*, **mezzo** *medio;*

duro: — **mazza** *maza*, **zampa** *pata*, **Marzo** *marzo*, **alzare** *levantar.*

NB. — Tanto para la correcta pronunciación de la *s* como para la de la *z* (asimismo para la de *e, o*) debe el estudiante consultar un buen diccionario con indicación de la pronunciación. — Nótese que la *z* entre dos vocales es por lo común doble.[1]

§ 8. — **Combinaciones de letras.** — 1.⁰ — La combinación **gli** + *vocal* se pronuncia *ll* + *vocal* — (**gli** sin vocal se pron. *lli*); v. gr.: **aglio** (pr. a-llo) *ajo*, **consigliare** (*pr.* consi-lla-re)*aconsejar*, **famiglie** (*pr.*—lle) *familias*, **figli** (*pr.* fi-lli) *hijos.*

Excepciones: — *Angli, Anglia, ganglio, negligente, glicerina* y unas pocas más, donde **gli** se pronuncia *ghli.*

2.⁰ — La combinación **gn** se pronuncia como *ñ*, v. gr.: **cognato** (*pr.* coñato) *cuñado*, **cognito** (*pr.* còñito) *conocido, experto*, **spègnere** *apagar*, **stagno** *estanque*, **ognuno** *cada cual*, **agnello** *cordero*, **Agnese** *Inés.*

3.⁰ — En las combinaciones **sce, sci** (y *sci* + vocal),

---

[1] Antes del diptongo *i* + otra vocal la *z* es siempre dura, pero simple, v. gr.: **spázio** *espacio*, **spèzie** *especia* (que no *spazzio, spezzie*); exceptúanse las voces derivadas de otras con *z* doble, v. gr.: **carrozzière** *cochero*, de **carrozza** *coche.*

que no tienen, como otros sonidos que ya se vieron, equivalente.en castellano, *sc* se pronuncia como la *ch* francesa en *chignon, chéri*, o la *ſch* alemana en ᏚᏟᏰᎥᏒᏒ, ᏔᏗᏥᏣᎬᏁ. — Ejemplos:

scemo bobo, discéndere descender, scimmia mona, ac-coscíársi acurrucarse, cònscio enterado, sabedor.

Se exceptúan las voces compuestas con prefijos como *dis*, donde la *s* se pronuncia separada de la *c*,• v. gr.: *discinto* (pr. *dis-chinto*) *desceñido.*

4.⁰ — Las combinaciones **sche, schi** (y *schi* + vocal) se pronuncian *sque, squi* (+ vocal), v. gr.:

scheletro (pr. *squèletro*) *esqueleto; schifo asco o buque; schiavo* (pr. *squiávo*) *esclavo.*

Análogamente **sghe, shgi** (y *sghi* + vocal) = *sgue, sgui* (+ voc.); v. gr.:

sghembo oblicuo, sghignazzata carcajada, sghiacciáre deshelar.

Observaciones sobre ciertas *variaciones fónico-gráficas* en palabras italianas.

§ 9 — Fuera de las variaciones comunes también a la lengua castellana y otras de carácter muy particular, tenemos que observar lo siguiente:

1.⁰ — La i servil pospuesta a. *c, g, sc*, para darles el sonido paladial o dulce antes de vocal grave *(a, o, u)* [1]), cesa en su oficio cuando a la *c, g, sc* sigue *e, i*; v. gr:

*spiágg*ia *playa,* plur. *spiagg*e — *mang*iáre *comer, mang*erò *comeré;* — — *lúcc*io *sollo,* plur. *lucc*i — *fásc*ia *faja,* plur. *fasc*e.

NB. — Exceptúanse comúnmente los nombres acabados en *-cia, -gia* (con *c, g* simple), que en el plural conservan o

---

[1]) Graves o de tono bajo son las vocales *a, o, u;* y agudas las *e, i.* — En cuanto a su fuerza, se dividen en *fuertes, a, o, e,* y *débiles, i, u.*

pueden conservar la *i* (la cual se pronuncia distinta, aunque en un solo sonido con la vocal siguiente), v. gr.:

audácia, pl. *audacie, cupidígia* codicia, pl. *cupidigie.*[1])

2.º — Las palabras acabadas en vocal grave precedida de *c, g* toman una *h* servil después de *c, g* (para conservar a éstas el sonido duro) cuando la vocal grave se cambia en vocal aguda[2]), v. gr.:

largo, larga	ancho, -a	plur.	*larghi, larghe*
fico	higo	»	*fichi*
piága	llaga	»	*piaghe*
oca	ganso	»	*oche*
flásco	frasco	»	*fiaschi*
stanco	cansado	superl.	*stanchíssimo*
allargare	ensanchar	pres. 2ª. p.	*allarghi ensanchas*
»	»	futuro	*allarghero ensancharé.*

NB. — Se exceptúan, sin embargo, de esta regla algunos sustantivos y adjetivos *masculinos* que no admiten la *h,* y por esto la *c* y la *g* tienen entonces en el plural el sonido paladial, v. gr.: *amico* pl. *amici, nemico* pl. *nemici, mago* pl. *magi* (también *maghi*) etc. y los adjetivos acabados en -*'fico,* v. gr.: *magnífico, benéfico,* etc., pl. *magnífici, benéfici,* etc. — También se deberá consultar un buen vocabulario para saber si el plural de dichos masculinos en -*co* o -*go* admite la *h* o no.

3.º — a) **I** (no acentuada) + *vocal* al fin de palabra y precedida de una o más consonantes se cambia en **i**, la ortografía -*ii,* -*i,* -*j* es anticuada.

stúdio estudio, pl. *stúdi — princípio,* pl. *princípi — òdio,* pl. *òdi.*

NB. — α) Se pronunciará y escribirá *ágio comodidad,* pl. *agi; móglie esposa,* pl. *mogli; figlio hijo,* pl. *figli; bacio beso,* pl. *baci; fáscio lío,* pl. *fasci,* etc., pues en tales casos

---

[1]) Aquí, como oposición de fenómenos, ocurre observar que en muchos verbos (de la 2.ª y 3.ª conjug.) el sonido *c, (sc), g* paladial del infinitivo no se conserva, sino que se cambia en *c, (sc), g* dura en algunas personas donde se encuentra con *o, a*; es decir, no toma la *i* servil que sería regular que tomase, v. gr.: *piángere* llorar. — *piángo* lloro, *piángono* lloran; *piánga* llore, *piángano* lloren (por *piángio, piángiono,* etc.); — — *fuggire* huir — *fuggo* huyo, etc. — — *náscere* nacer — *nasco* nazco, etc. (por *fúggio, náscio*).

Pero el sonido paladial vuelve a producirse antes de *e, i,* v. gr.: *fuggi* huyes, *nasci* naces, *fugge* huye, *nasce* nace; *piangi* lloras, etc.

[2]) La *h* en tales casos corresponde a la *u* castellana en casos análogos.

la *i* del singular es tan sólo servil para el sonido paladial de *c, g,
gl, sc.* — β) En las voces cuyo tema acaba en *chi* o *ghi* +
vocal, si a ésta se debe sustituir una *i,* se pierde la *i* de *chi,
ghi,* v. gr.: *apparécchio aparejo,* pl. *apparecchi,* verbo *tu
apparecchi* tú *aparejas* (en vez de *apparecchii*), etc. [1]). —
b) I acentuada + *vocal* al fin de palabra se comporta
como cualquier otra vocal; v. gr.: *spía* espía, pl. *spie;* — *gridío*
gritería, pl. *gridíi; invío* yo envio, *tu invíi* tu envías; etc.

4.⁰ — Las palabras que empiezan por **s** *impura*
(es decir, *s* + conson.), pueden, por razón de eufonía
tomar una *i* antes de la *s* cuando la palabra precedente
acaba en consonante, v. gr.: **in Ispagna** *en España,* en
vez de **in Spagna**; — **per isbáglio** *por equivocación* en
lugar de **per sbaglio**; etc.

5.⁰ — Cuando a una palabra aguda o monosílaba
acabada en vocal se añade un afijo que empieza por
una sola consonante, esta consonante *se duplica* (para
conservar el sonido breve de la vocal)[2]), v. gr.:

dà + *lo* = *dallo* dale; — *fa* + *mi* = *fammi* hazme; —
avvicinò + *si* = *avvicinossi* acercóse; — *udirà* + *ne* = *udi-
ranne* nos escuchará.

6.⁰ — Por la tendencia de la lengua italiana a la
dulzura, acontece a menudo que cuando dos consonantes
diferentes, ya por efecto de afijación, ya por caída de
vocal intermedia, vienen a hallarse juntas en una misma
palabra, la primera se cambia en la segunda, v. gr.:

en lugar de *admirare,*   se dice *ammirare* admirar
»   »   » *ten(e)rò*   »   » *terrò*   tendré
»   ·   »   » *vol(e)rèi* [3]) »   » *vorrèi*   quisiera
»   »   » *per lo,*   »   » *pello*   para el
»   »   » *conmutare,*   »   » *commutare* conmutar.

NB. — La **n** se cambia en **m** antes de *b, p* en una
misma palabra; y siempre en *l, m, r* antes de estas letras.
Ejemplos:

---

[1]) Véase nota a la Lección VIII*ᵃ*, N.⁰ 3.
[2]) Entonces cesa la razón del acento gráfico (V. § 11) en la
última vocal de las palabras que antes lo hubieran llevado; v. gr.:
dà + *lo* = *dallo.* — Lo mismo puede acontecer con todo género
de palabras, también en caso de prefijos, v. gr.: *arrivederci (a* +
rivederci) hasta la vista; suvvía! (su + *via)* ¡ánimo! etc.
[3]) La forma *volerèi* es la del verbo *volare* volar (y no de
volére querer).

imbalsamare, en vez de *inbalsamare*
illuminare » » » *inluminare*
corroborare » » » *conroborare,* etc.

7.⁰ — Muchos verbos, ya en el infinitivo, ya en varios tiempos o personas, sufren (o pueden sufrir) contracciones o alteraciones muy variadas, v. gr.:

cògliere coger se puede contraer en *còrre* (§ 11, *b*)
cogliderò cogeré » » » » *corrò*
comperare comprar » » » » *comprare* [1])
devi debes » » » » *dei, de'*
doverò deberé » contrae » *dovrò*
poterèi podría » » » *potrèi,* etc.

§ 10. — Ciertas palabras al encontrarse con otras (con tal que éstas no empiecen por *s* impura) a menudo se apocopan o contraen; — si la consonante final de la palabra apocopada forma *sílaba* con la vocal inicial de la palabra siguiente, entonces media entre las dos un *apóstrofo* (aplicado a la voz apocopada). Ejemplos:

en vez de | se dirá:

il buono uòmo el buen hombre, | *il buon uomo*
quella ánima esa alma, | *quell'anima*
tutto altro enteramente distinto, | *tutt'altro*
la ánitra el pato, | *l'anitra*
bello arnese bello arnés, | *bell'arnese*
uno bello cavallo un hermoso | *un bel cavallo;*
potro,

en vez de | se podrá decir:

lèggere bene leer bien, | *lègger bene o ben lèggere*
servitore fedele criado fiel, | *servitor fedele*
fedele servitore id., | *fedel servitore*
questo animale este animal, | *quest'animale,* etc.

§ 10 *bis.* — Sobre lo que se ha dicho en el § precedente, añadimos lo que sigue [2]):

1.⁰ — Se distingue el apócope *(troncamento)* de la elisión *(elisióne)* en que el primero acontece por la palabra en sí misma, — al paso que la segunda acontece cuando a una palabra se le quita su vocal final por efecto de la vocal con que empieza la voz siguiente; v. gr.:

---

[1]) Puede perder la *e* temática en toda la conjugación.
[2]) El apócope y la elisión no están siempre sujetos a reglas fijas, mas por lo común se hacen según el gusto imperante y el deleite del oído.

a) **flór, fratèl, parlár, andiám, amábil** por *fióre, fratèllo parlare, andiámo, amábile* flor, hermano, hablar, vamos, amable;

b) **fratell'amato** (hermano querido), **grand'uómo** (gran hombre), **coll'acqua** (con el agua), **l'oro** (el oro), por: *fratello amato, grande uomo, colla acqua, lo oro.*

2.⁰ — Se pueden apocopar: — *a)* los sustantivos y adjetivos *masculinos* singulares acabados en *o, e,* con tal que por efecto del apócope su consonante final resulte una líquida o nasal *(l, r; m, n);* — *b)* en las mismas condiciones, los infinitivos y las primeras y terceras personas plurales de los verbos, y los adverbios primitivos. — Si la vocal final va precedida de consonante *doble* nasal o líquida, se pierde una de éstas también. — Ejemplos:

trar	por *trarre*	tirar;	*bel*	por *bello*	bello;
amáron[1]	» *amárono*	amaron;	*ben*	» *bene*	bien;
buón	» *buono*	bueno;	*andrán*	» *andranno*	irán.

3.⁰ — Se eliden, aplicándoseles además el apóstrofo, los vocablos que no se encuentren en las condiciones sobredichas, cuando se quiere evitar el choque de su vocal final con la vocal inicial de la voz siguiente, v. gr.:

un'òpera	por *una opera,*	una obra
cinquant'anni	» *cinquanta anni,*	50 años; etc.

4.ᶜ — Por efecto de su sonido paladial, las voces acabadas en **gli**, y las acabadas en **ce, ci, ge, gi**, se eliden solamente: las primeras antes de *i*, las otras antes de *e, i*. — La preposición **da**, *de*, raramente se elide (y casi sólo antes de *a*).

5.⁰ — **Santo** *santo* y **frate** *fraile* se cambian en **san, frà** *fray* antes de un nombre propio que empiece por consonante; — (**santo** y **santa** se eliden antes de vocal); v. gr.: *san Gregório, frà Luca; sant' Anselmo sant' Anastásia;*

suóra, *sor*, pierde comúnmente la *a* antes de un nombre propio, v. gr.: *suor Anna, suor Gertrude;*

---

[1] En este tiempo de los verbos se puede apocopar aún más la 3.ª pers. plur. (v. gr. *amâr* en vez de *amaron*). — V. Lección VIII, NB., pág. 48.

grande se vuelve muy a menudo **gran** cuando precede inmediatamente a su sustantivo, v. gr.: *uomo di gran riverenza, — è gran peccato;* — pero se suele elidir *(grand')* si el sustantivo siguiente empieza por vocal.

6.⁰ Los pronombres *adjetivos* derivados del artículo indeterminado *uno* (como: **alcuno, nessuno,** etc.) se apocopan o eliden en los casos en que esto se hace con *un, un'* — (V. Lección I.ª — y XVI.ª). — Lo mismo es con **tale, quale, solo,** y semejantes.

7.⁰ — El artículo **il** puede perder la *i* cuando le preceden las conjunciones *e, o,* pero entonces toma un apóstrofo *antes de* sí, v. gr.: **e 'l duca a lui,** *y el guía a él.*

8.⁰ — Los plurales **capelli** *cabellos,* **belli** *bellos,* **quelli** *aquellos,* **augèlli** *aves,* pueden ser también: **capegli; begli, bei** o **be'; quegli, quei** o **que';** [1] **augèi.**

El pronombre **egli** *él,* puede contraerse en **ei e'.**

Acentuación.

§ 11. — *a)* En italiano no se usan acentos gráficos sino excepcionalmente. Sin embargo, es de rigor el acento (en general se emplea el grave, `): α) para señalar la vocal con acento tónico en que acaba una voz aguda, v. gr.: **salì** *subió,* **virtù** *virtud,* **carità,** *caridad;* — β) para indicar la correcta pronunciación de algunos monosílabos que sin aquel signo pudieran pronunciarse mal, o confundirse con otras voces de igual forma y de significado diferente, v. gr.: **ciò** *esto,* **già** *ya,* **più** *más,* **può** *puede,* **dì** *día,* **là** *allá,* **lì** *allí,* **sè** *sí* (pronombre), **sì** *sí* (afirmación), **è** *es,* **dà** *da,* **nè** *ni,* **frà** *fray* [2]); — γ) se lo puede a veces usar para distinguir una palabra polisílaba de otra que se escribe igualmente, o para fijar el tono en una vocal, v. gr.: **dànno** *ellos dan,* **danno** *daño* (**dannò** *condenó*), — **compìto** *acabado* o *apuesto,*

---

[1] Se usa *bei, be', quei, que'* antes de consonante; *begli, quegli* antes de vocal o de *s* impura; — *belli, quelli* cuando son: el 1.⁰, predicado; el 2.⁰, pronombre sustantivo.

[2] Sin el acento se podría pronunciar *cio, gia,* etc.; o confundir v. gr.: **dì** con la prepos. **di** *de,* **frà** con la prep. **fra** *entre,* **là** con el artíc. **la,** etc.

cómpito *tarea*, (**compitò**, *deletreó*); —**stropiccio** *fricción*, **stropíccio** *yo friego*. [1]).

NB. — Algunos escritores prefieren el signo del acento agudo (´) en lugar del grave; cuestión meramente de forma.

b) Se emplea a veces el circunflejo como signo diacrítico para indicar una contracción (que acontece especialmente en el infinitivo de algunos verbos) o ciertos apócopes (en la 3.ª pers. pl. del *possato remoto*); v. gr.:

côrre coger (por *cógliere*) — [*corre* corre].

amâr amaron (por *amárono*) — [*amar* (por *amare*), amar].

(V. también § 9, 7.°).

§ 12. — En cuanto al acento tónico, las palabras italianas se dividen, como las castellanas, en agudas *(tronche)*, llanas *(piane)*, esdrújulas *(sdrúcciole)*, sobresdrújulas *(bisdrúcciole, trisdrúcciole* y aún *quadrisdrúcciole)*. Ejemplos:

partí *salió.* — **paròla** *palabra*, — **pállido** *pálido*, — **compréndamisi** *compréndaseme*, — **compréndameselo** *compréndaselo*, — **compréndameselovi** *compréndaselo allí.* — (Sin embargo, las *trisdrúcciole* y *quadrisdrúcciole* no son muy usadas y se evitan; así, v. gr., en lugar del último ejemplo se dirá mejor: *me ve lo si comprenda.*)

NB. — *a)* La mayor parte de las palabras italianas son llanas. — *b)* Fuera de pocas excepciones (v. gr. *in, per, il, con, lápis*), las palabras italianas en su forma natural acaban en vocal. — *c)* A excepción de los verbos, el acento tónico no cambia de lugar por efecto de la flexión. — *d)* El acento tónico no muda tampoco de lugar por efecto del apócope, de la elisión, ni de la adición de afijos.

De la División de las Sílabas.

§ 13. — La división se hace casi siempre como en castellano. Sin embargo, adviértase que:

a) las consonantes dobles pertenecen a sílabas distintas, v. gr.: **ab-bas-sa-re** *bajar*; **al-lun-ga-re** *alargar*; **in-neg-gia-re** *cantar himnos, alabar*; **as-sas-sí-nio** *asesinato*; **ac-qua** *agua;*

---

[1]) Cuando un monosílabo se halla por composición al fin de palabra, ésta se hace aguda y el monosílabo se señala con acento en su vocal final, v. gr.:

io do	yo doy,	io ridò	doy otra vez.
che	que,	perchè	porque, por qué.

b) la **s** (sencilla) no forma nunca sílaba con la letra precedente, v. gr.: **á-si-no** *asno*; **pa-stíc-cio** *embrollo;* **ri-spet-to** *respeto;* **a-spro** *áspero;*

c) las combinaciones de más de dos consonantes se dividen de manera que una sola quede con la vocal precedente, v. gr.: **con-tra-sto** *contraste*; **con-cla-ve**; **af-fran-to** *rendido;*

d) una consonante entre dos vocales se une a la siguiente, v. gr.: **pá-lo** *estaca;* **va-ni-tà** *vanidad;*

e) la reunión de dos vocales no se divide si las dos forman diptongo, v. gr.: **bián-co** *blanco;* **cáu-le** *troncho;* **Eu-ró-pa, An-tó-nio, qua-le** *cual*; **té-nia** *tenia;* — pero si no lo forman, se divide, v. gr.: **mi-o** *mi*, **zi-o** *tío*, **zi-ét-ta** *tiíta*, **ba-ú-le** *baúl*, **Ma-ri-a** *María;*

f) como los elementos de cada sílaba son indivisibles, las consonantes apostrofadas tendrán que unirse a la vocal siguiente (V. § 10), v. gr.: **que-st'ál-bero** *este árbol*, **l'á-nima** *el alma*, **san-t'I-sidòro** *San Isidoro.*

Otras observaciones ortográficas.

§ 14. — *a)* Las letras *mayúsculas* se emplean como en castellano.

b) Los *signos de puntuación*, etc. tienen también en italiano el mismo uso que en castellano, con la sola excepción de que en italiano no se emplean al principio de las oraciones interrogativos o admirativas los signos invertidos (¿, ¡), y de que a menudo no es menester separar con coma las proposiciones coordinadas o subordinadas.

c) El *apóstrofo* — que sirve para señalar las elisiones (V. § 10 y 10 *bis*) — se emplea también en algunos pocos casos para distinguir los monosílabos que pudieran confundirse con otros, a saber:

dì' = di tú (**dì** = día, **di** = de). — **ve'** por *vedi* = vé, ves (**ve** = os, allá) — **fe'** por *fece* = hizo (**fè** por *fede* = fe) — **vo'** por *vòglio* = quiero (**vo** = voy); — y puede usarse en los imperativos 2.ª pers. sing. **va', sta', fa', da'** para distinguirlos de los indicativos 3.ª pers. sing. *va, sta fa, dà* (**da** = de, por).

§ 15. — Denominación italiana de los signos de puntuación y otros:

.   punto *o* punto fermo

,   vírgola

;   punto e vírgola

:   due punti

?   punto interrogativo

!   »   esclamativo

... punti di sospensióne

··   dièresi (dïè-)

′   accento acuto

`   *id.*   grave

^   *id.*   circonflesso

′   apòstrofo

() [] paréntesi (tonda, qua-
         drata [1])

        tratteggíno *o* righetta

— lineetta

= du lineette (*o* eguale)

« » virgolette

„ "   *id.*

§ parágrafo

* asterisco

} sgraffa *o* chiave

    ápice.

---

[1]) El paréntesis cuadrado llámase también *uncinetti* (= gan-chitos).

PARTE II.

Morfología.

Nociones preliminares.

1.⁰ — Las partes de la oración *(parti del discorso)* en italiano son nueve, a saber: [1])

1. *l'artícolo* el artículo
2. *il sostantivo* el sustantivo
3. *l'aggettivo (qualificativo)* el adjetivo (calificativo)
4. *il pronome* el pronombre
5. *i númeri* los numerales
6. *il verbo* el verbo
7. *l'avvèrbio* el adverbio
8. *la preposizióne* la preposición
9. *la congiunzióne* la conjunción.

NB. — Hay una clase de sonidos que no son palabras, y sirven para expresar sentimientos repentinos: se llaman *interiezioni* (interjecciones). — Sin embargo, a menudo verdaderas *palabras* se usan como interjecciones.

2.⁰ — Como en castellano, las primeras seis partes de la oración son susceptibles de variaciones en sus formas por efecto de la *flexión.* [2])

a) Las cuatro primeras pueden tener dos géneros, *mascolino* (o *maschile*) y *femmínino* (o *femminile*); dos números, *singolare* y *plurale;* y ser declinadas según seis casos *(casi),* a saber:

---

[1]) V. nota 1. en la pág. 2, y § 11 (pág. 11).
[2]) *Flexión* es el conjunto de las varias modificaciones que sufre una palabra para expresar sus relaciones (lógicas o gramaticales) en la oración.

nominativo, caso del sujeto y del predicado
genitivo,   »   de la especificación y de la posesión
dativo,   »   » » atribución
accusativo,   »   del objeto o complemento directo
vocativo,   »   de la invocación
ablativo,   »   » los demás complementos.

b) Los numerales siguen en parte las variaciones del adjetivo.

c) El verbo puede conjugarse según diferentes **tiempos** *(tempi),* a que corresponden varios **modos** *modi),* y se refiere a tres **personas** *(persone)* de los dos **números** *(númeri)* singular y plural.

3.⁰ — Las demás partes de la oración tienen forma invariable, es decir, no están sujetas a flexión.

4.⁰ — *a)* Las palabras *determinativas* acabadas en **-o** en el masculino singular, acaban en **-a** en el femenino: sus respectivos plurales acaban en **-i, -e.**

La final *-e* del singular es común a los dos géneros; y su plural es *-i.*

b) Lo mismo se dice de los adjetivos calificativos. — Los grados (comparativo y superlativo) de éstos se forman de igual manera que en castellano.

c) Toda palabra *aguda* o acabada en **i** es invariable.

d) En general los sustantivos forman respectivamente su plural como se ha indicado en *a)* de este N.⁰

5.⁰ — Los pronombres personales en el caso nominativo son:

ìo (pr. *ío*)	yo	*nŏi*	nosotros, -as
tu	tu	*vŏi*	vosotros, -as
egli, esso	él	*églino, essi*	ellos
ella, essa	ella	*élleno, esse*	ellas
Ella o *Lēi*	Vd.	*Élleno* o *Loro*	Vds.

NB. — *a)* En lugar de *egli, ella, eglino, elleno* se emplea a menudo, especialmente en el plural, el pronombre demostrativo *esso, -a, -i, -e.* (*Eglino, elleno* se usan raramente.)

b) El pronombre personal *sujeto* se emplea con los verbos en italiano en los mismos casos y de la misma manera que en castellano.

6.⁰ — Conjugación de los verbos **èssere** *ser, estar* y **avere** *haber, tener.*[1])

---

[1]) Creemos oportuno poner aquí la conjugación de estos dos verbos, cuyo empleo como absolutos y como auxiliares es tan frecuente

Indefinito *presente* (Infinitivo presente).

èssere *ser, estar.* | avère *haber, tener.*

Participio *presente* o *attivo* (Part. activo).

(essènte) *siendo, estando.* | avènte *habiendo, teniendo.*

Participio *passato* o| *passivo* (Part. pasivo).

stato *sido, estado.* | avuto *(habido), tenido.*

Gerúndio *presente.*

essèndo *siendo, estando.* | avèndo *habiendo, teniendo.*

Indicativo.	**Soggiuntivo.**	**Indicativo.**	**Soggiuntivo.**

Presente.

soy o *estoy, eres, sea* o *esté, etc.*		*he* o *tengo, has, haya* o *tenga,*	
sono	[*etc.* sía	he	*etc.* ábbia [*etc.*
sèi	sía	hái	ábbia
è	sía	ha	ábbia
siámo	siámo	abbiámo	abbiámo
siéte	siáte	avete	abbiáte
sono	síano o síeno.	hanno	ábbiano.

Imperfetto (Pretérito imperfecto).

era o *estaba,*	*fuera* o *fuese,*	*había* o *tenía, hubiera* o *hubiese,*	
era[1]) [*etc.*	fossi [*fuere,*	avcva[1]) [*etc.* avessi [*hubiere,*	
eri	fossi *etc.*	avevi	avessi *etc.*
era	fosse	aveva	avesse
eravámo	fóssimo	avevámo	avéssimo
eraváte	foste	aveváte	aveste
èrano	fóssero.	avévano	avéssero.

Passato remoto (Pretérito perfecto).

fuí o *estuve, etc.*		*hube, tuve etc.*	
fũi	*(falta en el*	èbbi	*(falta en el*
fosti	*subjuntivo)*	avesti	*subjuntivo)*
fu		èbbe	
fummo		avemmo	
foste		aveste	
fúrono		èbbero.	

e importante. El discípulo hará bien en aprenderlos de memoria desde luego, así como los pronombres personales.

NB. — Para los verbos castellanos *estar* y *tener* hay también en italiano los verbos *stare* y *tenère*, cuyo empleo se aprenderá con la práctica.

[1]) En la 1.ª pers. sing. se dice también *ero, avevo.* (Conviene emplearlos sólo cuando, faltando el pronombre, pudiera la 1.ª pers. confundirse con la 3.ª).

Futuro (y Condizionale).[1]

seré o estaré,	fuera o sería,	habré o tendré,	hubiera o ha-
sarò [fuere, etc.	saréi [etc.	avrò [hubiere, etc.	avrèi [bría, etc.
sarái	saresti	avrái	avresti
sarà	sarebbe	avrà	avrebbe
saremo	saremmo	avremo	avremmo
sarete	sareste	avrete	avreste
saranno	sarèbbero.	avranno	avrèbbero.

Imperativo.

Es igual al *presente de subjuntivo*, con la excepción de no tener la 1.ª pers. sing., y de ser la 2.ª p. sing. *sii, abbi*.

7.º — Los **tiempos compuestos** *(tempi composti)* de **essere** y **avere** se forman añadiendo a cada tiempo simple de ellos su respectivo participio pasivo a saber: **stato o avuto**, v. gr.:

essere stato	haber sido o estado;	aver(e) avuto	haber tenido
sono	» he » » »	ho	» he »
fossi	» hubiera » » »	avessi	» hubiera »,etc.

Así se forman los tiempos llamados *passato pròssimo* (pretérito perfecto compuesto), *trapassato* o *piucheperfetto prossimo* y *remoto* (pretérito pluscuamperfecto y tercer pretérito perfecto = **aveva avuto, ebbi avuto**) *futuro anteriore* (y *condizionale passato*) (futuro perfecto) — e *indefinito* y *gerundio passato*.

El infinitivo futuro *(futuro indefinito)* se forma en todos los verbos anteponiendo al infinitivo una de las locuciones *essere per* o *avere da*; así pues:

essere per essere }
aver(e) da essere } tener que (o haber de) ser (o estar).

essere per avere }
aver(e) da avere } tener que (o haber de) tener.

NB. — *a*) Estas locuciones se pueden emplear en todos los tiempos, de la misma manera y en los mismos sentidos que las correspondientes castellanas.

b) Los tiempos pasados de todos los demás verbos se forman del mismo modo que los de *essere* y *avere*, es decir: añadiendo el participio pasivo del verbo a un tiempo simple

---

[1] El **futuro de subjuntivo** se suele llamar *Condizionale*; pero es realmente un *futuro subjuntivo*, expresando una acción en un futuro hipotético o dudoso, además de emplearse en frases condicionales.

de uno de los auxiliares *avere* o *essere*, según convenga a la naturaleza del verbo, como se verá en el lugar oportuno.

8.⁰ — El participio pasivo del verbo **essere** debe, y el de **avere** suele concertar con el sustantivo a que se refiere[1]), v. gr.:

La donna che era stata qui . . .	La mujer que había *estado* aquí . . .
Sono stati uccisi due cani.	Han *sido* muertos dos perros.
Ho avuta (o avuto) la pazienza di . . .	He *tenido* la paciencia de . . .
I denari che avrei avuti (mejor que avuto) da mio padre sarebbero stati . . .	El dinero que hubiera *recibido* de mi padre habría *sido* . . .

9.⁰ — En general las palabras determinativas[2]) y los adjetivos calificativos ocupan en italiano, respecto del sustantivo a que se refieren, la misma posición que en castellano y conciertan siempre con él en género y número; v. gr.:

L'uomo buono dovrebbe èssere amato da tutti.	El hombre bueno hubiera de ser amado de todos.
Quelle buone fanciulle dissero . . .	Esas buenas niñas dijeron . . .

10.⁰ — La sintaxis italiana sigue en general las mismas reglas que la castellana.

Los *participios* conciertan comúnmente con sus sustantivos (V. n⁰ 8).

---

[1]) V. Lecc. VIII, 6.
[2]) A saber: *artículos, adjetivos demostrativos*, etc.

Lección primera.

Del artículo.

1.º — El artículo determinado **(determinante)** tiene en italiano las formas siguientes:

	masculino.		femenino.	
sing.	*il* o *lo*	el	*la*	la
plur.	*i* » *gli, (li)*	los	*le*	las.

2.º — Se emplea **il, i** antes de consonante. — Pero si la consonante es *s* impura, se usa **lo, gli,** que se emplean comúnmente también antes de *z.*

3.º — Antes de vocal, el artículo pierde comúnmente la suya y toma el apóstrofo; sin embargo, **gli** pierde la *i* solamente antes de *i*, y el plural femenino **le** pierde la *e* generalmente sólo antes de e. Ejemplos:

il padre	el padre	*i padri*	los padres
lo spettro	» espectro	*gli spettri*	» espectros
lo zio	» tío	*gli zii*	» tios
la donna	la mujer	*le donne*	las mujeres
la zitella	» moza	*le zitelle*	» mozas
l'animale	el animal	*gli animali*	los animales
l'uomo	» hombre	*» uómini*	» hombres
l'intrigo	la intriga	*gl'intrighi*	las intrigas
l'ánima	el alma	*le ánime*	» almas
l'im(m)ágine	la imagen	*le im(m)ágini*	» imágenes
l'erba	» yerba	*le erbe* (o *l'erbe*)	» yerbas.

4. — El artículo indeterminado **(indeterminante)** es:

masculino **un** (**uno** antes de *s* impura o *z*)
femenino **una** (**un'** antes de vocal).

Ejemplos:

un fratello	un hermano	*una figlia*	una hija
un uccello	» ave	*una casa*	» casa
uno spírito	» espíritu	*un' oca*	uu ganso
uno zótico	» rústico	*un' idèa*	una idea.

Vocabulario.

Questo, -a, -i, -e	este, -a, -os, -as		si chiáma	se llama
quello, -a, -i, -e	ese, -a, -os, -as		si uccise	se mató
	aquel, -lla, etc.		cadde	se cayó
la fonte	la fuente		stúpido	estúpido
l'òpera (f.)	la obra, la ópera		vólano	vuelan
lo zèlo	el celo		amméttere	admitir
spaventoso	espantoso		scenderanno	bajarán
il tetto	el tejado, el techo		i cavalli	los caballos
molto	mucho, muy		il giardíno	el jardín
il curato, il	el cura		di	de
prete			da	de, por
l'ária (f.)	el aire		a	a
nessún(o)	ningún(o)		per	por, para
l'affare (m.)	el negocio		talvolta, a	a veces.
l'inferno	el infierno		(o alle) volte	
veduto (o visto)	visto			

Tema 1⁰.[1])

L'uomo è un animale. — Tu sei mío fratello; essa è mía sorella (hermana). — Ho un figlio ed[2]) una figlia. — Quell'uomo ebbe una grande idea. — Tuo zío ha un'oca di colore bianchíssimo. — Lo zelo di vostra sorella è eccessivo. — Essa è una zitella. — Gl'intrighi di quelle donne erano oscuri. — Sei tu, madre mía? Sì, son ío. — Lo spírito di un uomo generoso sarà sempre fonte di buone òpere. — Gli zíi hanno vedute le imágini? Sì. — La sorella d'Augusto si chiama Amália. — Gli spettri sono spaventosi per coloro che vi crédono (para los que creen en ellos).

Tema 2⁰.

Un ganso se cayó del (dal) tejado y se mató. — Los tíos de Pedro (Piétro) eran muy buenos. — ¿Has visto las imágenes que tenía tu (túo) padre? Sí, amigo (-ro). — Las aves vuelan por el aire. — El celo de aquella moza es estúpido. — Las almas de los (dei) buenos subirán al cielo, dijo el cura, las (quelle) de los malos bajarán al infierno. — Las intrigas no se debieran (non si dovrébbero) admitir en ningún negocio. — Las hierbas crecían (crescévano) muy altas en este jardín. — Los animales que has visto eran caballos y bueyes (buói). — Mujeres malas y hombres buenos se encuentran a veces juntos (si tróvano . . . insieme).

---

[1]) En los ejercicios de traducción no daremos la equivalencia de las palabras italianas iguales ó muy parecidas en las dos lenguas. — Véanse además las «Nociones Preliminares», y el Vocabulario al fin del libro. — Las voces castellanas en letra cursira, que no se encuentren entre paréntesis, tienen igual forma en italiano.

[2]) Véase la nota al pie de la pág. 23.

Lección segunda.

Observaciones sobre los artículos.

1.⁰ — La declinación (declinazione) se forma como en castellano. — El artículo determinado se contrae con varias preposiciones posponiéndose a ellas y formando las que se llaman *preposizioni articolate*. — Hé aquí la declinación:

masculino.				femenino.		
N. *il,*	*lo,*	*l'*	el	*la,*	*l'*	la
G. *del,*	*dello, dell'*		del	*della, dell'*		de la
D. *al,*	*allo, all'*		al	*alla, all'*		a la
Ac. *il,*	*lo,*	*l'*	el, al	*la,*	*l'*	la, a la
Ab. *dal,*	*dallo, dall'*		del o por el.	*dalla, dall'*		de o por la.
N. *i,*	*gli,*	*gl'*	los	*le,*	*l'*	las
G. *děi, de'*	*degli, degl'*		de los	*delle, dell'*		de las
D. *ăi, a',*	*agli, agl'*		a los	*alle, all'*		a las
Ac. *i*	*gli,*	*gl'*	los, a los	*le,*	*l'*	las, a las
Ab. *dăi, da'* [1]*)*,	*dagli, dagl'*		de o por los.	*dalle, dall'*		de o por las.

2. — Véase el § 9, 5.⁰ (pág. 8). — En el estilo elevado o en poesía suelen algunos escribir la preposición y el artículo separados, a saber: *de lo, de l', de la; a lo, a l', a la; da lo, da gli,* etc. — *(de 'l, a 'l,* etc. más raramente).

3.⁰ — *De', a', da'* (plurales) se usan para evitar cacofonía cuando les precede o sigue palabra que contenga diptongo formado con *i,* v. gr.:

en vez de: *dei suoi,* se dirá: *de' suoi de sus*
  » » » *gli Dei* [2]*) dai*   » » *gli Dei da' quali...*
     quali ...,   *los Dioses de los*
etc.   *cuales ...*

4.⁰ — Las preposiciones que se contraen o se combinan con artículos, además de **di, a, da** (V. N.⁰ 1⁰), son:

con *con,* **per** *para* o *por,* **su** *sobre,* **in** *en.*

Con y **per** pierden su consonante final (V. pág. 8, N.ᵒˢ 5.⁰ 6.⁰); **in** se cambia en **ne**; a saber:

---

[1]) Cfr.: *Dēi* dioses; *ăhi* ay; *hāi* tienes; *dăi* das.
[2]) Nótese el artículo *gli* en lugar de *i,* por excepción, antes de la voz *Dei.*

col, collo, colla, coi o *co'*, *cogli, colle,* con el, la, los, las.
pel, pello, pella, pei o *pe'*, *pegli, pelle,* por *o* para el, la, los, las.
nel, nello, nella, nei o *ne'*, etc., en el, la, etc.
sul, sullo, sulla, sui, etc., sobre el, la, etc.

NB. — α) Ahora se prefiere decir: *con il* o *lo, la, i gli, le; per il* o *lo, la, i, gli, le.*

β) La preposición *tra* o *fra* = *entre* no ne suele combinar con el artículo, pero puede tomar un apóstrofo en vez del artículo *i,* v. gr.: *tra'flori* por *tra i flori entre las flores.*

5.⁰ — De análoga manera se declina el artículo indeterminado; pero éste no se contrae en una palabra con preposiciones:

	masculino.			femenino.				
N.		*un, uno*			*una, un'*			*un, una*
G.	*di* o *d'*	»	»	*di* o *d'*	»	»	de	», »
D.	*a* o *ad*[1])	»	»	*a* o *ad*	»	»	á	», »
Ac.		»	»		»	»	etc.	
Ab.	*da*	»	»	*da*	»	»		
»	*con*	»	»	*con*	»	»		
»	*su*	»	»	*su*	»	»		
	etc.							

NB. — *Un, uno, una* tienen plural propio sólo en el caso de usarse de un modo pronominal y con el artículo determinado, en oposición a *altri, altre otros, -as* a saber: *gli uni* — *(gli altri), le une* — *(le altre).*

6.⁰ — Los artículos tienen en italiano, en general, los mismos usos e igual sintaxis que en castellano, menos alguna que otra excepción idiomática que se aprenderá con la práctica. Hácese notar aquí tan sólo lo siguiente:

a) en italiano se pone el artículo determinado antes de los pronombres *posesivos* usados *adjetivadamente;* sin embargo, se puede (y se suele) omitir cuando aquéllos preceden a nombres de parentesco (en el singular) que no vayan acompañados de adjetivos calificativos y no tengan forma alterada (V. lecc. XVIII), v. gr:

il mio padre   mi *padre*   o más a menudo *mio padre*
la túa suòcera tu *suegra*   » » » » *tua suòcera*
il nostro cugino nuestro *primo* » » » » *nostro cugino.*
etc.

---

[1]) La preposición *a* y las conjunciones *e, o* toman a menudo una *d* eufónica antes de vocal *(ad, ed, od);* también puede hàcerlo, pero se usa poco, la conj *nè (nèd);* — la preposición *su* en igual caso puede tomar una *r* (v. gr. *sur un álbero* — sobre un árbol).

Mas no se diría: *mio **buon** padre disse* (dijo) *che . . .*, sino: *il mio buon padre disse che*, etc.; — no se diría: *mio **cuginetto** era . . .* (mi primito era . . .) sino: *il mio cuginetto era . . .*

b) Los nombres de naciones y provincias llevan el artículo en italiano; los de ciudades, lugares, etc. comúnmente no.

(Véase la Lección XIX.)

c) Cuando dos o más sustantivos consecutivos se refieren a otro, se aplica a cada uno de ellos, y no solamente al primero, su artículo (se puede a veces hacer excepción con sustantivos de igual género y número); v. gr.:

Los méritos y servicios de mi abuelo — i *mériti ed* i *servizi del mio avo* (o *nonno*).

El celo, inteligencia y honradez de Fulano — lo *zelo*, l'*intelligenza* e l'*onoratezza del tale*.

NB. — *a)* La forma castellana del *acusativo* precedido de *a* no existe en italiano para ninguna palabra.

b) La declinación de las demás voces declinables se forma análogamente a la del artículo (pero en ninguna de ellas acontece la contracción con preposiciones); si a ellas precede artículo, es éste el que se declina. - En el caso vocativo se puede anteponer a la palabra declinada (sin artículo) la interjección *o.*

Vocabulario.

Il pane	el pan	*Giovanni, -a*	Juan, -a
il panattière	el panadero	*parli*	hablas
l'ánitra (f.)	el pato, el ánade	*saltava*	saltaba
i genitori	los padres	*vuói*	quieres
la sorella	la hermana	*venne*	vino *(verbo)*
il vicino	el vecino	*rubò*	robó
la carrozza	el coche	*quale, -i*	cual, -es
l'onore (m.)	la honra	*la, (l')*	la (pronombre pers.)
il capo	el jefe, la cabeza, el cabo	*chi*	quien
la fòglia	la hoja	*che*	que
il fiùme	el río	*due*	dos
la principessa	la princesa	*tre*	tres
tutto, -a, -i, -e	todo, -a, -os, -as	*miéi*	mis, míos
brutto, -a, -i, -e	feo, -a, -os, -as	*ieri*	ayer
vostro, -a, etc.	vuestro, *etc.*	*qui*	aquí
cattivo, -a, etc.	malo, *etc.*	*vicino a*	cerca de
Luigi	Luis	*più*	más
Giuseppe	José	*non*	no.

Tema 3º.

Ho due fratelli e tre sorelle. — I miei genitori erano stati tutto il giorno coi vostri cugini. — Di chi parli? Di un uomo che cadde ieri dal tetto e si uccise. — (Noi) avevamo un giardino ed una casa. — L'uccello saltava nell'erba vicino a mia zia. — Gli Dèi dèi pagani furono aboliti dal cristianésimo. — Vedesti un' anitra più bella di questa *(que éste)*? Giammai *(Nunca)*. — Sei tu, madre mia? O mio figlio, sii buono! Sono venuto[1] *(He venido)* dalla casa del padre di Luigi col fratello e (con) la sorella d'Augusto. — Gli zii hanno vedute le imagini di quegli animali. — O fanciullo, da chi avesti lo spírito? Da Dío. — Fui in casa del tuo vicino. — Saremmo venuti colla carozza se l'avessimo avuta. — Chi sarà quell'uomo? Non so *(sé)*. — Un ladro salì *(subió)* sul tetto. — Per l'onore della nostra casa, non far questo *(no hagas esto)*! — Da un capo all'altro d'Italia. — La suòcera di Giuseppe si chiama Francesca. — L'Italia, la Spagna e la Francia sono nazioni latine. — Dall'Alpi *(pl)* alle Pirámidi, dal Manzanare al Reno. — Gli uni erano buoni, le altre erano cattive. — Quali vuoi? Gli uni o gli altri, come *(como)* vuoi tu.

Tema 4º.

Tengo un padre muy bueno. — Las hojas de la *rosa*. — Vino del cuarto *(cámera)* de José, y no del *mío*. — El agua del río es *fresca*. — El pan de nuestro panadero estaba sobre la *(sulla)* mesa. — Entre las flores de los jardines. — ¿Dónde *(Dove)* se cayó tu hermana? Se cayó por las escaleras *(dalle scale)*. — En el patio *(corte f.)* estaban veinte *(venti)* muchachos *(ragazzi)*. — ¿Quién es tu abuelo? El padre de mi madre. — Vuestro primo tiene un coche hermoso, pero su caballo *(cavallo)* es feo. — La tía de la reina *(regina)* está con la princesa Juana. — Ese estúpido se mató con la escopeta *(lo schiòppo)* que robó al cura de nuestra aldea *(villágio)*. — En la casa de la mujer de Pablo *(móglie di Páolo)* fueron halladas muchas *(trovate molte)* imágenes de santos. — Un espíritu inteligente *(intelligente)* fué el tío de la moza *(gióvane)* que viste *(vedesti)* ayer aquí. — ¿Qué me dices *(dici)* del negocio *(affare, m.)*? ¡Al infierno el negocio!

---

[1] Muchos verbos neutros toman por auxiliar *essere*. (V. Lección Xª).

Lección tercera.
Del plural de los sustantivos y adjetivos.

1.⁰ — En la formación del plural de los sustantivos y adjetivos se observan las reglas contenidas en el § 9 (pág. 6 y sig.). — V. además § 10, y 10 *bis* (pág. 9 y sig.).

2.⁰ — Los sustantivos con la última sílaba acentuada (apocopados o agudos), los monosílabos, y los acabados en *-i, -ie* o en consonante son invariables en el plural, v. gr.:

il pascià	el bajá	pl. *i pascià*
il papà	el papá	» *i papà*
il re	el rey	» *i re*
il piè (por *piède*)[1]	el pie	» *i piè* (por *pièdi*)
il pensier' (por *-èro*)	el pensamiento	» *i pensier* (por *èri*)
il cuor (por *cuóre*)	el corazón	» *i cuor* (por *cuóri*)
la città	la ciudad	» *le città*[2]
la virtù	la virtud	» *le virtù*[2]
il bríndisi	el brindis	» *i bríndisi*
la ellissi	la elipse	» *le ellissi*
la spècie	la especie	» *le spècie*
la sèrie	la serie	» *le sèrie*
il lápis	el lápiz	» *i lápis*
lo czar (*il zar*)	el zar	» *gli czar* (*i zar*).

3.⁰ — Los **masculinos,** *cualquiera que sea su desinencia,* cambian su vocal final en -i (o -j, -î), v. gr.:

profeta	profeta,	pl. *profeti*
telegramma	telegrama,	» *telegrammi*
pirata	pirata,	» *piratı*
dono	regalo,	» *doni*
cognato	cuñado,	» *cognati*
òbbligo	obligación,	» *òbblighi*
fáscio	haz, lío (§ 9, 3⁰, *NB.*, pág. 7),	» *fasci*
tramestío	bullicio,	» *tramestii*
mestière[1]	oficio,	» *mestieri*
lampióne	farol,	» *lampioni*
cámice	alba,	» *cámici*
príncipe	príncipe,	» *príncipi*
princípio	principio,	» *princípi*

---

[1] En cuanto al sonido de la *e*, V. § 4, *Obs.*, pág. 2, y Apénd. I.

[2] Las palabras como éstas, que ahora comúnmente se usan apocopadas, tienen en su forma primitiva la adición de *de* o *te*, v. gr.: *cittade, virtute* o *virtude*; — su plural es entonces regularmente en *i- (cittadi, virtuti* o *virtudi).* — V. N⁰. 4⁰.

4.º — Los **femeninos** en *-a* forman el plural en *-e:* los en *-e* lo forman en *-i,* v. gr.:

mamma	madre,	pl.	*mamme*
fáccia	cara,	»	*facce* (§ 9, 1 º, pág. 6)
sentinella	centinela,	»	*sentinelle*
carrozza	coche,	»	*carrozze*
ráffica	ráfaga,	»	*ráffiche*
bugía	mentira,	»	*bugíe*
camícia	camisa,	»	*camicie*
móglie	esposa,	»	*mogli* (§ 9, 3 º, *NB.*, pág. 7)
donna	mujer,	»	*donne*
madre	madre,	»	*madri*
religióne	religión	»	*religióni*
consuetúdine	costumbre,	»	*consuetúdini*
estate	verano,	»	*estati.*

Vocabulario.

La bottega	la tienda	*fatto*	hecho
la vía	la calle, el camino	*avverato*	verificado
		portárono	trajeron
il lume	la luz, el farol	*distrusse*	destruyó
il fièno	el heno	*póssono*	pueden
l'anárchico	el anarquista	*adémpie*	cumple (con)
la strada	el camino	*dícesi*	se dice
la stella	la estrella	*disse*	dijo
il número	el número	*vi sono*	hay
la scátola	la cajita	*aiuta*	ayuda *(verbo)*
superióre, -i	superior, -es	*benone*	muy bien
buon giórno	buenos días	*anche*	también
buona sera	buenas tardes	*ancora*	todavía, aún
buona notte[1])	buenas noches	*quattro*	cuatro
vero	verdadero	*cinque*	cinco
il vero	la verdad	*dièci*	diez
acceso	encendido	*quanto, -a, etc.*	cuanto, etc.

Tema 5º.

Buon giorno, amico; come sta? Benone, e Lei? Anch'io. Signori, dovévano dire *(tenían que decir Vds.)* «buona sera» od anche «buona notte», visto che sono già accesi i lumi. — Quanti bríndisi fúrono fatti? Cinque. — Le virtù di quella donna non saranno mai superate da nessuno. — Nella «Via dei Tre Re» a Milano sono molte botteghe. — I Turchi póssono avere quattro mogli. — Non dire *(No digas)* bugíe. — Quel prete adémpie bène i **propri** *(sus)* òbblighi — Dícesi che molte profezíe dei proféti ebráici si siano *(se han)* avverate; è vero? Chi sa? — Quante spècie di animali vi sono? Do-

---

[1]) *Buona notte* se dice casi sólo para *despedirse* de noche a hora avanzada; si no, se dice, también por la noche, *buona será.*

mándalo *(Pregúntaselo)* ad un naturalista. — Alessandro *(Alejandro)* distrusse più città che non [ne][1]) costruì. — Il Líbano fu governato da un pascià. — Cuor contento il ciel l'aiuta, *dice* un *proverbio.* — La solitúdine *(soledad)* è nociva allo spírito dell'uómo. — Portárono dieci fasci di fieno.

Tema 6⁰.

Los centinelas del *campo* gritaron toda la noche «a las armas» *(all'armi).* — Las casas de aquellas mujeres eran muy bajas *(basse).* — ¿Cuántos coches tienes? Dos. — Los faroles no estaban todavía encendidos. — España tiene muchas hermosas ciudadas. — Los reyes desaparecerán *(spariranno)* de sobre la faz de la tierra *(dalla fáccia della terra),* dijo el anarquista. — El curso de las estrellas es una elipse. — Los bajaes de Turquía son superiores a los walíes *(vali).* — Los zares de Rusia *(Rússia)* eran muy poderosos *(potenti)* — ¿Cuántas series de números hay en aquella cajita? Diez. — ¿Han venido dos telegramas para mí? Sí, señor *(Sissignore).*

5.⁰ — *Observaciones.* — *a)* Las poquísimas voces femeninas acabadas en -o forman su plural en i, a saber: *la mano,* pl. *le mani; l' eco,* pl. (mascul.) *gli echi.*

Las apocopadas (poéticas) que acaban en -o, — v. gr.: *imago, testudo* por *imágine* (imagen), *testúggine* o *testúdine* (tortuga), — tienen plural regular *(imágini, testúggini,* etc.).

b) — *Uómo, búe* (buey), *Dio, Belga,* plur.: *uómini, buói, Dèi, Belgi.*

c) — *Il centinaio* (centenar), *il migliáio* (millar), *il míglio* (milla), *lo staio* (fanega), *il paio* (par), *il mòggio* (moyo), *l'uóvo* (huevo) se vuelven femeninos en el plural y toman -a, a saber: *le centinaia, le migliaia, le uova, le moggia,* etc.

6.⁰ — Algunos sustantivos masculinos acabados en -o pueden tener doble plural, a saber: masculino (regular) en -i, y femenino en -a, v. gr.:

bráccio	brazo,	pl. *bracci*	y	*bráccia*
labbro	labio,	» *labbri*	»	*labbra*
vestígio	vestigio,	» *vestigi*	»	*vestígia*
grido	grito,	» *gridi*	»	*grida,* etc.

[1]) Las voces entre paréntesis cuadrado no se traducen. — En cuanto a *ne.* V. Lecc. Vᵃ.

NB. — La práctica enseña el uso de los diferentes plurales de tales sustantivos, que consignamos, sin embargo, en el Apéndice II°, con las oportunas observaciones.

7.° — Los nombres **compuestos** (poco frecuentes) forman en general su plural regularmente, v. gr.:

l'asciugamano	la toalla,	pl.	*gli asciugamani*
la madrevite	la tuerca,	»	*le madreviti,*
la sanguisuga	la sanguijuela,	»	*sanguisughe*
il pianoforte	el piano,	»	*i pianoforti*
il plenipotenziário	el plenipotenciario,	»	*i plenipotenziári*
il contrórdine	la contraorden,	»	*i contrórdini,* etc.

(Véanse varias excepciones en el Apéndice II°.)

8.° — Como en las demás lenguas, hay también en italiano sustantivos que se usan sólo en el singular o en el plural; se conocerán por la práctica, o se indicarán en el curso del libro cuando se presente la oportunidad.

9.° — El plural de los **adjetivos calificativos** (y **participios**) se forma según las mismas reglas indicadas para los sustantivos, v. gr.:

buono, buona	bueno, buena,	pl.	*buoni, buone*
amato, amata	amado, -a,	»	*amati, amate*
amante	amante,	»	*amanti*
sapiènte	sabio, -a,	»	*sapiènti.*

Vocabulario.

Il corallo	el coral	*pavonazzo*	amoratado
la formica	la hormiga	*lungo*	largo
l'orecchino	el zarcillo, el pendiente	*ciascuno, -a*	cada cual
l'aratro	el arado	*aggiogato*	uncido
il frate	el fraile	*alzando*	levantando
la leva	la palanca	*alzávano*	levantaban
l'orzo	la cebada	*meritávano*	merecían
il frumento	el trigo	*venivano trovate*	se hallaban
il bácio	el beso	*arrívano*	están llegando
caldo	caliente	*condusse*	llevóse, condujo
bugiárdo	mentiroso; (sust.) embustero	*dovunque*	doquiera
		di lèi	de ella; su.

Tema 7°.

Dovunque sono religioni saranno sempre mártiri e fanátici. — I labbri di quella ferita erano pavonazzi. — Le labbra della bocca di lei ch'io tanto amava erano come di corallo, disse Martino. — A migliaia di migliaia venívano trovate le uova delle formiche in quel terreno. — Vendetti *(Vendi)* dieci moggia di grano. — Le testuggini vívono in acqua ed in terra.

— Cómpera due paja d'orecchini d'oro. — Il re dei Belgi si chiama Baudouin. — Quattro buoi erano aggiogati a quell'aratro. — I gentili avevano Dei falsi e bugiardi. — O uomini di poca fede! esclamò il frate alzando le mani al cielo. — I bracci di quella leva sono lunghi due braccia ciascuno. — L'estate in generale è calda; ma non tutte le estati sono calde. — Vídero in quel deserto vestígia d'antiche città.

Tema 8º.

Las rafagas de viento levantaban torbellinos de polvo (túrbini de pólvere). — ¿Qué hacen los centinelas? preguntó el capitán (-ano). Pues, ¿no ves que los príncipes están llegando? — Ocho moyos de trigo y veinte fanegas de cebada, gritó el hortelano (ortolano); y llevóse sus bueyes a otra (altra) parte. — La tortuga dejó pocos vestigios (-gi) en la arena. — Los huevos de las aves son de varias dimensiones (-óni). — En Siria se encuentran muchas religiones. — Muéstrame (Móstrami) las manos, dijo el maestro al niño (fanciullo). — Lanzaba gritos (-da) espantosos. — Cicerón (-óne) escribió un libro «Sobre la Natura(leza) de los Dioses». — Los ecos de las montañas (-agne) repetían sus gritos (-da) y sus quejas (lamenti). — Los gritos (-di) de algunos animales son espantosos. — ¿Has traído (portato) las toallas y las sanguijuelas? Sí. — Los sabios son raros (rari), como los amigos fieles (fedeli).

Lectura.[1]

L'Itália.

Cinta dal mare e dal curvo, alto e nevoso giogo (sierra) delle Alpi, coperta dal più ameno cièlo del globo, tra i gradi 36 e 47 di latitúdine boreale, è l'Italia; la bella contrada che, fra i cedri, gli olivi, i mirti ed i láuri, fu la cuna di cento e cento grandi nelle armi, nelle lèttere, nelle sciènze, nell'arti; la sede di monumenti d'ogni età e d'ogni gloria.

Considerévole porzióne d'Italia forma una penísola, curiosa per la figura, che ha símile a quella di gamba. Fra le sue ísole, tre, Sicília, Sardegna e Córsica (quest' última appartenente politicamente alla Fráncia), sono di cospícua ampiezza. La prima, la Trinácria degli antichi, è la più vasta del Mediterráneo. — Fra le minori priméggiano Elba e Malta (questa in mano degl'Inglesi); quindi quelle d'Èolo o Eòliche, tra Italia e Sicília.

Nella parte settentrionale d'Italia, fuori della regione peninsulare, fra le Alpi e l'Appennino, è una vasta pianura ove corre il Po, il più gran fiume dell'Italia, la quale può in certo [qual]

---

[1] Por la gran semejanza de las dos lenguas, damos en los trozos de lectura la versión tan sólo de voces o dicciones que el discípulo no podría hallar fácilmente por sí mismo.

modo considerarsi come prolungamente del letto del mare Adriático. Ad occidente questa pianura a poco a poco s'innalza sulle Alpi, e comprende il Piemonte; nel mezzo, la Lombardía; a oriente, presso al mare, la Venezia, l'Emilia, la Romagna.			(*Continúa* = Se continuará.)

Domande.

Dove si trova e che contrada è l'Italia?
Quale forma ha?
Che si dice delle sue ísole?
Che cosa si trova nella parte settentrionale?
Quali regioni comprende la vallata *(valle)* del Po?

Lección cuarta.
Del sentido general y del partitivo.
(Continuación de las lecciones sobre los artículos.)

1.º — Hay sentido **general** cuando se habla de cosa o cosas sin mencionar una o unas en particular; — hay sentido **partitivo** cuando se indica de una manera *indeterminada* una parte (o un poco) de una especie o clase de cosas.

Los dos sentidos se confunden a veces en su fórmula; sin embargo, comúnmente se expresa en italiano el sentido *general* por la ausencia de artículo u otro demostrativo particular; y el *partitivo* por medio de la preposición *di* junta con el artículo determinado. Ejemplos:

sentido general	sentido partitivo
*Chiámansi **uómini** gli animali ragionévoli*	*Vidi **degli uómini** che si dávano **(delle) legnate** nella via*
se llaman hombres los animales racionales.	ví a unos hombres que se daban palos en la calle.
*Per far **pane** e **biscotti** si adòperano **farina, acqua** e **zúcchero***	*Per fare questo piatto mi occórrono **del pane** e **delle uova***
para hacer pan y bizcochos se emplea harina, agua y azúcar.	para hacer este plato necesito (algo de) pan y (algunos) huevos.
*Quel ragazzo vende **carta, penne, inchiòstro** e **zolfanelli***	*Cómperami **della carta, delle penne, dell' inchiostro** e **degli zolfanelli***
ese muchacho vende papel, plumas, tinta y fósforos.	cómprame (un poco de) papel, (unas) plumas, etc.

2.⁰ — Tanto el sentido general como el partitivo se declinan en los casos oblícuos mediante las preposiciones **di, a, da, con**, etc., como en castellano; v. gr.:

G. *di uómini*, *di penne*, *di carta*, *d'inchiostro*,   de hombres, de plumas, de papel, de tinta,

D. *ad uomini*, *a penne*, *a carta*, *ad inchiostro*,   a hombres, a plumas, a papel, a tinta,

Ab. *da*, *con*, etc. *uómini*, *penne*, *carta*, *inchiostro*.   de *o* por. con *etc*. hombres, plumas, papel, tinta.

3.⁰ — No se debe confundir la expresión del sentido partitivo con la fórmula del genitivo. — V. gr., al decir: *parlo* **degli uomini** *i quali* ... (hablo *de los* hombres, que ...), *dammi* **del pane** *che hai comprato* (dame *del* pan que has comprado), no hay sentido partitivo, sino un genitivo. [1])

4.⁰ — Cuando la oración es negativa, comúnmente se emplea la fórmula del sentido *general* — (si hay oposición de conceptos, se podrá usar la fórmula del partitivo); v. gr.:

Non aceva fiori.   No tenía flores.

Non vide nè uomini nè donne.   No vió ni hombres ni mujeres.

Non ho (delle) mele, ma (delle) pere.   No tengo manzanas, sino peras.

5.⁰ — A veces se emplea el nombre con preposiciones sin artículo, aunque no haya sentido partitivo o general; (pero se emplea el artículo si el nombre está particularmente determinado por otras palabras, o es alterado, — Lecc. XVIII); v. gr.:

a, in, da teatro, casa, scuola,   a, en, de (el, la) teatro, casa, escuela,

in chièsa, strada, corte, giardino,   en *o* a (la, el) iglesia, calle, patio, jardín.

in, di tasca, carrozza,   en, de (la, el) faltriquera, coche.

Ejemplos:

Vado a o in teatro, sono in o a teatro.   Voy al teatro, estoy en el teatro.

Vengo da teatro.   Vengo del teatro.

María è in carrozza, scese di carrozza.   María está en el coche, bajó del coche.

---

[1]) En el segundo ejemplo se sobreentiende la palabra *parte*, pero el pan está determinado, y *del* puede sustituirse con *di quel*.

Vocabulario.

L'ábito	el vestido, traje	*il fucile*	el fusil
la bianchería	la ropa blanca	*mi abbisogna*	necesito, me
la scarpa	el zapato		falta
il cappello	el sombrero	*dammi*	dame
il cácio o for-	el queso	*salisti*	subiste
mággio		*ti accorgesti di*	reparaste en
la frutta	la fruta, las fru-	*scegli*	escoge, toma
	tas	*scese*	descendió, bajó
la barca	el barco	*andrò*	iré
la birra	la cerveza	*non andare*	no vayas
il bambino	el niño	*ecco*	he aquí, allí, etc.
la poveretta	la pobrecita	*éccoti*	hete aquí, etc.
la stalla, la	la cuadra, la	*ora, adèsso*	ahora.
scudería	caballeriza		

Tema 9º.

Mi abbisogna del denaro. Per che farne? *(¿Para hacer qué?)* Per procurarmi abiti, biancheria, scarpe ed un cappello. — Dammi del pane, del formaggio e della frutta. — Dove vai? A casa di Pietro. A piedi o in carrozza? In barca. — Quando salisti in treno *(tren)* non t'accorgesti di gente che stava a mirarti? Sì; uomini che non pènsano se non *(sino)* a divertimenti, ecco ciò ch'essi sono; che avévano da *(que)* guardarmi *(mirarme).* — Èccoti vino, birra, liquori; scegli ciò che vuoi. — Scese in corte a giuocare con donne e bambini. — Fosti a teatro? No, ma [vi] andrò domani sera *(mañana por la noche).* — Leva *(Saca)* di tasca quell'anello. — Essa dà sempre del denaro alla poveretta sulla porta *(á la puerta)* della chiesa. — Non andare in giardino, è úmido ora. — I cavalli sono ancora in istalla? A quest'ora *(hora)* sono già in istrada. — Per via *(En el camino)* incontrái persone che vendévano (dei) quadri antichi, (delle) pietre preziose, (dei) fucili e (delle) rivoltelle *(revólveres).*

Vocabulario.

El país	*il paese*	la carta	*la lèttera*
el aceite	*l'òlio*	el maestro de	*il maestro di*
la cantidad	*la quantità, la*	esgrima	*scherma*
	somma	mil francos	*mille franchi*
la plata	*l'argento*	escribir	*scrivere*
estéril	*stérile*	echas	*getti*
el jabón	*il sapone*	estoy echando	*sto gettando*
el pedazo	*il pezzo*	conoces	*conosci*
nada	*nulla*	se hallaba	*si trovava*
la naranja	*l'aráncia*	aprisa	*di fretta*
la botella	*la bottiglia*	el licor	*il liquore.*

Tema 10º.

Este país producía *(-ceva)* trigo, aceite, uvas, *lino* y *avena* en gran cantidad; en sus montes *(-ti)* se hallaba cobre *(rame),*

plata y *oro*; ahora es estéril y no *produce* nada. — Las na-
ranjas y limones *(-ni)* son frutas hermosas y buenas. — Dame
un pedazo de pan y una botella de *vino.* — ¿Por qué echas
jabón en el agua? No es jabón, son pedazos de madera los
que estoy echando en el **agua.** — ¿Conoces al maestro de
esgrima? No, señor. — Tengo unos libros en mi casa que no
vendería *(-rèi)* por mil francos. — Dame tinta; tengo que
escribir aprisa unas cartas. ¿Tienes papel también? Sí. *(ne)*
tengo, pero no te lo doy *(non te la do).* — Sube *(Sali)* al
coche y vete; no eres digno de confianza *(degno di fidúcia).*

Lección quinta.
De los pronombres demostrativos.

1.º — *a)* Se emplean para *personas y cosas,* como
sustantivos y *adjetivos:* [1])

questo, -a, -i, -e,	este, -a, -os, -as; esto
cotesto, » » »	ese, » » » ; eso
quello, » » »	aquel, -lla » » ; aquello
esso, » » »	él, ella, ello; aquel, -lla, -llo; ese, -a, -o; este, a, o, *etc.*

stesso, *-a, -i, -e,*	⎫	mismo, -a, -os, -as
medésimo, » » »	⎭	
tale, -i		tal, tales
tanto, -a, -i, -e [2])		tanto, -a, -os, -as; -to.

b) Sólo para *personas* y como *sustantivos:*

quèsti,	*cotesti;*		*quegli*	éste, ése, aquél (hombre)
costúi,	*costèi;*	pl.	*costoro*	éste, -a; -os, -as
cotestúi, (cotestèi) [3]);	»	*cotestoro*	ése, » » » .
colúi,	*colèi;*	»	*coloro*	aquél, -lla. » » .

c) En sentido *neutro* y como *sustantivos* (invariables):

ciò ⎫	
lo (raram. *il*) ⎭	esto, aquello, eso, ello

(*ne* = *di ciò, di questo, di quelli,* etc.).

2.º — **Observaciones.** — *a)* Como en castellano,
estos pronombres no pueden llevar artículo.

---

[1]) Un pronombre se dice empleado *sustantivadamente* o *adje-*
tivadamente según que acompañe o no a un nombre.

[2]) Todos los pronombres bajo *a)* se pueden elidir. — Además,
tale se puede apocopar antes de consonante y vocal en el mascul.
sing.; *quello* se apocopa siempre cuando es adj. masc. sing., antes
de consonante (excepto *s* impura, y *z*).

[3]) *Cotestei* no se suele usar.

b) **Quelli** (plural) se usa sólo como sustantivo; como adjetivo tiene las formas *quegli, quei, que'*, v. gr.:

Dammi quei temperini. — Dame esos cortaplumas. —
Quali? Questi o quelli? ¿Cuáles? ¿Estos o aquéllos?
Quelli sulla távola. Los que están sobre la mesa.

c) **Questi, cotesti** [1]), **quegli** en el singular masculino se emplean sólo en el nominativo y referidos a hombre. En lo restante de su declinación se emplean las formas **costui, cotestui, colui** o *questo, cotesto, quello.*

d) **Questo, cotesto, quello** se usan poco como sustantivos en el nominativo singular para personas. (V. *c.*)

e) **Esso,** -a, muy empleado como pronombre personal (V. Lec. IX.ᵃ), corresponde al *ipse* latino y, como adjetivo, es casi sinónimo de *stesso.* Se refiere siempre a cosa determinada (nunca se usa en sentido neutro), y sirve para indicar cosa o persona de que se ha hablado poco antes, pero con menor fuerza y menos determinadamente que *questo, quello, cotesto,* etc. Ej.:

Nel mezzo d'essa fontana sor- En medio de la misma (o de
geva una bella státua ... dicha) fuente se elevaba una
linda estatua ...

f) Sinónimos son: **questi** y **costui, cotesti** y **cotestui, quegli,** y **colui,** y sus femeninos y plurales.

g) Como sus correspondientes españoles, se refieren:
questo, questi, costui, etc. a persona o cosa cerca del que habla,
cotesto, cotesti, cotestui, etc. » » » » » del sujeto con
[quien se habla,
quello, quegli, colui, etc. » » » » lejana de uno y otro.

h) **Lo** se emplea sólo como complemento directo;
— **ne,** sólo como genitivo, pues corresponde al genitivo de todos los pronombres demostrativos, para personas y cosas en todo género y número. (Comp. el francés *en*).
— (V. también los pron. personales) [2]); — v. gr.:

---

[1]) *Cotesto, cotesta,* etc. se escribe y se pronuncia también *codesto, codesta,* etc.

[2]) *Ne* es también adverbio de lugar y significa: *de allí, de allá,* v. gr.: *ne venni jeri* vine ayer de allá. — Asimismo son adverbios de lugar *vi, ci* (= allí, allá), que como pron. demostr. significan *in esso,* -a, -i, -e. — Estos se cambian en *ve, ce* antes de los pron. *lo, la, li, le ne, se* (por *si* indeterm.). — V. Lec. IX.ᵃ, 7.

3*

Sai se è venuto il mèdico? —   ¿Sabes si ha venido el médico?
Non lo so.   — No ιο sé.
Hai veduto colui? — Ebbene,   ¿Has visto a aquél?—Pues bien,
essa ne è innamorata.   ella está enamorada de él.
Sei persuaso di ciò? — Non   ¿Estás persuadido de ello? —
ne sono persuaso.   No estoy persuadido (de ello).

i) **Ciò** tiene significación más general que *questo*,
quello, etc.; pero algunos prefieren no usarlo.

j) **Quello, -a,** etc. corresponde a menudo al castellano
ese -a, etc.

k) Las anticuadas formas contractas españolas
estotro, esotro, etc. no existen en italiano; en su lugar
se dice: **quest' altro, cotest' altro, quell' altro,** etc.

l) Asimismo no se usa en italiano el *artículo* en
vez del pronombre **quello, -a,** etc.; v. gr.:

Vedo il tuo libro e quello di   Veo tu libro y *el* de mi her-
mio fratello.   mano.

Vocabulario.

Il gradino	el peldaño	*correva*	corría
la scala	la escalera, es- cala	*sanno*	saben
		dovrèbbero	debieran, -erían
il furfante	el bribón	*vendette*	vendió
la sorte	la suerte	*recarle*	traerle (á ella)
il soccorso	el socorro	*sovente, spesso*	a menudo
mangi	comes	*così*	así
piglia	toma	*senza*	sin
parlavi	hablabas	*scudo (pezzo*	duro, peso.
parli	hablas	*da 5 franchi)*	

Tema 11º.

Quanti gradini ha questa scala? Non so *(No lo sé)*; quella
[ne] ha cinquanta *(50)*. — Préstami codeste mele. Se te le
(Si te las) presto, le mangi; piglia quelle altre. — Ne parlavi
sovente, ora non ne parli più. — Ciò che dico è vero. —
Quegli che correva così velocemente era mio cugino. — Questi
signori hanno tante ricchezze che non sanno che farne. —
Questi era il poeta più cèlebre della città. — Tali furfanti
dovrebbero essere puniti severamente. — Chi è colui? È il
marito di colei. — Io sono quegli (o lo stesso) che vendette la
casa a Giácomo *(Jaime)*. — Coloro che hanno molto denaro
dovrebbero essere caritatévoli *(-tivos)*. — Tale fu la sua sorte.
— Tutte le nazioni hanno a un dipresso *(más o menos)* i
medésimi difetti. — Quei soldati la vídero *(vieron)* morire senza
recarle soccorso. — Te lo dico in verità. — Questo è il mio,
e quell'altro è il tuo. — Chi te lo narrò? Esso o essa? Essa.

— Erano tante quelle donne e lanciávano tante grida, ch'era impossíbile abitare *(vivir)* in tal luogo. — Egli stesso ne era convinto. — La medésima cosa accadde a me pure.

Vocabulario.

Escrito	*scritto*	parecían	*sembrávano, pa-*
comprado	*comperato*		*révano*
compré	*comperò*	el mástil	*l'álbero (di nave)*
mejor	*miglióre*	el bosque	*la foresta, il*
vive	*vive, ábita*		*bosco*
el abuelo	*l'avo, il nonno*	otra vez	*un' altra volta*
la arquitectura	*l'architettura*	parientes	*parenti*
acontecido	*accaduto*	bajaron	*scésero*
majestuoso	*maestoso*	allí	*lì, là*
el buque	*la nave*	señoras	*signore*
el puerto	*il porto*	hicieron	*fécero.*

Tema 12º.

Este hombre ha escrito esas cartas. — Estos teatros son muy grandes, pero los de mi ciudad son más grandes aún. — Él mismo dijo que eso era mentira. — ¿Ha comprado V. el mismo libro que compré yo? No, éste es mejor. — ¡Qué calle tan hermosa *(Che bella strada)* es la en que vive mi abuelo! — La arquitectura de esa iglesia es majestuosa. — Esto se llama ser *prudente.* — ¿Sabes lo que ha *(è)* acontecido? Lo sé. — He visto tantos buques en el puerto de Marsella *(Marsíglia),* que parecían sus *(loro)* mástiles un bosque. — Ya has hablado de la mesa; ¿por qué hablas otra vez de ella *(perchè ne parli ancora)?* — Éste es mi hermano, aquél es mi primo; aquellos son otros parientes. — Aquel muchacho y esos hombres bajaron ayer del monte. — Esos duros son míos *(mièi),* aquellos son tuyos *(tuói).* — Esos papeles no están bien allí; tráelos acá *(pòrtali qua).* — Las mismas señoras nos hicieron una visita *(vísita).*

Lección sexta.

Del género de los sustantivos y adjetivos.

1.º — *a)* Son **masculinos** todos los nombres propios de hombre y los que indican dignidad, profesión, oficio etc. propios de hombre; exceptúanse: *la sentinella* el centinela, *la recluta* el quinto, *la vedetta* el atalaya, *la staffetta* la estafeta, *la spia* el espía, y algún otro más.

b) Son **femeninos** todos los nombres propios de mujer y los de dignidad, profesión, título, etc. propios de mujer.

c) En los nombres de *animales* y de *cosas* y en los abstractos, el género, determinado por el uso, se conoce por su desinencia (V. Apénd. III); aquí indicamos tan sólo que son: — α) **masculinos,** los nombres acabados en **o** (exceptúanse por femen.: *mano, eco* y los apocopados en **o** resultantes de nombres femeninos, v. gr: *imago* de *imágine, testudo* de *testúdine* [tortuga], que son femeninos); — β) **femeninos,** los acabados en **a** (exceptúanse por mascul.: *pianeta* planeta, *pirata, nulla* o *niènte* nada, y los derivados del griego acabados en -*ma*, v. gr: *teorèma, problèma, dilèmma,* etc.).

2.º — El femenino de personas y animales se indica ya con palabras diversas, ya con variaciones o terminaciones particulares, así como en **castellano**; v. gr.:

	masculino		femenino
Uomo	hombre,	*donna*	mujer.
marito	marido, esposo,	*móglie*	mujer, esposa.
fratello	hermano,	*sorella*	hermana.
gènero	yerno,	*nuóra*	nuera.
frate	fraile,	*mònaca*	monja.
toro, bue	toro, buey,	*vacca*	vaca.
cignale	jabalí,	*scrofa*	jabalina.
porco	cerdo,	*troia*	cerda.
becco ⎫ *caprone* ⎭	macho cabrío,	*capra*	cabra.
montone	carnero,	*pècora*	oveja.
poèta	poeta,	*poetéssa*	poetisa.
abbate	abad,	*abbadéssa*	abadesa.
Dío, Iddío	Dios,	*dea* (poét., *iddía*)	diosa.
re	rey,	*regina*	reina.
eròe	héroe,	*eroína*	heroína.
stregone	hechicero,	*strega*	hechicera.
gallo	gallo,	*gallina*	gallina.
cane	perro,	*cagna*	perra.
scimiòtto	mono,	*scímia*	mona.
leóne	león,	*leonéssa*	leona, etc.

NB. — Varios acabados en *e* tienen igual forma en los dos géneros, v. gr.: *volpe* zorro y zorra; *tigre* el y la tigre; etc.

3.º — Obsérvese que la mayor parte de los sustantivos acabados en **o** forman su femenino en **a**; — los en **-tore** cambian generalmente **ore** en **rice**; v. gr.:

sarto	sastre,	f. *sarta,*	*pittore*	pintor,	f. *pittrice,*
amico	amigo,	» *amica,*	*autore*	autor,	» *autrice,*
védovo	viudo,	» *védova,*	*direttore*	director,	» *direttrice*;
gatto	gato,	» *gatta*;			etc.

NB. — A veces en lugar del femenino *-trice* usan algunos (sobretodo los toscanos) *-tora,* lo que ni es de uso general, ni se hace con todo nombre.

Otros en *-ore* forman el femen. añadiendo *-ssa,* v. gr.: *professore,* f. *professoressa; dottore,* f. *dottoressa;* o cambiando *-ore* en *ora.* — Los en *-ista* (v. gr.: *socialista,* etc.) tienen igual forma en los dos géneros, pero su plural acaba en *i* en el mascul., en *e* en el femenino (V. Lec. III, 3º, 4º).

4. — **Los adjetivos calificativos** (y *participios*) forman su femenino regularmente, es decir: la terminación masculina *o* se cambia en *a;* la terminación *e* es común a los dos géneros, v. gr.:

buóno	bueno	*buóna,*	*grande*	grande	*grande,*
raro	raro	*rara,*	*intelligente,*	inteligente	*intelligente,*
passato	pasado	*passata,*	*loquace*	locuaz	*loquace,*
émpio	impío	*émpia,*	etc.		

5.º — No hay forma particular en italiano para el sentido neutro de los adjetivos, v. gr.:

lo elegante de su traje... l'eleganza del suo vestimento *o* ciò che vi ha (*o* vi era, *etc.*) di elegante *etc.*

Vocabulario.

La fémmina	la hembra	*propose*	propuso
il máschio	el macho, el varón	*sapévano*	sabían
fulgente, fúlgido	reluciente	*eppure*	} sin embargo.
tèrmina	acaba	*tuttavía*	

Tema 13º.

Mano è di gènere femminile, eppure tèrmina in o. Sì, come pure *(lo mismo que)* eco. — Mònache e frati erano numerosíssimi allora. — La fémmina del porco si chiama **troia** èd anche scrofa, mentre *(a la vez que)* becco si chiáma il máschio della capra. — Suòcere e nuore non sempre vanno d'accordo *(se avienen).* — Il pianeta Vènere *(Venus)* è fulgentíssimo in date stagioni *(en ciertas estaciones).* — *Bordoni* propose a' suòi esaminatori problemi ch'essi stessi non sapévano risòlvere. — Alle reclute raramente si affida *(se les confía)* il servízio di sentinella. — Che diceva la strega? Diceva d'aver sognato di un leone che divorava un'eroína. — L'abbadessa è in convento? Nossignore *(No, señor),* è uscita *(ha salido).* — Signora direttrice, conosce quella poetessa che fece dei versi sopra *(sobre)* una gallina? No, ma conosco una scolara poco rispettosa e molto loquace. — Amica mía, addío.

Vocabulario.

La yegua	*la cavalla*	se hizo	*si fece*
el corral	*il cortile rú-*	quitarte	*tóglierti*
	stico	exclamó	*esclamò*
la levita	*l'ábito*	respondió	*rispose*
la costurera	*la sarta*	traído	*portato*
(se) murió	*morì*	delante de	*davanti (a)*.

Tema 14⁰.

Ese monje es un viudo. ¿Cómo? Casó, y cuando su
mujer se murió, se hizo fraile. — ¿Qué dice tu amiga? Que
eres un impío. ¿Por qué? Pregúntaselo *(Domándalo)* á ella.
— ¡Dios es grande! exclamó el *musulmán (-o)*. — Las diosas
del *Olimpo* eran casi todas esposas de dioses. — ¡Qué salero
(spirito)! — ¿Cuántos gallos hay en el corral? Dos gallos y
veinte gallinas. — ¿Ha traído el sastre mi levita? No, señor,
pero la costurera ha traído mis vestidos nuevos. — Esas niñas
son muy inteligentes, dijo la pintora.

Lección séptima.
De los Pronombres Posesivos.

1.⁰ — En italiano estos pronombres tienen siempre
la misma forma, ya se empleen como adjetivos, ya como
sustantivos. Son:

masculino		femenino		
mío	pl. *mièi,*	*mía*	pl. *mie*	mi, mío, -a, -os, -as
túo	» *tuói,*	*túa*	» *túe*	tu, tuyo, -a, etc.
súo	» *suói,*	*súa*	» *súe*	su, suyo, -a, »
nostro	» *nostri,*	*nostra*	» *nostre*	nuestro, -a, »
vostro	» *vostri,*	*vostra*	» *vostre*	vuestro, -a, »
loro	» *loro,*	*loro*	» *loro*	su, suyo, etc., de ellos, etc.

2.⁰ — *a)* Se usa con ellos el artículo determinado
y el indeterminado. Empleados como adjetivos se pueden
colocar antes o después del sustantivo, como en castellano, especialmente cuando el sustantivo es un nombre
de persona. — *b)* Ya se ha visto (Lec. 2.ª) cuando se
omite con ellos el artículo determinado; entonces el
pronombre posesivo debe preceder al sustantivo (excepto
en el vocativo). — *c)* También se usan los posesivos
precedidos directamente por números cardinales con
artículo o sin él, v. gr.:

Quattro mie pècore fúrono   Cuatro ovejas mías fueron
uccise dal lupo.   matadas por el lobo.
I dúe tuoi (o *i tuoi dúe*) *ra-*   Tus dos muchachos y mis tres
gazzi e le mie tre ragazze   muchachas mayores están
più grandi sono a scuóla.   en la escuela.
Un suo pargoletto è morto ièri. Un niñito suyo ha muerto ayer.

NB. — Cuando hay artículo, mejor es colocar el número
después del posesivo.

d) Se pueden poner diferentes *adjetivos* posesivos
antes del mismo sustantivo, v. gr.:

Il mio ed il tuo padre érano   Mi padre y el tuyo eran bue-
buóni amici.   nos amigos.

3.⁰ — No se hace en italiano la repetición correspondiente a *su . . . de V.*, sino que se emplea el solo
posesivo, v. gr.:

¿Donde está su tintero de V.?   *Dov' è il suo* *calamaio?*

NB. — Asimismo se evitan en general todas las repeti-
ciones; pues no se dirá, v. gr.: *te lo diede a te, te lo dió a*
tí, sino: *lo diede a te,* etc.

4.⁰ — A menudo se emplea en italiano el adjetivo
pròprio, -a, -i, -e (= *propio* etc.), ya en unión con un
pronombre posesivo, ya solo con significado de posesivo,
para dar más fuerza a la idea de posesión, o cuando,
en la 3.ª pers., se quiere evitar anfibología (refiriéndose
proprio al que habla u obra), v. gr.:

Ho pagato col mio proprio   He pagado con mi propio
denaro.   dinero.
Cambiò le proprie penne con   Trocó sus plumas por las de
le sue.   él.

Vocabulario.

Il nipote	el sobrino	*la messa*	la misa
la giovenca	la becerra	*bianco*	blanco
il dottore	el doctor	*nero*	negro
la malattía	la enfermedad	*deh! fossi*	¡ojalá hubiera
primo	primero	*morto*	muerto!
pòvero	pobre	*si conóbbero*	se conocieron
la légge	la ley	*vorrèi*	quisiera, querría
il furto	el hurto	*lasciato*	dejado
il o *la cárcere,*	la cárcel, la pri-	*andárono in-*	se fueron juntos,
la prigióne	sión	*detto* [*sième*	dicho [-tas
il discépolo,	el discípulo	*grázie*	gracias
lo scolaro		*secondo*	según, segundo.

Tema 15⁰.

Assalonne, figlio mio, figlio mio Assalonne, deh! fossi
morto io per te *(ti)*, min figlio Assalonne! esclamò il re Dá-

vide. — La nostra casa è grande, ma la vostra è più *(más)* grande. — Come si conobbero i suoi nipoti ed i miei? Alla scuola. — I miei primi dieci figli furono tutti maschi *(varones)*, disse Giovanna. — Otto delle loro giovenche furono divorate dalle béstie feroci. — Quali sono le tue penne? Queste sono le mie, quelle altre le tue. E dov'è la sua scátola? La mia, la sua e la loro scátola sono tutte sulla tavola. — Un tuo maestro fu anche maestro nostro. — Andiámo nel vostro giardino. — Questo nostro cane è pur bello! *(¡Qué hermoso es ...)* — Sua Eminenza è ancora qui? No, è andata in chiesa.

Tema 16º.

Mi pobre hermano está *(sta)* muy malo *(male)*; el doctor ha dicho que su enfermedad es *gravísima*.[1]) — ¿Cómo están sus padres de V.? Buenos *(bène)*, gracias; ¿y los de V.? No tan bien como quisiera. — Según nuestras leyes el hurto se *(si) castiga* con la prisión. — ¿Dónde han dejado los niños sus *cuadernos?* En vuestra casa. — Diez de mis discípulos, dijo la *maestra*, son aplicados, los otros no; unos y otros, sin embargo, no son malos. — Mis primas y las tuyas se fueron juntas a misa; dos de las mías vestían de blanco, y las dos tuyas de negro.

Lectura.
L'Italia. (Continuazione.)

La parte centrale e meridionale, vale a dire *(es decir)* la vera penísola, è in generale paése di monti e di colline. La catena dell'Appennino, staccándosi dalle Alpi in Ligúria-Piemonte, la divide in tutta la sua lunghezza, dando luogo a due versanti molto diversi per carátteri físici. La maggiór parte dell'Italia peninsulare è dunque montuosa. Ciò non pertanto *(Sin embargo)* verso il mare spesso si ossèrvano fèrtili contrade di considerévole estensione, perfettamente piane. Tra esse sono da notare: la *Maremma*, teatro di gigantesche e perseveranti lotte tra la sapiente indústria dell'uomo e la formidábile malignità del clima; la *Campagna romana* che sino a pochi anni fa fu una regione fortemente malarica, ma che oggi ha la fisionomia profondamente mutata grazie all'òpera ricostrutrice; il *Tavolière*

---

[1]) Desde este punto, suponiendo que el discípulo tenga ya bastante práctica, y para ahorro de espacio, pondremos en cursiva las palabras del género de ésta, que aquél, conociendo las reglas sumarias de las Nociones preliminares y de los §§ 9, 10, y 10 bis., podrá traducir, sin error, al italiano. — V. gr.: en *gravísima* no tendrá más que hacer sino doblar la *s*, que habrá notado ser doble en los superlativos ital.; y quitar el acento; — en *cuadernos* cambiará la *c* en *q* y sustituirá la terminación *os* por la terminación *i*, etc.

di Púglia, ricco di messi. Le principali contrade della penísola sono: Etrúria o Toscana, Marche, Umbria, Piceno, Lázio, Sánnio Campánia, Abbruzzo, Púglia, Lucánia, Basilicata, Molise, Calábria.

La Sicília è un'ísola di figura triangolare, coperta di monti (fra cui il vulcano Etna), separati dalla estremità meridionale della catena *(sierra)* degli Appennini pel breve ma profondo canale di Messina. — Anche Corsica e Sardegna sono piene d'aspri monti, che fórmano catena nella direzione da tramontana a mezzogiorno, interrotta, ad un terzo della sua lunghezza, dallo stretto di Bonifácio, che divide le due ísole. — (De la «Geografía Universale» por *F. C. Mormocchi,* — arreglo de *L. Pavía*).

Domande.

Come è la parte centrale e meridionale d'Italia?
Che si dice di parécchie estese pianure in dette parti?
Quali sono le principali contrade dell' Italia peninsulare?
Come sono la Sicília, la Sardegna e la Córsica?

Lección octava.

De los Verbos. — Conjugaciones regulares.

a) Observaciones preliminares.

1.º — El verbo puede expresar una acción que el sujeto cumple y circunscribe en sí mismo, v. gr.: *dormir* (dormire), *andar* (andare); entonces llámase **intransitivo** o **neutro** *(intransitivo o nèutro),* y tiene la sola voz activa.

2.º — El verbo puede expresar una acción que para determinarse y acabarse necesita, a más del sujeto, también un objeto: entonces llámase **transitivo,** y tiene tres voces, a saber: **activa, pasiva, reflexiva** *(attiva, passiva, riflessiva).* — En la primera, el sujeto obra y el objeto sufre directa o indirectamente, v. gr.: *amad a vuestro prójimo y hacedle bien;* — el objeto puede, o no, expresarse, v. gr.: *el viejo piensa, el joven ama (algo o a alguien).* — — En la segunda, el sujeto es el que sufre la acción del que obra, v. gr.: *el hijo es amado por el padre, (il figlio è amado dal padre).* — — En la tercera, la acción hecha por el sujeto recae directa o indirectamente èn el sujeto mismo, representado por los pronombres *me, nos; te, os; se* (en ital: *mi, ci; ti, vi; si* o *me, ce; te, ve; se*), v. gr.: *Juan, te has arruinado; el pobre niño se ha cortado un dedo y se acordará de ello (Gio-*

vanni **ti** *sei rovinato; il pòvero fanciullo* **si** *è tagliato un dito e* **se** *ne ricorderà).*

Hay también la voz **recíproca**, la cual naturalmente no se puede emplear sino en el plural y se expresa por medio de los mismos pronombres de la forma refleja *nos, os, se;* v. gr.:

   nos escribimos cada mes   *ci scriviamo ogni mese*
   se aman muy tiernamente   *si àmano tenerissimamènte.*

NB. — Hay verbos que se pueden emplear de un modo *transitivo* e *intransitivo*, v. gr.: subir, *salire*; descender, *discéndere*; vivir, *vívere*; ahogar, *affogare*, etc.

b) — Conjugaciones regulares de los verbos italianos.

3.º — En italiano como en español hay **tres** conjugaciones, según que los verbos acaban en el infinitivo en *-āre, -ēre* o *-ĕre, -īre.* — Las vocales *ā, ē, ĕ, i* son las vocales *temáticas* de los verbos.

NB. — Obsérvense para la conjugación de los verbos las reglas fónico-gráficas del § 9 (pág. 6 y sig.).

4.º — Antes de exponer el paradigma de las conjugaciones italianas consignamos aquí las observaciones siguientes acerca de los verbos de la 1.ª conjugación:

a) Los en *-care, -gare, -scare* deben intercalar una *h* después de *c* o *g*, si sigue una *e* o *i* para conservar el sonido original (v. gr.: *pagare* pagar, *paghi, pagherò; pescare* pescar *peschiamo, pescherai*);

b) los en *ciare, giare, sciare* pierden la *i* donde la *i* no tiene sonido propio y cuando sigue una *e* o *i* de la terminación (v. gr.: *mangiare* comer *mangi, mangerò; cominciare* empezar *comincerai*). Mas: *comincio, mangiate* con una *i* no articulada);

c) los en *-chiare, gliare* y los demás en *-iare* con *i* no acentuada pierden la *i* del tema al encontrarse con una *i* de la terminación (v. gr.: *consigliare* aconsejar, *consigli; studiare* estudiar *studi, che stúdino*). — Si la *i* viene a estar acentuada entonces no se verifica dicho fenómeno, v. gr.: *avviáre, tu avvìi* — *spiare, essi spíino;*

d) la mayor parte de los verbos en *-are* que tienen más de 3 sílabas son esdrújulos en las personas singulares

de los tiempos presentes (ind., subj., imperat.), y sobresdrújulos en la 3.ª pers. plur. de dichos tiempos, v. gr.:
applicáre aplicar, *ápplico, ápplichi, ápplica, ápplicano,
ápplichino;* — *desideráre*, desear, *desídero, desíderi, desí-
dera, desíderano, desiderino* (pero *applichiámo, desideráte,*
etc.) — Vease el Apénd. IV.º

NB. — Entre los verbos de la 2.ª conjugación, los en
-cere, -gere toman, en general, *-co, -ca, -go, -ga,* en las personas 1.ª sing. y 3.ª plur. del Presente Indic., en las tres del
sing. y 3.ª plur. del Pres. Subj., y en la 3.ª sing. y plur. del
Imperativo. Ej.: *rilúcere*, resplandecer, *riluco, riluca, rilúcono,
rilúcano; lèggere,* leer, *lèggo, lègga, lèggono, lèggano;* etc.

5.º — Paradigma de las conjugaciones italianas
en la forma activa. — Verbos: **amare** *amar,* **godére**
gozar, **nutrire** *nutrir* (temas *am-, god-, nutr-*).

Modo indefinito, — Participî, — Gerundî.

	I.ª Conjug.	II.ª Conjug.	III.ª Conjug.
Infin. Pres.	Am-*are,*	God *ére,*[1]	Nutr-*ire,*
» Pass.	aver am-*ato,*	aver god-*uto,*	aver nutr-*ito,*
Partic. Pres.	am-*ante,*	god-*ènte,*	nutr-*ènte o*
			(nutr-*iènte*)[2]),
» Pass.	am-*ato,*	god-*uto,*	nutr-*ito,*
Ger. Pres.	am-*ando,*	god-*èndo,*	nutr-*èndo,*
» Pass.	avendo am-*ato.*	avendo god-*uto.*	avendo nutr-*ito.*

NB. — Los participios, según ya se dijo, se varían como
los adjetivos. Se dirá pues, según el caso: *amante, -ti; amato,
-a, -i, -e; godente, -i.* etc.

El **futuro de infinitivo** se forma como se vió para
essere, avere. En el estilo elevado se puede también
emplear la forma latina variable en **-uro;** asi: *essere
per* (o *aver) da amare* = **amaturo, -a, -i, -e;** etc.

Modo Indicativo.
Presente.

Am-*o*	*amo*	Gòd-*o*	*gozo*	Nutr-*o*	*nutro*
am-*i*	*amas*	god-*i*	*gozas*	nutr-*i*	*nutres*
am-*a*	etc.	god-*e*	etc.	nutr-*e*	etc.

[1]) La sola diferencia entre la conjugación de los verbos en *-ēre*
y la de los en *-ĕre* (v. gr. *crédēre creer*) consiste en la acentuación del
infinitivo y en alguna cosa en el futuro (y condicional), como se verá.

Respecto de la acentuación de las voces, se entiende que se
deberán pronunciar llanas, como ya se dijo, las que no llevan un
signo gráfico especial.

[2]) Hay verbos en *-ire* que en el participio activo toman, o
pueden tomar, la terminación *-iente* en lugar de *-ente*.

am-*iámo*	god-*iámo*	nutr-*iámo*
am-*ate*	god-*ete*	nutr-*ite*
ám-*ano.*	gòd-*ono.*	nútr-*ono.*

Para el **Passato pròssimo** se añaden los participios *amato, goduto, nutrito* al presente indic. del verbo *avere;* será pues; *ho amato, hai goduto,* etc.

Imperfetto.

Am-*ava (-avo)*	God-*eva (-evo)*	Nutr-*iva (-ivo)* [1]
— -*avi*	— -*evi*	— -*ivi*
— -*ava*	— -*eva*	— -*iva*
— -*avamo*	— -*evamo*	— -*ivamo*
— -*avate*	— -*evate*	— -*ivate*
— -*ávano.*	— -*évano.*	— -*ivano.*

El **Pincheperfetto** se forma con los participios pasivos añadidos al imperfecto del verbo *avere;* — así pues: *aveva amato,* etc.

Passato Remoto.

Am-*ái*	God-*èi o -ètti*	Nutr-*ii*
— -*asti*	— -*esti*	— -*isti*
— -*ò*	— -*è o -ette*	— -*ì*
— -*ammo*	— -*emmo*	— -*immo*
— -*aste*	— -*este*	— -*iste*
— -*árono.*	— -*érono o -èttero.*	— -*irono.*

Para el **Trapassato** se añaden los participios pasivos al *passato remoto* de *avere;* será pues: *ebbi amato,* etc.

Futuro.

Am-*erò*	God-*e-rò* [2]	Nutr-*irò*
— -*erái*	— -*e-rái*	— -*irái*
— -*erà*	— -*e-rà*	— -*irà*
— -*eremo*	— -*e-remo*	— -*iremo*
— -*erete*	— -*e-rete*	— -*irete*
— -*eranno.*	— -*e-ranno.*	— -*iranno.*

---

[1] La forma en -*o* no parece muy correcta; sin embargo, se usa a veces para evitar anfibología. (V. pág. 17, nota).

[2] La *e* temática de los verbos en -*ĕre* se pierde comúnmente; se dirá, pues, por lo común: *godrò, godrái, godrà,* etc. Asimismo se debe decirse: *saprò* = sabré, *avrò* = habré, *vedrò* = veré, *vorrò* = querré, *verrò* = vendré, *terrò* = tendré, etc. (V. pág. 8, N°. 6.°). — Hay, sin embargo, verbos en -*ĕre* en que la *e* no se pierde en el futuro, v. gr.: *sederò, piacerò, temerò* y otros. (Esto se verifica especialmente en los verbos en los cuales la *r* no se aviene con la consonante que la precede inmediatamente). — En los verbos en -*ère* la *e* no se pierde nunca.

Para el **Futuro anteriore** se añaden los participios pasivos al futuro del verbo *avere;* será pues. — *avrò amato, avrái nutrito,* etc.

Imperativo.

. . . .	. . . .	. . . .
am-*a*	gòd-*i*	nutr-*i*
— -*i*	— -*a*	— -*a*
— -*iámo*	— -*iámo*	— -*iámo*
— -*ate*	— -*ete*	— -*ite*
ám-*ino.*	gòd-*ano.*	nútr-*ano.*

Modo Congiuntivo o Soggiunt. (M. Subjunt.).

Presente.

Am-*i*	Gòd-*a*	Nutr-*a*
— -*i*	— -*a*	— -*a*
— -*i*	— -*a*	— -*a*
— -*iámo*	— -*iámo*	— -*iámo*
— -*iáte*	— -*iáte*	— -*iáte*
ám-*ino.*	gòd-*ano.*	nútr-*ano.*

Para el **Passato próssimo** se añaden los participios pasivos al presente subjunt. de *avere;* se dirá, pues: *ábbia amato, goduto, nutrito,* etc.

Imperfetto.

Am-*assi*	God-*essi*	Nutr-*issi*
— -*assi*	— -*essi*	— -*issi*
— -*asse*	— -*esse*	— -*isse*
— -*ássimo*	— -*éssimo*	— -*íssimo*
— -*aste*	— -*este*	— -*iste*
— -*ássero.*	— -*éssero.*	— -*íssero.*

Para el **Piucheperfetto** se añaden los participios pasivos a las formas del imperf. subj. de *avere;* ejemplo: *avessi amato,* etc.

Futuro del Soggiuntivo (Condizionale).

Am-*erèi*	God-*e-rèi*[1])	Nutr-*irèi*
— -*eresti*	— -*e-resti*	— -*iresti*
— -*erebbe*	— -*e-rebbe*	— -*irebbe*
— -*eremmo*	— -*e-remmo*	— -*iremmo*
— -*ereste*	— -*e-reste*	— -*ireste*
— -*erèbbero.*	— -*e-rèbbero.*	— -*irèbbero.*

---

[1]) La misma observación que para el futuro de indicativo.

Para el **Futuro anteriore (condizionale passato)** se añaden los participios pasivos al futuro subjuntivo (condicional) de *avere;* v. gr.: *avrei amato, goduto,* etc.

NB. — *a)* En cuanto al apócope, éste se puede verificar, en los verbos, con las voces siguientes: *infinitivo pres.; — pres. indic.* y *subj.* 1.ª y 3.ª pers. pl.; — *imperf. ind.* y *subj.* id. id.; — *pretér. perf. ind.* 3.ª plur.; *fut. ind.* 1.ª y 3.ª pl.; — *condicional* 3.ª pl.; — *imperat.* 1.ª y 3.ª pl. — Repárese en que en el *pretér. perf.* el apócope puede ser más o menos extenso (en forma poética), v. gr.: *amáron, amâro, amâr; godétter, godéron, godéro, godêr; nutríron, nutríro, nutrîr* etc. (Se suele poner el circunflejo cuando la forma apocopada pudiera confundirse con otra, v. gr.: *amâr* con el infinit. apocopado *amar; amâro* con el adjetivo *amaro.*)

b) Los verbos de la 2.ª y 3.ª conjugación pueden en el *imperf. indic.* perder la *v* entre *e* y *a, i* y *a* en la 1.ª y 3.ª pers. sing. y en la 3.ª plur.; v. gr.: *godéa, godéano; nutria, nutriano* (voces poéticas); — y los verbos de las tres conjugaciones pueden en el *condicional* tener forma poética en *-ría,* v. gr.: *ameria, ameriano; godria, godríano; nutriria, nutririano* (1.ª y 3.ª sing. y 3.ª pl.). — Las formas menos regulares o contractas admiten en el pretér. perf. solamente el primer apócope.

6.⁰ — Los verbos que en la formación de algunos de sus tiempos (simples) o personas, o en sus participios. no siguen los modelos que hemos presentado, se llaman *irregulares.* — De ellos se tratará en su lugar. (V. también el Apénd. VI). Entretanto se señalarán con un asterisco los irregulares que se encuentren en los ejercicios.

7.⁰ — Los *tiempos compuestos* de todos los verbos *transitivos* activos se forman con el auxiliar **avere.**

El participio de *presente* concierta siempre con su sustantivo; — el partic. *pasivo* concierta en general con el objeto, pero puede quedar invariable, v. gr.:

Gli uomini amanti della virtù saranno premiati.	Los hombres que aman la virtud serán premiados.
Ho fatto (o fatta) questa cosa senza supere . . .	He hecho esto sin saber . . .
La cosa che ho fatta (o fatto) è . . .	La cosa (o Lo) que he hecho es . . .
I buoi che ho venduti (o venduto) . . .	Los bueyes que he vendido . . .
Ho venduto (o vendute) quattro case.	He vendido cuatro casas.

NB. — Si el participio pasivo sigue al nombre o pronombre, convendrá hacerlo concertar con él. Cuando sigue a nombres de género diferente, ya concuerda con el último, ya tiene la forma del masculino singular.

8.⁰ — El verbo se conjuga *interrogativa* y *negativamente* como en castellano. — En general en vez de la 2.ª persona sing. del *imperativo negativo* se usa el infinitivo, el cual se puede emplear también en la 2.ª pers. plur.; v. gr.:

Non ama quel giovane, o mejor: *non amare » »*	No ames a aquel jóven.
Non nutrítelo di solo òrzo, o también: *non nutrirlo (o non lo nutrire) di solo òrzo.*	No lo (le) alimentéis con sola cebada.

Vocabulario.

Trovare	hallar	*ristare* o **rimanere*	quedar(se)
crédere	creer		
lodare	alabar	*rammentare*	acordar(se), recordar
biasimare	desaprobar, reprender		
meritare	merecer	**vedēre*	ver
portare	llevar, traer	**cadēre*	caer
ritornare	volver	*la congiuntura*	la ocasión, la coyuntura
ricévere	recibir	*la sete*	la sed
ballare	danzar, bailar	*la signorina*	la señorita
mancare	faltar	*maledetto*	maldito
pregare	rogar	*il vècchio*	el viejo
adescare	lisonjear, requebrar, atraer	*il viaggiatore*	el viajero
*bévere o **bere*	beber	*affinchè*	para que
agire	obrar (V. Apéndice V⁰.)	*ebbène*	pues bien
		anzi	antes (antes bien)
destare	despertar	*mèglio*	mejor *(adv.)*.

Tema 17⁰.

Dove ha Ella trovato questo cappello? L'ho veduto nel cortile e credéndolo mio lo *presi *(lo tomé).* — Il maestro loderà gli scolari diligenti e biasimerà quelli che non lo sono; biasimerebbe anche te *(a ti)* se meritassi. — La buona donna pensava sempre ai pòveri. — Porta questa lèttera alla posta *(correo),* e non ritornare se non hai ricevuto quanto mi compete. — Restasti là tutto il giorno? Vi sono restato soltanto due ore. — Saltando e ballando passárono la notte. — Ci pagherai sì o no? Vi *(Lo)* penserò. Non mancare, ti preghiamo, ci abbisogna *(necesita)* quel denaro. Non mancherò. — Se *posso *(puedo)* adescherò il fanciullo con moíne *(cariño)* affinchè *dica il vero. — Se l'avessi ricevuto in tempo! Ebbene? Non

4

avrei venduto l'orològio *(reloj)*. Perchè lo vendesti? Non véndere nulla senza mio consíglio *(consejo)*. Se non l'avessi venduto, perderèi domani una buona congiuntura per mancanza *(falta)* di denaro. — Le stelle cadenti *(volantes)* sono belle da vedere *(a ver)*. — Bevete, bevete! E tu non bevi? Non bevo se non ho sete. Non mentire! tu bevi anche pel solo piacere di bèvere *(o bere)*. — Bevesti? Sì. — Riceverèi quel signore se avessi tempo. — Credendo ciò, agíi così. Agisti male. Agirò meglio un'altra volta. — Sono partiti i viaggiatori? Alcuni partírono ieri; altri partirébbero oggi se potéssero; ma non potendo, partiranno domani. — Non ha servita quella signora? L'ho servita subito, anzi. E le signorine? Le ho servite anch'esse. — Udisti la música? La udíi; l'udimmo insieme, non lo rammenti? — Séguimi, vecchia maledetta! — Avevi già dormito lungo *(largo)* tempo quando ti destái? Pochíssimo, tanto allora che poi *(tanto entonces como después)*; dormirò più *(más)* domani.

Vocabulario.

Sirviendo	*servendo*	acabar	*finire* (Ap. V°.)
empezar	*(in)cominciare*	vender	*véndere*
el diputado	*il deputato*	venidero (que	*pròssimo, venturo*
el discurso	*il discorso*	viene)	
hablar	*parlare*	batir, pegar	*báttere,* *percuòtere*
florecer	*fiorire* (Ap. V°.)		
el estado	*lo stato*	olvidar	*dimenticare, scordare*
partir	*partire; dividere*		
el comerciante	*il commerciante*	poner	*porre*
enviar	*mandare, spedire*	viajar	*viaggiare*
		buscar	*cercare*
el correo	*la posta*	hallar	*trovare*
el sultán de Marruecos	*il sultano del Marocco*	el pecado	*il peccato*
		ganar	*guadagnare*
llegar	*arrivare*	el mes	*il mese*
huir	*fuggire*	perdón, -nar	*perdono, -are*
demasiado	*troppo*	representar	*rappresentare*
perder	*pèrdere*	el juicio final	*il giudízio finale*
conque	*dunque*	dejar	*(tra)lasciare.*

Tema 18°.

Sirviendo a nuestra *patria*, nos servimos a nosotros mismos, así empezó el diputado su discurso. — *¿ Comprende[1]) V. a este caballero cuando habla? Le *(Lo) comprendo* si habla *lentamente*. — El comercio *(comm-)* floreció siempre en los estados bien gobernados. — ¿Cuándo partes? Mañana [por la] noche. — Éste comerciante enviaba todos los años un agui-

---

[1]) El asterisco antepuesto a verbos castellanos indica que son irregulares sus correspondientes italianos. — Se entiende también que las *voces* que se dan sin particular traducción son regulares.

naldo *(strenna)* a sus hijos. — ¿Enviaste la carta al correo?
Sí, luego. — ¿Has oído *(*udito)* lo que se *dice* en la ciudad?
¿Qué se dice? Se cuenta *(narra)* que el Sultán de Marruecos
ha *muerto *(è *mòrto).* Paz *(Pace)* a su alma, diré yo *(dirò
io).* — Temía *(-eva)* que llegaseis demasiado tarde *(-i).* — Conque, ¿has acabado? Acabaré pasado mañana *(dopodomani).*
— ¿Vendiste tu casa? Aún no; pero creo que la venderé la
semana que viene. — No le pegues al perro; ¿qué te ha
*hecho? — Nos olvidamos de *poner la llave *(chiave)* en el
sitio convenido *(luogo convenuto).* — Si tuviéramos dinero viajaríamos por toda *Europa.* — Si buscas hallarás. He buscado
largo tiempo sin hallar nada. — Perdonadme, Señor, mis pecados. — ¿Cuánto ganas al mes? Dos mil *(due mila)* pesetas. — Pide perdón, y se te *(ti si)* perdonará *(-nerà).* —
Ví *(*Vidi)* un cuadro que representaba el juicio final. — Diciendo *(*Dicendo)* esto me abrazó y besó en la cara *(abbracciò
e baciò in viso).* — Aunque *(Quand'anche)* pierdas mucho en
eso, no dejes de hacerlo *(*farlo).* — ¿Qué temes? Llevas a
César contigo *(con te,* o *teco).* — Tuvimos miedo *(paùra),* y
huimos. Otra vez no huiréis, sabiendo *(*sapendo)* lo que es.

Lección novena.

Pronombres personales.

1.º — Los pronombres *personales* se usan siempre
como sustantivos; de su caso indirecto se derivan los
pronombres *posesivos.* — Ya se han visto en la forma
del nominativo (V. *Nociones preliminares,* No. 5); he
aquí su declinación:

Primera Persona.

io	yo	*nōi*		nosotros, -as	
di me	de mí	*di noi*	de	»	»
a me; mi	a mí; me	*a noi; ci, ne*	a	»	» ; nos
me, mi	a mí; me	*noi; ci, ne*	a	»	» ; »
da me	de, por mí.	*da noi*	de, por	»	» .

Segunda Persona.

tu	tú	*vōi*		vosotros, -as	
di te	de ti	*di voi*	de	»	»
a te; ti	a ti; te	*a voi; vi*	a	»	» ; os
te; ti	a ti; te	*voi; vi*	a	»	» ; »
da te	de, por ti.	*da voi*	de, por	»	» .

Tercera Persona Masculina.

	egli (ei, e')	él		*églino, essi*	ellos
di	*lui*	de él	*di*	*loro*	de »
a	*lui; gli*	a él; le (se)	*a*	*loro*[2])	a »; les (se)
	lui; lo, il[1])	a él; le, lo		*loro; li, gli*	a »; los
da	*lui*	de, por él.	*da*	*loro*	de, por ellos.

Tercera Persona Femenina.

	ella, essa	ella		*élleno, esse*	ellas
di	*lèi*	de »	*di*	*loro*	de »
a	*lei; le*[3])	a »; le (se)	*a*	*loro*[2])	a »; les (se)
	lei; la	a »; la		*loro; le*	a »; las
da	*lei*	de, por ella.	*da*	*loro*	de, por ·ellas.

Pronombre reflejo.		Pronombre recíproco.	
di	*sé*	de sí	*l'un l'altro*	
a	*sé; si*	a sí; se	*l'una l'altra*	uno a otro, *etc.*;
	sé; si	a sí; se	*gli uni gli altri*	mutuamente.
da	*sé*	de, por sí.	*le une le altre*	

NB. — En la tercera persona se emplea muy a menudo el pronombre demostrativo **esso** (V. Lec. 5ª) para personas y cosas, a la vez que los pron. *egli, ella, lui, lei, eglino, elleno* no sirven sino para personas — (*eglino* y *elleno* se usan poco).

2.⁰ — Los pronombres personales se emplean con el verbo en los mismos casos y en general de la misma manera que en castellano; adviértase, sin embargo, que no se puede repetir el pronombre para una misma persona, v. gr.:

Se lo contó *a él* y no *a ella.*   *Lo narrò a lui e non a lei.*
A mí no *me* gusta esto.   *A me non piace questo.*

Vocabulario.[4])

Suonare	tocar, tañer; dar (horas)	*assomigliare*	parecerse
		*commuòvere	conmover
*sapére	saber	*raccomandare*	recomendar

---

[1]) **Il,** como caso acusativo de este pronombre, es voz poética y se emplea sólo *antes* del verbo.

[2]) También el solo *loro* en vez de: *a loro.*

[3]) En el dativo singular no se puede emplear el masculino *gli* por el femenino *le*, y viceversa.

[4]) De aquí en adelante no daremos la traducción de los verbos que en el infinitivo tienen igual tema en italiano y castellano, pero el discípulo tendrá naturalmente que aplicar las terminaciones correspondientes a cada conjugación y voz verbal; v. gr.: de **ama-do** podrá por sí sólo hacer *ama-to*; de **vend-ía,** *vend-eva*; de **tem-ió,** *tem-ette*, etc.

Pronombres personales.

impadronirsi	apoderarse	*ragionévole*	razonable
lasciare	dejar	*volontieri*	de buena gana
trattare	tratar	*qua*	acá, aquí
soddisfatto	satisfecho	*anzichè*	antes que, más
il vanitoso	el vanidoso		bien que.

Tema 19⁰.

Sei tu che hai fatto questo? Io no; fu egli. — Voi suonerete il pianoforte con lei. — Pensavi a me? No, a loro. — Chi è venuto qua, egli od essa? Non so; essa, credo. — Vuoi venire con me? Sì; con te vengo sempre volontieri. — Non parlate più di lui nè di lei. — Esse erano buone poetesse. — Egli non pensa che a sé. E voi pensate forse a noi? — Gli uòmini dovrèbbero amarsi gli uni gli altri. — Sei contento di loro? No; ma sono abbastanza soddisfatto di te. — Lavorare per sé e non per gli altri, ecco la teoría dell'egoista. — Sarai punito da me e biasimato da noi tutti se non sarai buono. — Portai i fiori a lui anzichè a lei perchè mi avevate raccomandato di portarli ad uno di loro (*o di essi*), ed io amo più lui che lei. Eppure essa ti *vuol bene.

Tema 20⁰.

Yo, tú y ella iremos juntos (*andremo insieme*) a su casa. Pues bien, nos agasajarán (*ci riceveranno cordialmente*) él y su hermana. — Nunca piensas en (*a*) mí. Sí, pienso muy a menudo en ti. — ¿Por ellos supiste la noticia (*-'zia*)? No, por otros; ellos y ellas no sabían nada. — Nuestro hijo se parece más a mí que a ti, mi querida (*cara*) esposa. — El vanidoso habla siempre de sí mismo (*stesso*). — ¿Los has visto a ellos o a ellas? A ningunos. — Si a vosotros no os conmueven las desgracias de esta pobre familia, nos conmueven a nosotros. — Se ha apoderado de mí y no me deja. — He tratado con él largo tiempo; siempre le he (*l'ho sempre*) hallado razonable. — Lo sabrá por nosotros y no por vosotras o por ellas.

Observaciones.

3.⁰ — Las formas breves **mi, ci, ne; ti, vi; gli, le; lo, li, la, le; si,** están sujetas a elisión) antes de vocal; y cuando siguen al verbo, forman una sola palabra con él (V. § 9, 5⁰).[2]

---

[1] *Gli* se elide sólo antes de *i;* — *le, li* no suelen elidirse.

[2] Los mismos pronombres (excepto *si*) pueden juntarse al adverbio *ecco* = *he aquí, allí* v. gr.:

eccomi heme aquí.　　*eccole* helas allí.

eccogli rubato tutto he aquí que se lo han robado todo.

a) Se colocan *después* del verbo en el imperativo
afirmativo, infinitivo, gerundio, y en los participios absolutos (sin auxiliar); — *b)* suelen colocarse *antes* del
verbo en el imperativo *negativo*, indicativo y subjuntivo
(pero pueden también colocarse *después*); y, en general,
en los tiempos compuestos.[1])

NB. — La práctica y el oído enseñan cuando en casos
dudosos conviene colocar los pronombres antes o después
del verbo.

Ejemplos:

a) *Dammi una sèdia e fatti in là.*	Dame una silla y hazte más allá.
Lo pregò di pòrgergli quella scàtola.	Rogóle le ofreciese esa cajita.
Vedèndoli domandò loro: perchè, fáttole l'affronto e uccìsala, vi ritiraste senza . . . .?	Al verlos les **preguntó:** ¿por qué, habiéndole hecho la afrenta y habiéndola muerto, os retirasteis sin . . . ?
Le belle casine specchiántisi nell'onde	Las lindas casitas que se refleja(ba)n en las olas . . . .
Rèndine (Rèndici) questo favore.	Haznos este favor.
b) *L'odio, Vodiái e Vodierò (o odierollo, -a).*	Le (o La) odio, odié y odiaré.
Non si vedeva (o Non vedévasi) intorno (o Non vedeva intorno a sè) che gente la quale si disperava.	No veía en torno suyo sino gente que se desesperaba.
Credeva che gli dicesse (o dicéssegli)	Creía que le decía (o dijese) . . .
Non le día (o Non darle) retta. — Non dalle retta.	No le haga Vd. caso. — No le hagas caso.
Ci mangerèbbero vivi se sapéssero	Nos comerían vivos, si supieran . . . .
Vi amerèi se foste meno cattivi.	Os amaría si fueseis menos malos.

---

[1]) Si se quiere unir el pronombre al verbo en tiempos compuestos, se añadirá al auxiliar, v. gr.: *avévami detto habíame
dicho* (o *aveva detto a me*).

En cuanto al *condicional* (V. el *NB.* en la pág. 48), se puede
poner el pronombre después del verbo en las 3.ªs personas, v. gr.:
avrèbbemi, avrèbbermi me habría, me habrían (también en la
1.ª sing. y en la 1.ª y 2.ª plur. en forma poética). — La práctica
indicará también los casos en que el verbo se apocopa cuando se
le junta el pronombre.

4.⁰ — Las demás formas de los pronombres personales se pueden colocar antes del verbo en el estilo elevado, v. gr.:

A noi disse, por: *Ci disse*, o   Nos dijo.
   Disse a noi.

Me vide, a me parlò, por: *Mi*   Me vió, habló conmigo.
   vide, mi parlò, o *Vide me*,
   parlò a me.

NB. — Las formas primitivas *me, te, noi*, etc. tienen, como las correspondientes castellanas, expresión y acento más fuertes que las secundarias *mi, me, ti, te, ci*, etc. Así pues: *me vide*, etc.

5.⁰ — En el dativo plural de 3.ª pers., en lugar de *a loro* se usa a menudo el solo *loro*, que se puede colocar antes o después del verbo; v. gr.:

   Disse loro, o *Loro disse*.   Les dijo.

Vocabulario.

*Dare	dar	*il gióvane*	el joven
diède	dió	**rispose*	respondió
chiamare	llamar	*rolta*	vez
il fabbro (ferraio)	el herrero	*pure*	también
		*si *rivolse*	dirigióse
**fare*	hacer	**piacēre*	gustar
il dispètto	el despecho	*occorrente*	necesario
**prèndere*	prender (tomar)	*giudicare*	juzgar
ogni dì	cada día	*sposare*	casar(se) con
mangiare	comer	*poichè*	pues.

Tema 21⁰.

Quando Dio creò l'uomo, gli *diede (o dièdegli) una compagna che gli assomiglia. — Mi chiamasti? Non chiamái te, ma lui. — Perchè vi parlava così piano *(en voz tan baja)* il fabbro? Mi diceva cose che non voleva farti sapere. — Ci ascoltate sì o no? Ascoltáteci dunque! — Egli li vide, ma non li salutò. Perchè? Credeva far loro dispetto. — Tu ne cerchi e non ci trovi. — Quando si vide preso, gridò: non farmi male! — Portava loro (Loro portava) ogni dì fiori e frutta. — Mángiala, è buona quella pera. — «Vederla e amarla fu una cosa», disse il gióvane. Allora il vècchio gli rispose: «vedútala una volta, l'odiái». «Perchè?» replicò quegli. «Quando», disse il vecchio, «li avrai tu pure questi capelli bianchi *(estas canas)*, avrai anche l'esperienza opportuna per . . .» «Per . . .?» «Odiarle tutte le donne!» — Trovándosi senza denaro si rivolse a me. — Amátevi l'un l'altro, poichè io vi ho amati tutti. — Quanto mi piacerebbe! Che

cosa? Quella casa. Cómprala, e sarà tua. Mi presteresti
tu il denaro occorrente? Volontieri se l'avessi. — Le mostrasti
il ritratto? Sì. Che ne disse? Lo giudicò bello. — Se mi desse
(diese) un milione non la sposerei. La trovi tanto brutta?
È vanitosa e nulla più *(nada más)*.

Vocabulario.

El pobrecito	*il poveretto,*	dijeron	** dissero*
	-rino	contar	*raccontare, con-*
lindo, bonito	*bello, grazioso*		*tare*
el precio	*il prezzo*	la historia	*la stòria*
pedido	** chièsto, * richiè-*	sucedió	** accadde*
nunca	*giammái* [*sto*	la aldea	*il villággio*
por cierto	*per certo, certa-*	luego	*poi*
	mente	encima de	*su*
traer	*portare, recare*	empezar	*(in)cominciare*
reparar (en)	** accòrgersi (di)*	hasta que	*finchè.*

Tema 22º.

¿Te envió el primo la carta? No, envióme un libro. —
Dadnos pan, que tenemos hambre *(abbiamo fame)*, decían los
pobrecitos; Dios os recompensará *(darà del bene)*. — Habién-
dola visto tan bonita, compróla por el precio pedido. — To-
marlos sin pagar, ¡nunca! — A nosotros nos lo *mostró,* y a
vosotros os lo dió. — ¿Los querríais *(amereste)* si no fueran
buenos? No, por cierto. — Los vió *(*vide)* mientras *(mentre)*
hablaba con su primo, pero fingió *(*finse)* no reparar en ellos.
— Siéntate *(Sièdi),* le dijeron, y cuéntanos tu historia. Os
contaré primero *(dapprima)* lo que me sucedió en esa aldea;
luego os [lo] diré todo. — Habiéndolo puesto *(Póstolo)* sobre
la mesa, empezó a sacudirlo hasta que lo hubo derribado
(abbattuto). — ¿Trajístelo? Lo traje; pero no te lo *mostraré*
ni a ti ni a él. ¡Qué malo eres! *(Come sei . . .)*

Lectura.

L'Italia. (Fine.)

L'Italia confina al nord con la Confederazione svízzera
e con la Repúbblica austríaca; ad est con la Jugoslavia, col
mare Adriático e col mar Jònio; a sud col Mediterráneo; ad
ovest col mar Tirreno e con la Repúbblica francese.

Due grandi sistemi di monti appartèngono all'Italia: le
Alpi e gli Appennini. Questi sono esclusivamente italiani, e
le loro vette principali sono quelle del Gran Sasso, in provincia
d'Aquila (Abbruzzi), e dell'Etna, in Sicilia, presso la costa
orientale; — quelli appartèngono anche ad altri Stati del-
l'Europa centrale.

Dei fiumi italiani notiámo: il Po, le due Dore, il Tánaro,
il Ticino, l'Adda *(f.),* il Míncio, l'Ádige *(m.),* il Brenta, il

Piave, il Tagliamento, il Secchia, il Reno, nell'Italia settentrionale; — l'Arno, l'Ombrone *(m.)*, il Tévere, l'Aniène *(m.)*,
nella centrale; — il Sangro, il Garigliáno, il Volturno, il
Fórtore, il Sele, l'Ofanto, il Brádano, il Basento, nella meridionale.

Innumerévoli, poi, sono i fiumicelli e fiumiciáttoli che
scéndono dalle Alpi e dai due versanti appennínici, o che scór-
rono per le valli delle ísole di Sicília e di Sardegna.

(L. Pavía).

Domande.

Come confina l'Italia?
Quali sono i suoi due grandi sistemi di monti?
Dite i nomi delle due vette principali dell'Appennino.
Quali sono i fiumi principali d'Italia?
Che cosa si trova inoltre in quantità?

6.⁰ — Para las formas de respeto *Vd.*, *Vs.* se usan
en el caso nominativo **Ella, Elleno** o más a menudo,
Lei, Loro (pero se pueden sobrentender); — **La, Lei,
Le, Loro** en el acusativo; — **Le, a Lei, (a) Loro** en
el dativo todos con letra mayúscula. — Les corresponde
el verbo de 3.ª pers. singul. o plural. Con **Ella** o **Lei** el
adjetivo y el participio comúnmente son femeninos,
aún refiriéndose a nombres masculinos [1]). — En lugar
del simple *Lei, Loro (Ella, Elleno)* se dice también,
para mayor respeto, *il signore, la signora, lor
signori, lor signore.* — Ejemplos:

È (Ella) andata al ballo?	¿Ha ido V. al baile?
(Loro) sono venuti ieri, lo so.	Vds. han venido ayer, lo sé.
Lei è ben buona! o *Il signore è ben buono! La signora è ben buona!*	¡Qué bueno (o buena) es V.!
Elleno prèndano questo, lor signore quello, e lor signori quest' altro.	Tomen Vs. esto, Vds. *(señoras)* aquello, y Vs. *(caballeros)* eso.

7.⁰ — Antes del pron. personal acusativo de 3.ª
pers. *lo, la, li, le,* y antes de *ne* (demostrat.), las formas
del dativo *mi, ti, ci, vi, si* y el pron. indeterminado

[1]) Se usa asimismo, especialmente en la Italia central y meridional, el pron. *voi* con el verbo de 2.ª pers. plur.: — este *voi* se
halla también empleado en el mismo sentido en escritos clásicos, y
aún en novelas modernas. A veces se emplea *voi* con inferiores u
otras personas a las cuales no se quiere tratar de *Lei* ni de *tu.*
Se usa también siempre *voi* en el estilo comercial. — El pron. posesivo correspondiente a *Lei* es: *di Lei,* o *Suo,* pl. *Loro* o *di Loro.*

dativo *si* (V. Lecc. XV, 3.º), se cambian en **me, te, ce, ve, se** [1]); *gli, le* (dat.) se cambian en **glie**. — Además, si los dos pronombres se posponen al verbo, se unen a él en una sola palabra; — **glie** se puede unir al otro pronombre aun antes del verbo. — Ejemplos:

Me lo mostrò (o *Mostròm-melo*).	Me lo mostró.
Ce ne parlò (o *Parlòccene*). [2])	Nos habló de él (esto, ella, etc.)
Ve li contava uno ad uno, poi pentivasene.	Os los contaba uno a uno, luego se arrepentía de ello.
Glie la (**Gliéla**) *spedì.*	Se la envió.
Avèndogliele fatte conóscere...	Habiéndoselas hecho conocer...
Me ne parlava (*Parlàva-mene*) *come glie ne* (*glié-ne*) *parlò.*	Me hablaba de eso como le habló a él (de eso).
Quando se l'ebbe (*èbbeselo*) *messo in capo, partì.*	Cuando se lo hubo puesto en la cabeza, se fué.

NB. — El pron. indeterminado *si* [3]) sigue en italiano al pron. personal dativo o acusat., a la vez que su correspondiente castellano se le antepone. Cuando acontezca emplearlo junto a dos pron. personales de forma secundaria, se pone entre el dativo y el acusativo; v. gr.:

Mi si dice che non ti si ama là.	Se me dice que no se te ama allá.
Allorchè me se ne espone la ragione . . .	Cuando se me da la razón de ello . . .
Indicòmmesene il mezzo.	Se me indicó el medio *(de ello)*.

8.º — En lugar de **esso, -a, -i, -e** se puede decir, con más fuerza, **desso, -i,** etc. (pero, poco usados): v. gr: *è quel **desso** che . . .* (es el mismo que . . .).

9.º — Los pronombres *yo mismo, tú misma* etc. se traducen *io **stesso**, tu **stessa**, noi **stessi*** etc.; . . . *mi mismo* etc, . . . *me **stesso*** etc.

10.º — *Conmigo, contigo, consigo* pueden traducirse **meco, teco, seco,** que toman más fuerza si se les añade *stesso, -a;* — asimismo hay en italiano **nosco** con nosotros, -as, **vosco** con vosotros, -as; — pero estas formas compuestas, especialmente *nosco, vosco,* se emplean casi sólo en estilo poético o elevado. — Se encuentra

---

[1]) La formas primitivas *me, te* se pronuncian acentuadas; las derivadas no tienen acento, siendo proclíticas o enclíticas. (V. *NB.*, p. 55).

[2]) No se confunda este *ne* con el pron. pers. *ne* = *a, noi* o con *ne* adverbio de lugar. — (Véase Nota en la pág. 36).

[3]) Este *si* no se debe confundir con el dativo *si* = *a sè*.

a veces también (pero no es correcto) *seco lui, lei, loro;* y hállanse las formas dobles (poéticas) *con meco, con teco, con seco.*

11.° — Las locuciones confirmativas *yo soy, tú eres,* etc. se traducen: *sono (son) io, sei tu, è egli, sono essi,* etc., v. gr.:

Non siete stati voi che spez- zaste (o . . . voi a spezzare) i bicchieri?	¿No habéis sido vosotros los que rompisteis los vasos?

Vocabulario.

Disturbare	estorbar, impor- tunar, fastidiar	*il disturbo*	la molestia, el estorbo
osservare	observar	*pèrdere*	perder
accòrgersi	reparar en	*il diritto*	el derecho
volete ancora	queréis más	**verrete*	vendréis
recare	llevar, traer; *(re- carsi* ir)	*ricordarsi*	acordarse, recor- dar(se)
ringraziare	dar las gracias, agradecer	*punto* (adv.)	absolutamente
		la cura	el cuidado
èsservi, -ci	haber (hay, etc.) (Lecc. 17ª.)	**calère*	importar
		calse	importó
per l'appunto	cabalmente	*ritirare*	cobrar, recobrar;
il compenso	la recompensa		retraer.

Tema 23°.

Siete voi che ci disturbate sempre; andátevene! *(idos).* — Ha osservata quella massa *(bulto)* nera? Non me ne sono accorta. — *Volete ancora di questo vino? Sì, *dátemene un poco ancora *(un poco más).* — Non me ne importa *(o* cale) nulla. — Io stesso glieli recai. Te ne ringraziò? Molto. — Dio ve la mandi buona! *(os asista),* esclamò Caterina. — Ve ne sono ancora? Non ce ne sono più. — Chi cércano lor Signori? *Vorremmo *(Quisiéramos)* *sapere s'Ella sia il signor Astolfi. Per l'appunto, io stesso. — Si mándino loro quattro bottíglie di sciampagna e si dica loro che si *danno *(dan)* come com- penso del loro disturbo. — Non parlátecene più, ve ne dirò poi il perchè. — Avèndogliela presentata, non *potè *(pudo)* più ritirarla. E non ritirándola perde ogni diritto? . Sissignori. — Verrete meco? No, *andrò *(iré)* con lui. — Lo *prese seco per ogni buon conto *(por lo que pudiera ocurrir).* — Io sono quel desso che fu già da loro *(en su casa de Vs.);* non se ne ricòrdano? Nou ce ne ricordiamo punto. — Teco passar la vita . . ., cantava il tenore. — Dicévami sovente: àbbine cura, figlio mio. — Che gliene caleva se non l'amava? Mah! *(¿Qué sé yo?).* — Sono contente, mie signorine? Contentíssime, tanto più che glielo presenteremo domani.

Vocabulario.

Preguntar	*domandare*	la cabeza	*il capo, la testa*
emprender	**intraprèndere*	podréis	**potrete*
referir	*raccontare, rife-*	el temor	*il timore*
	rire (io -isco)	equivocarse	*sbagliarsi, errare*
maravillado	*meravigliato*	vivió	**visse*
deshonrar	*disonorare*	acompañar	*accompagnare*
simplemente	*semplicemente*	la quinta	*la villa*
cortar	*tagliare*	averiguar	*verificare*
echar	*(gettare), *mét-*	quejarse	*lamentarsi, la-*
	tere		*gnarsi.*

Tema 24º.

¿Le **conviene* a Vd. esto? A mí no me conviene, pero le preguntaré a mi tío si le conviene a él. — No venga Vd. ya *(più)* a mi casa. — Vosotros sois, no èllas, los que quisisteis *(*voleste)* emprender esto. — Cuando se lo refirió, quedóse *(*rimase)* maravillado. — Esto os deshonraría; no se lo digáis *(dírglielo)*, pues. — ¿Cómo se llaman Vds., caballeros *(signori)*? A nosotros no se nos llama simplemente, «Vds.,» sino «Vuesas mercedes» *(le lor signorie)*. — Siempre me hablas de *María*; no me hables más de ella. — Dicho esto, se fué *(andòssene)*. Tenedlo bien presente, y podréis hablarle de ello sin temor de equivocaros. — **Vivió* diez años conmigo, luego me abandonó *(abb-)*. — ¿Eres tú? Yo soy. — Son los mismos que nos compañaron a la quinta. — Tú mismo averiguaste la cuenta *(conto)*; ¿por qué te quejas ahora? — ¿No ha sido Vd. la que se los dió a mis primos? Yo misma, caballero.

Lección décima.

Observaciones sobre algunas clases de verbos.

A. — Verbos intransitivos.

1.º — Los verbos *intransitivos* o *neutros* forman en general sus tiempos compuestos con el auxiliar **essere**; — algunos, sin embargo, toman o pueden tomar **avere**.

NB. — Acerca de esto no se puede dar regla fija y concreta por ser muchas las excepciones; pero indicaremos aquí que los verbos neutros **andare* ir, **entrare** entrar, **uscire* y *partire* salir, **cadére* caer y otros que expresan movimiento de seres animados, exigen **essere** (con excepción de algunos, como **córrere, salire* subir, **scéndere* bajar, *volare* etc., que toman o pueden tomar **avere**, ya no tengan complemento de lugar, ya lo tengan directo); — asimismo requieren **essere** la mayor parte de los verbos que expresan una acción que recae por sí misma en el sujeto y forma como un *estado* de él, v. gr. **náscere nacer, *morire morir, *divenire o diventare hacerse, volverse, *apparire aparecer, *créscere crecer, scoppiáre estallar, *avvenire acontecer, *accadere acaecer*, etc.; — por el contrario toman **avere** los verbos que indican una *acción subjetiva*, como: *pensare, dormire, pranzare* comer, *abbaiare* ladrar, etc.

2.⁰ — Ejemplo de la conjugación de un verbo intransitivo con el auxiliar **essere** en los tiempos compuestos:

andare ir; *essere andato, -a, -i, -e* haber ido.

		singular				plural		
Pass. pròss. indic.	*sono*	*andato, -a*	he		ido;	*siamo*	*andati, -e*	
	sei	»	»	has	»	*siete*	»	»
	è	»	»	etc.		*sono*	»	»
Trapass.	»	*era*	»	»	había	»	*eravamo*	»	⁓
	eri	»	»	habías	»	*eravate*	»	»
	era	»	»	etc.		*èrano*	»	»
Futuro	»	*sarò*	»	⁓	habré	»	*saremo*	»	»
	sarai	»	»	etc.		*saremo*	etc.	
	etc.							
Pass. pròss. sogg.	*sia*	»	»	haya	»	*siamo*	»	»
	sii	»	»	etc.		*siate*	»	»
	sia	»	»			*siano*	»	»
	etc.							

3.⁰ — Cuando un verbo se puede emplear transitiva e intransitivamente, toma el auxiliar oportuno según su empleo, v. gr.:

intransit.	transit.
Io (Maria) **sono** *saltata su quel muro.*	*Io (Maria)* **ho** *saltato (vía) quel muro.*
Yo (María) he saltado encima de ese muro.	Yo (María) he saltado ese muro.

4.⁰ — El participio pasivo de los verbos *intransitivos* conjugados con **avere** es invariable; el de los conjugados con **essere** concierta con el sujeto (Véase el ej. preced.); v. gr.:

| *Le donne* **avévano** *camminato cinque ore senza riposo e non* **èrano** *ancora arrivate a casa . . .* | Las mujeres habían andado cinco horas sin descansar y todavía no habían llegado a casa . . . |

B. — Verbos reflexivos.

5.⁰ — Ya se ha visto cuál es la forma *reflexiva* de
los verbos transitivos (Lec. VIII.ª, y Obs. prelim.). —
Sus tiempos compuestos se forman con el auxiliar
essere; — (sin embargo hay algunos reflejos *indirectos*
— es decir con el pron. refl. de dativo — que pueden
a veces tomar **avere**); v. gr.:

Mi sono (o Mi ho) fatto cu-	Me he hecho coser la levita
cire l'abito da . . .	por . . .

6.⁰ — El participio *pasivo* de los verbos reflexivos
directos concierta siempre con el sujeto; — el de los
indirectos concierta con el objeto, v. gr.:

Le ragazze si sono appena coricate.	Las muchachas acaban de acostarse.
Le ragazze si sono tagliato il pane e si sono insudiciata la veste.	Las muchachas se han cortado el pan y se han ensuciado la ropa.

7.⁰ — Ejemplo de conjugación de un verbo reflexivo:

Indef. pres.	*fermarsi*	pararse
» pass.	*èssersi fermato*	haberse parado
Partic. pres.	*fermántesi*	parándose (que se para)
» pass.	*fermátosi*	parado (habiéndose parado)
Gerundio	*fermándosi*	parándose, *etc.*

Indicat. Presente.

(io)	**mi** *fermo*	me paro,	*(noi)*	*ci* *fermiamo*	
(tu)	*ti* *fermi*	te paras, etc.	*(voi)*	*vi* *fermate*	
(egli)	*si* *ferma*		*(essi)*	*si* *férmano*	
(essa)	» »		*(esse)*	» »	

Passato Pròssimo.

(io)	**mi** *sono fermato*, -*a*	me he parado,	*(n.)*	*ci siamo fermati*, -*e*	
(tu)	*ti* *sei*	»	» te has »	*(v.)*	*vi siete*	»	»
(egli)	*si* *è*	»	— etc.	*(e.)*	*si sono*	»	—
(essa)	» »	—	»	*(e.)*	» »	—	»

Análogamente en los otros tiempos.

En el *imperativo* lo común es añadir el pronombre
reflexivo al verbo, con excepción de las 3.ᵃˢ personas, donde
el pron. se suele anteponer, por ejemplo: *férmati, si
fermi* (o *férmisi*); *fermiámoci, fermátevi, si férmino.*

NB. — Hay verbos que en italiano son reflexivos, pero
no en castellano, y viceversa.

Vocabulario.

*Parēre	parecer	il pranzo	la comida
il posto	la plaza, el empleo, el lugar, el sitio		(principal)
		pentirsi	arrepentirse
		*accògliere	acoger, agasajar
l'ufficio	la oficina	svegliar(si)	despertar(se)
*piacēre	placer, gustar	alzare, levare	levantar, alzar
l'operetta	la zarzuela	vergognarsi	avergonzarse
rallegrarsi	alegrarse, celebrar	(co)sì basso	tan bajo
		la caldaia a	la caldera de
ingannarsi	equivocarse	vapore	vapor
annoiarsi	aburrirse	*créscere	crecer
dimenticare	olvidar(se)	*vivere	vivir [no
(-rsi)		presto	pronto; tempra-
il tagliaborse	el ratero	súbito	luego
*riuscire	salir bien, acertar	dopo	después (de), tras.

Tema 25º.

È arrivata la carrozza? Non ancora. Mi era parso che la porta si fosse aperta. — Quando sarai partito ci parrà *(parecerá)* deserta la casa. — Mi sono impegnato a fargli avere *(procurarle)* un posto in quell'ufficio. — Quante ore sono suonate? Dódici *(12)*. — Ho viaggiato per tutto il mondo senza trovarmi mai soddisfatto. — Ti piacque *(gustó)* la nuova operetta? Mi sarebbe piaciuta più se fosse stata migliore *(mejor)*. — Mi rallegro teco di vederti in così buona compagnía. — Mi sono ingannata dicendo che non vi annoiereste qui? No. — Vestítevi presto, venite súbito e non dimenticáte(vi) che dobbiamo recarci in molti luoghi. — Guardátevi dai *(Ojo a los)* tagliaborse. — A che ora vi siete coricato? Alle dieci. — Sei riuscito nell'impresa? *(¿Tu empresa ha salido bien?)*. No. Se non riuscisti ora, riuscirai più tardi. — Dopo pranzo **eravamo andati tutti a teatro.** — **Sono bastate le trecento pesete che ti ho fatte dare?** Sì. — Andátevene con Dio! Mi sono già pentito [le] mille volte d'avervi ben accolto. — Álzati e cammina! — Svegliátevi, poltroni! Non si sveglieranno più questa mattina? Leviámoci, giacchè dobbiamo levarci! È bello levarsi all'alba. — Ti sei *accorto *(Has notado)* che ci seguiva da lontano *(de lejos)*? Non me ne accorsi affatto. — Vergógnati d'essere caduto sì basso! — Non sei ancora entrato? Entrerò quando Gabriele sarà uscito. — Che è accaduto, Dio mio! E scoppiata una **caldaia** a vapore. — L'áquila è volata sul monte. — L'erba è cresciuta altíssima in quel prato. — Quell'uomo è nato, ha *(o è)* vissuto ed è morto senza che facesse mai alcún bene. Sarebbe divenuto buono se l'avessero corretto *(corregido)*.

Vocabulario.

Jactarse	*vantarsi*	enseñar	*insegnare, addi-*
cualidades,	*pregi, doti*	huir	*fuggire* E [*tare*
prendas		a escape	*a corsa*
merece	*mèrita*	la sonrisa	*il sorriso*
el espejo	*lo spècchio*	sé	** so*
mirar	*guardare, mirare*	desde	*fin da*
encontrar	*trovare, incon-*	abajo	*abbasso*
hermoso	*bello* [*trare*	nadie	*nessuno*
obrar	*operare, agire*	comer	*mangiare, pran-*
digno	*degno*		*zare*
la hermosura	*la bellezza*	loco	*pazzo*
por el con-	*all'incontro, in-*	matar	** uccídere*
trario	*vece*	cuarto piso	*quarto piano*
la costumbre	*il costume*	muerto	*morto*
desaparecer	** sparire* E[1])	vivido	** vissuto*
alejar	*allontanare*	el año	*l'anno*
trepar	*arrampicarsi* (su)	distinguido	** distinto*
el pueblo	*il pòpolo*	el aconteci-	*l'avvenimento.*
conozco	** conosco*	miento	

Tema 26º.

El que se jacta de sus *(propri)* méritos, más merece pie-
dad que envidia, dijo el *filósofo*. — Mírate en el espejo y
si te encuentras hermoso, haz cosas dignas de tu hermosura;
si al contrario te juzgas *deforme*, cuida *(procura)* de hacer
olvidar los defectos de tu rostro por tus costumbres *virtuosas*.
— Pero ¿dónde [se] ha *(è)* quedado? No lo sé; ha *(è)* des-
aparecido. — Alejaos de aquí, y cuando os hayáis alejado,
treparé al árbol. — Unámonos *(Uniámoci)*, amémonos; la unión
y el amor hacen la fuerza de los pueblos. — ¿Qué te parece
de él? Nada, no le conozco. — Me había *(era)* perdido en un
bosque, cuando un niño me enseñó el camino. — Ha huído
a escape. — ¡Siento *(Mi spiace)* el haberme *(d'èssermi)* equivocado de *(in)* esta manera! — ¿Has reparado en su sonrisa?
¡Qué maligna era! *(Com'era maligna!)*. — El señor Alonso
todavía no ha venido aquí, pero sé que ha llegado desde ayer.
— He corrido *(corso)* abajo; nadie estaba allí. — El perro ha
ladrado toda la noche. — ¿Qué había acontecido para que toda
la *gente* hubiese bajado a la calle? ¿Quién sabe *(sa)*? — El
pobrecito se ha vuelto loco. Os equivocáis, señores; no se ha
matado él, [sino que] se ha caído del cuarto piso y ha muerto.
¡Si hubiese vivido dos años más *(di più)*! ¿Y qué? Se hu-
biera *(sarebbe)* distinguido en ese acontecimiento que Vds.
saben *(sanno)*.

---

[1]) Esta letra indica que el verbo se conjuga con *essere*.

C. — Verbos con incremento.

8.º — Hay una porción de verbos de la 3.ª conjugación (regulares e irregul.) que en las tres personas del singular y en la 3.ª del plur. de los *presentes* de indic., subjunt. e imperat. toman el incremento *-isc-*[1]) entre el radical y la terminación, v. gr.:

ambire ambicionar.

		Singular.	*Plural.*
1.ª p.	Pres. indic.	*amb–isco*	(ambiámo)
2.ª »		» *-isci*	(ambite)
3.ª »		» *-isce*	(*amb-íscono*).
1.ª »	» subj.	» *-isca*	(ambiámo)
2.ª »		» *- »*	(ambiáte)
3.ª »		» *- »*	*amb-íscano.*
1.ª »	Imperat.		(ambiámo)
2.ª »		» *-isci*	(ambite)
3.ª »		» *-isca*	*amb-íscano.*

(Véase en el Apéndice V.º, 1.º, la lista alfabética de los más comunes entre estos verbos.)

9.º — Algunos verbos pueden tomar o no el incremento *-isc-* ya en todas las personas susodichas, ya en algunas de ellas; tales son, v. gr.:

apparire aparecer,	ind. pres.	*appaio*	y *apparisco*
applaudire aplaudir,	» »	*appláudo*	» *applaudisco*
assorbire absorber,	» »	*assorbo*	» *assorbisco*

etc. — (V. el apénd. V.º, 2º).

D. — Verbos con diptongo movible.

10.º — Hay algunos verbos que toman el diptongo *uo* en la sílaba *acentuada* radical de varios tiempos o personas. (En general son irregulares, especialmente en el *passato remoto*; entonces no toman en este tiempo el diptongo *uo*). Tales son:

morire morir

ind. pres.	*muóio*	muero	pl.	(moriámo)
	muóri	mueres	»	(morite)
	muóre	etc.	»	*muóiono.*
subj. »	*muóia*	muera	»	(moriámo)
	»	etc.	»	(moriáte)
	»		»	*muóiano.*

[1]) El grupo *sc* tiene el sonido velar *(sk)* antes de *a, o*; y el paladial antes de *e, i.*

scuótere (y *scótere*) sacudir

ind. pres.   *scuoto*   sacudo   pl. *(scotiámo)*
            scuoti   sacudes   » *(scotete)*
            scuote   *etc.*   » *scuótono* [1])
subj. »   *scuota*   *etc.*

solére soler

ind. pres.   *(sòglio)*   suelo   » *(soliámo)*
            suóli   sueles   » *(soléte)*
            suóle   *etc.*   » *(sògliono)*.

suonare y *sonare* tañer, tocar, dar (horas)

ind. pres. *suóno*   toco   pl. *(soniámo)*
          suóni   tocas   » *(sonate)*
          suóna   *etc.*   » *(suónano)* ; [1])
etc.

NB. — En cuanto a los verbos esdrújulos y sobresdrújulos en algunas personas de los tiempos presentes (de que ya se habló en nota a la Lecc. VIII, 3º *d*), véase el Apénd. IV. º

Vocabulario.

Riverire	saludar respetuosamente; reverenciar, obsequiar	*la bugía*	la mentira; la bujía
		bugiárdo	mentiroso; embustero
chiacchierare	charlar	*la pólvere*	el polvo; la pólvora
il signorino	el señorito		
il violino	el violín	*addosso*	encima, a cuestas.

Tema 27º.

Quale preferisci dei due, questo o quello? Preferisco questo; preferirèi l'altro se non fosse ammaccato *(chafado)*. — Quegli álberi fioríscono sempre tardi; questo invece fiorisce prestíssimo *(muy temprano)*. — La riverisco, signor Guglielmo; stía bene *(Que siga V. bien)* [2]). — Restituíscimi súbito il mio *(lo mío)*. — Non sarà mai ch'io lo tradisca. — Finíscano di chiacchierare, signorini! — Capisci lo spagnuolo? Lo capisco un poco. — Suoni il violino? No; suonai un tempo la chitarra. — Chi suole dir bugíe si chiama bugiardo. — Scuótiti la pòlvere d'addosso. — Muori, infelice! — Muóiano tutti i traditori. — Cosí sia.

---

[1]) Hay verbos, como éste, que pueden tomar en todas las voces regulares el dipt. *uo* si lo toman en el infinitivo.

[2]) En los saludos no emplean comúnmente los italianos las fórmulas religiosas o demasiado humildes de los españoles, sino dicen: *buon* o *felice giorno, buona* o *felice sera* o *notte, addío, La saluto, La riverisco, La presento i miei rispetti*, etc., añadiendo, sin embargo, cuando es menester, algún adverbio oportuno, v. gr.: *distintamente, rispettosamente, umilmente*, y otros parecidos.

Vocabulario.

Parecido	*símile*	el pícaro	*il birichino*
callarse	**tacēre*	volverse gro-	*inzotichire, di-*
callo	*táccio*	sero	*venir rozzo*
sepultar	*seppellire (-isco)*	progresar	*progredire*
el cementerio	*il cimitero*	la ciencia	*la sciènza*
rico	*ricco*	la libertad	*la libertà*
consuela	*consola*	la vergüenza	*la vergogna.*

Tema 28º.

¿Qué sueles hacer en *casos* parecidos? Suelo hacer lo que suele hacer todo el mundo: me callo. — ¿Tocas el piano? No. — Si mueres en esta ciudad, serás sepultado en el gran cementerio donde se sepultan los ricos. ¡Cosa que me consuela mucho! — ¿Entiendes? Sí. ¿Qué? Entiendo que eres un pícaro. Te vuelves más *(sempre più)* grosero cada día. — Para que progresen las ciencias, para que florezcan las *artes* y las *industrias* es necesario tener libertad. — Se ruboriza *(Arrossisce)* porque tiene vergüenza.

Ejercicio de lectura.

La lingua italiana è molto símile alla spagnuóla; sono due sorelle bellíssime entrambe, delle quali l'una ha maggiore dolcezza, l'altra maggior vigoría. Derivate dalla lingua latina per la naturale evoluzióne di questa nel corso dei sècoli e per il contributo dei dialetti parlati nelle síngole *(en cada una de las)* regióni ov'esse si svòlsero, come pure, benchè in minòr dose, di quelli importati dai pòpoli invasori del romano impèrio, e cresciute fra il volgo, andárono poi man mano perfezionandosi per òpera di scrittori ed accadèmie, finchè pervénnero al loro stato odièrno. La lingua spagnuola ha conservate, più della italiana, certe forme latine. Nella italiana sovrabbóndano le vocali; le consonanti tèndono ad assimilarsi ed anche a sparire; sono perdute tutte le terminazióni consonántiche, e la maggior parte delle parole sono piane. Una delle difficoltà principali per lo straniero che stúdia la lingua italiana è la retta accentuazióne tònica delle parole: mentre in ispagnuolo si è guidati da accenti gráfici indicanti nello scritto la posa principale della voce nei casi in cui si devía dalle règole di pronúncia normale, in italiano tale guída manca, sicchè bisogna contare sulla prática e sull'analogía e far uso di un dizionário accentato.

(L. Pavía.)

Domande.

Com' è la lingua italiana?

Qual' è la sua orígine?

Quali differenze principali si nòtano fra le due lingue, italiana e spagnuola?

Dite una delle maggióri difficoltà che lo stranièro trova nella
pronúncia delle parole italiane.
Come si può guidarsi?

Lección undécima.
De los pronombres interrogativos.

1.º — Los pronombres **interrogativos** (adjetivos
y sustantivos) tienen en italiano los mismos usos que
en castellano, y son los siguientes:

chi?	(sólo como sust.)	¿quién? ¿quiénes?
che? o *che cosa?*	(id.)	¿qué? ¿qué cosa?
che?	(adj.)	¿qué? ¿cuál, -les?
quale? pl. *quali?*	(sust. y adj.)	¿cuál, -les? ¿qué?
quanto, -a, -i, -e?	(id., id.)	¿cuánto, -a, -os, -as?

Ejemplos:

Chi sono quegli uòmini?	¿Quiénes son esos hombres?
Per chi facesti questo tavolino?	¿Para quién hiciste esta mesita?
Di chi è la penna?	¿De quién es la pluma?
Che donna è questa?	¿Qué mujer es ésta?
Che casa vedesti?	¿Qué (o ¿Cuál) casa viste?
Di che (Di che cosa) discorrete?	¿De qué habláis?
Che? Nulla.	¿Qué? Nada.
Quali maggiori sventure di queste?	¿Qué mayores desgracias que éstas?
Dammi il libro. — Quale?	Dame el libro. — ¿Cuál?
A quale alludi?	¿A cuál aludes?
Quanta carta e quanti temperini vendesti?	¿Cuánto papel y cuántos cortaplumas vendiste?
Quante hai detto?	¿Cuántas has dicho?

NB. — *Cúyo, -a* y *de quién*, posesivos-interrog., se traducen siempre al italiano por *di chi*, colocado antes del verbo,
v. gr.:

¿Cúyo sombrero es éste? o ¿De quién es este sombrero?
Di chi è questo cappello?

2.º — Como en castellano, se usan dichos pronombres en frases exclamativas y dubitativas, v. gr.:

Che uomo! quale città!	¡Qué hombre! ¡qué ciudad!
Chi lo crederebbe!	¡Quién lo creería!
Chi sia, quale patria la sua, e che dica, non so.	Quién sea, cuál sea su patria, y qué hable, no lo sé.
Quale sarebbe il suo stato, se . . .!	¡Cuál sería su condición, si . . .!

Pronombres relativos y correlativos.

3.⁰ — Los pronombres **relativos** son los siguientes:

il, la quale; pl. *i, le quali* } el, la cual; los, las cuales
che } que; quien, quienes
cui } a que o quien, -es; cuyo, -a,
-os, -as.

Se emplean todos únicamente como sustantivos, a excepción del primero que se puede emplear también como adjetivo.

4.⁰ — **Che,** precedido por el artículo *il* — **(il che)** — significa *lo que, lo cual* (= la cual cosa), v. gr.:

. . . *il che vuol dire* . . . . . . lo que significa . . .
dal che s'inferisce essere por lo que se infiere que el
l'uomo ragionévole hombre es racional.

5.⁰ — Los pronombres relativos se declinan y se usan en general como en castellano; sin embargo obsérvese lo siguiente:

a) **Cui** nunca se usa como nominativo, y raramente como acusativo. — Antes de **cui** con significado de dativo (= *al, alla quale; ai, alle quali*) se puede suprimir la preposición *a*. — Cuando significa *cuyo, -a* etc. (= *del quale,* etc.) se puede colocar **cui** entre el artículo y el sustantivo, suprimiéndose entonces a menudo la preposición *di* que como genitivo le corresponde; pero la supresión de *di* no se hace si **cui** se pospone al sustantivo. Ejemplos:

L'uomo cui (o a cui) desti El hombre a quien diste de
da mangiare. comer.
Gli uccelli le (di) cui ali o Las aves, cuyas alas fueron
le ali di cui (o le ali dei cortadas.
quali) furono tagliate.

b) En lugar de *di, da, per cui; del, dal, pel quale,* *-i* (y femen.) se emplea a menudo **onde** (comp. fr. *dont*), v. gr.:

Il luogo onde (= *da cui,* o El lugar de donde vino es . . .
dal quale) venne è . . .
Le speranze onde (= *di cui*) Las esperanzas de que se ali-
si nutriva furono vane. mentaba fueron vanas.
La porta ond' era (*per la* La puerta por la que había
quale era) entrato. entrado.

NB. — Se puede usar *donde* cuando *da cui, dal quale* etc. son locuciones adverbiales de lugar (*donde* = *da dove,* de donde).

6.⁰ — Los pronombres relativos dependientes de
otros pronombres forman con ellos los que se llaman
pronombres correlativos, a saber:

colui il quale, colèi la quale	} o *che*	el que, la que
coloro i quali, le quali		los que, las que
quegli il quale o *che*		el que
quella la quale o *che*		la que
costoro che o *i quali* etc.		esos que, los que, *etc.*
noi che, tu che etc.		nosotros (los) que, tú (el)
ciò che		lo que. [que *etc.*

7.⁰ — A los correlativos pertenece *chi* (= quien,
el que, la que); corresponde a: *colui il quale* o *che, colei
la quale* o *che.* — (Ya no se usa con verbo plural; en
el plural se emplea la forma compuesta *coloro i quali,
coloro le quali,* o *che.*) — Ejemplos:

Chi (Colúi che o *Colui il quale* — *Colèi che,* etc.) *era entrato si chiamava Pietro (María).*	El (La) que había entrado llamábase Pedro (María).
Non parlar male di chi ti fece del bene.	No hables mal de quien te hizo bien.

8.⁰ — Otros pronombres relativos (correlativos):

chiúnque (chĭ-un-)	quienquiera que
qualunque	cualquiera que
checchè	cualquiera cosa (que)
quale . . . . (tale)	cual . . . . (tal)
quanto . . . . (tanto)	cuanto . . . . (tanto).

NB. — *Qualunque* es siempre adjetivo; los demás, siempre
sustantivos. — *Quale* y *quanto* son variables, los otros no. —
Ejemplos:

Qualunque cittadino non osservi la legge è reo (o Qualsiasi cittadino il quale (o che) non . . .).[1]	Todo ciudadano que contraviene a la ley, es reo.
Chiunque asserirà questo, sarà mentitore (o Chicchessía che (o il quale) asserirà questo etc.).[1]	Quienquiera' que asegure eso, será un mentiroso.
Quale il padre, tale il figlio.	Tal padre, tal hijo.
Checchè facciate, sarà inutile.	Cualquiera cosa que (Hagáis lo que) hagáis inútil será.

---

[1] V. Lecc. XVI*ᵃ*.

Vocabulario.

Laggiù	allá	*il canestro*	el canastillo
*cadère	caer	*lo scalpore*	el ruido, la queja,
il pèttine	el peine		el estrépito
gettare	echar	*piacévole*	agradable
il beccaio	el carnicero	*abitare*	vivir, habitar
lo strumento	el instrumento	*forse*	acaso, tal vez
la sterlina	la libra esterlina	*inferire*[1])	inferir.
la coda	la cola		

Tema 29º.

Che álberi sono quelli laggiù? Quali? Quelli così fronzuti *(copudos)*. Sono castagni. — Qual è il suo nome, signore? qual'è la sua patria? Il mio nome è tale, quale me lo lasciò mio padre; la mia patria è quella che si chiama il «giardino d'Europa». — Chi lo crederebbe sì sfrontato *(descarado)*? Chi solamente l'abbia conosciuto per due giorni. — Chi è caduto? Non importa chi sia caduto; quello che importa è soccórrerlo. — Coloro i quali non ámano i bambini hanno cuore cattivo. — Di chi e di che si parla? Si parla di chi ha ucciso il leone. — A chi si darà il pettine d'oro? A colei che ne sarà meritévole *(que lo merecerá)*. — Da quale di quelle case fu gettata dell'acqua? Da quella di fronte a noi. — La persona a cui facesti tanto bene, dalla quale speravi gratitúdine, si mostrò invece ingratíssima. — Che fa *(es)* suo padre? Fa il beccaio. — La dama le cui figlie si sposárono *(casaron)* ieri e della quale tanto si è parlato in questi giorni, è la contessa C. — Con l'aiuto di chi e di quali strumenti compisti quell'òpera? Con l'aiuto di nessuno, cogli strumenti che vedi qui. — Si presume che sarà buon cittadino colui che è stato buon figlio. — Chiunque lo vedesse *(viera)* se ne meraviglierebbe. — Mi ha pagate tante sterline quante mi doveva. — La città donde vieni è Parigi? No, Londra. — Il gatto (a) cui fu tagliata la coda morì. Quale? Quello per cui Giovanni fece tanto scalpore. — Non tutto ciò che è buono è sempre piacévole. — Le persone onde si compone la famiglia che ábita in questa casa sono tutte brutte. Il che vuol dire che le signorine sono brutte anch'esse. Naturalmente. — Ségui *(Sigue)* colei che è passata or ora *(que acaba de pasar)*, *dille di me tutto il bene che *puói *(puedes)*. — Che gente! Che paési! Non so chi potrebbe vítervi *(vivir allí)*. — Chi vedesti *(viste)* non è mio cugino, ma il domèstico *(criado)*, la moglie del quale è la donna di cui parli sovente. Dal che tu forse inferiresti...? Nulla di speciale o di male.

---

[1]) Siendo muchos los verbos en -*ire* que toman el incremento *sc*, el discípulo que encuentre uno de ellos hará bien en consultar el Apéndice V.º

Vocabulario.

Aludir	*allúdere	asesinar	assassinare
la novia	la fidanzata, la	aprisionar	imprigionare
	promessa sposa	la felicidad	la felicità
el caballero	il signore	la causa	la cagione
volcar	ribaltare	la choza	la capanna
la ventana	la finestra	derribar	abbáttere, gettare
la semana	la settimana pas-		a terra
pasada	sata o scorsa	rojo	rosso
el enemigo	il nemico (pl. -ci)	recibir	ricévere
duradero	duraturo	digáis	diciáte
asignar	assegnare	desaprobar	disapprovare
la naturaleza	la natura	el carpintero	il falegname
el zapatero	il calzolaio	la familia	la famiglia.

Tema 30º.

La señorita a quien aludes es mi novia. Pues me gusta mucho; es muy bonita. — El caballero que llegó anteayer (avant'ieri), al cual diste (desti) flores y cuyo coche volcó bajo nuestras ventanas es el mismo que me hará (farà) ese favor (-e). — ¿Quién es esa hermosa dama? La viuda del que vino (venne) aquí la semana pasada. ¿La que perdonó a su enemigo? Sí; en lo que hizo (fece) mal. — Las cosas de que estáis hablando no son ciertas. — Nada de lo que está sobre la tierra es duradero más allá del (oltre il) límite que le asignó la naturaleza. — ¿Qué es este hombre? Es un zapatero. — ¿Cuáles cartas has escrito? Las que me indicaste (-i). — ¿La mujer de quién (o ¿Qué mujer) fué asesinada? La de S.; la misma cuyos hijos han sido presos. — Dime con quién andas (vai) y te diré (dirò) quién eres. — ¿Cuáles son las lenguas (lingue) que se hablan en ese país? Muchas son. — Ven a mi casa (Vieni da me) y verás (vedrái) las piedras que me regaló el caballero, de cuya esposa te habló el maestro. — ¡Qué mujer [tan] mala! Nada de lo que hago (fáccio) le gusta (*piace). — ¡Cuál sería su felicidad si estuviera (fosse) aquí! — ...los cuales, al hallarse (quando si trovárono) junto a mí. se estremecieron (trasalírono). ¿Cuál fué la causa? ¿Quién puede saberla, si son locos? — ¿Que choza derribó el viento? La del pastor. — ¿Qué libros leíste (leggesti) el mes pasado? Los de que tanto hablaron los diarios. ¿Cuál te gusta más? El encuadernado (legato) en rojo. — Quienquiera que sube (sale) allá recibe un regalo. — Cualquiera palabra que digáis, él la desaprobará. — Tal amo, tal criado (Quale il..tale il..). — ¿A quién vendiste la tinta? A José (Giuseppe). — ¿Quiénes son esos niños? Los del carpintero, para cuya familia has alquilado (presa in affitto) la casa.

Lectura.
La posta.

Scusi, signore, dov'è la posta? — È in Piazza San Silvestro, poco lungi dal caffè Aragno. — Grazie. — Vuole che l'accompagni? — Prego, non s'incòmodi; ho capito dov'è. — Buon giorno. — C'è qualche lèttera ferma in posta *(en lista)* a questo indirizzo? — Sì, signore, ve ne sono due. Una è raccomandata *(certificada)*. Ha documenti per farsi conóscere? — Ho il passaporto. — Vediámolo. Bene, basterà. Tuttavía, viaggiando, sarebbe opportuno provvedersi del libretto postale di riconoscimento. — Grazie del consíglio. Arrivederla. — La riverisco. — Scusi, vi è anche un'assicurata *(declarada)* per 12000 lire. — Ah! l'aspettava appunto. Verrà da Barcellona. — Infatti: èccola. Vòglia méttere la sua firma su questo registro. — Perdoni, giacchè è tanto gentile: dov'è l'uffício dei vágli? — Più avanti, al número... — Grazie. Ora debbo recarmi al telègrafo. È vicino? — L'entrata è sotto il portale di questo stesso palazzo, verso Piazza San Silvestro. — Beníssimo, devo mandare un dispáccio urgente alla mia signora. — Se le occórrono francobolli *(sellos)*, lo spáccio è rimpetto all'entrata dell'uffício telegráfico. — Grázie ancora della sua squisita cortesía.

Lección duodécima.
De los grados de comparación.

Los grados de comparación se expresan de la misma manera que en castellano.

1.⁰ — Los **comparativos** de **superioridad** y de **inferioridad** se forman anteponiendo al adjetivo positivo respectivamente *più* más, *meno* menos. — Los dos términos de la comparación se unen con *di* o *che*, v. gr.:

Mio fratello è più ábile di te e meno diligente di tuo padre e del maestro.	Mi hermano es más hábil que tú y menos laborioso que tu padre y que el maestro.
Piètro è più istruito che educato, ma meno dotto che non si creda (o di quel che si creda).	Pedro es más instruído que educado, pero menos docto de lo que se cree.

NB. — Antes de sustantivos y pronombres se prefiere usar *di*; antes de adjetivos (o participios y verbos) se usa *che*. — También se emplea *che* entre *dos* sustantivos, v. gr.:

Ebbe più virtù che difetti. Tuvo más virtudes que defectos.

2.º — El **comparativo de igualdad**[1] *(eguaglianza)* se forma con (*tanto . . .*) *quanto* o (*così . . .*) *come.* — *Tanto* y *così* se omiten a menudo antes de adjetivos.

NB. — *a*) *Così* se emplea sólo antes de adjetivos (y participios) y adverbios; — *tanto . . . quanto* y *come* con toda clase de palabras. — *Tanto* y *cuanto* son adjetivos.

Ejemplos:

Alfonso è (tanto) crudele quanto vile; ha (tanti) vizî quanti può averne; è, poi, (così) avaro come suo zio. — Alfonso es tan cruel como vil; tiene tantos vicios cuantos puede tener; además es tan avaro como su tío.

b) **Tan ... que** se traducen *tanto* o *così* o *sì ...che*; v. gr.: Estoy tan cansado que no puedo dormir. — *Sono così (sì, tanto) stanco che non posso dormire.*[2]

c) En las frases negativas se hace como en castellano, es decir: o se emplea la negación *non*, o se usa el comparativo de inferioridad. Ej.:

Non è buono come suo fratello; — No es bueno como su hermano,

o: — o:

è meno buono di suo fratello. — es menos bueno que su hermano.

3.º — El **superlativo relativo** se forma anteponiendo al comparativo de superioridad o de inferioridad el artículo determinado, como en castellano; v. gr.:

Giovanni è il più bello, ma anche il meno diligente della classe. — Juan es el más guapo, pero también el menos aplicado de la clase.

I più ricchi sono talvolta i meno felici. — Los más ricos son a veces los menos felices.

4. — El **superlativo absoluto** *(assoluto)* se forma también como en castellano, es decir: α) o por medio de la terminación **-íssimo** (**-a, -i, -e**) sustituida a la última vocal del adjetivo, o **-èrrimo (-a, -i, -e)** sustituida a sus últimas dos letras[3]); — β) o anteponiendo al adjetivo el adverbio **molto** = *muy.* Ejemplos:

_____

[1]) Por razón de oportunidad hablamos aquí de esta clase de comparación aún cuando se hace entre palabras que no son adjetivos.

[2]) A menudo, en lugar de *che* con un verbo en modo definido, se emplea **da** seguido del infinitivo, v. gr.:

non sono così stanco da non poter dormire.

non ho tanto appetito da mangiare tutto il piatto.

[3]) Los que toman *-èrrimo* son en general los mismos que en castellano, es decir los terminados en consonante explosiva + *r* + vocal.

buono	bueno,	*buoníssimo*	o	*molto*	*buono* [1])
líbero	libre,	*liberíssimo*	»	»	*líbero*
acre	acre,	*acèrrimo*	»	»	*acre*
grosso	grueso,	*grossíssimo*	»	»	*grosso*
íntegro	íntegro,	*integèrrimo*	»	(»	*íntegro).*

NB. — *a)* **Mísero** mísero, **cèlere** veloz, **aspro** áspero toman *-íssimo* y *èrrimo* (el primero es más usado).

b) Otros hay (terminados en *-'fico*) que pueden tomar la terminación *entíssimo, -a*, v. gr.:

magnífico	magnífico,	*magnificentíssimo*
benéfico	benéfico,	*beneficentíssimo, etc.*

5.⁰ — *a)* Hay adjetivos que, además de la comparación regular, tienen otra sacada de diferente raíz (como en castellano), a saber:

alto	alto,	comp.	*superióre,*	superl.	*supremo, sommo*
basso	bajo,	»	*inferióre,*	»	*ínfimo*
buono	bueno,	»	*miglióre,*	»	*òttimo*
cattivo	malo,	»	*peggióre,*	»	*pèssimo*
grande	grande,	»	*maggióre,*	»	*mássimo*
piccolo	pequeño,	»	*minore,*	»	*mínimo.*

b) Otros forman sus grados también en *-ore, -imo* (*-emo*), pero conservando su propia raíz; los comparativos y superlativos así formados se usan muy a menudo en sentido positivo; tales son:

estèrno	externo,	*esterióre,*	*estremo*
interno	interno,	*interióre,*	*íntimo*
(*inferno*	bajo),	*inferióre,*	*ínfimo, etc.*

Vocabulario.

Scaltro	socarrón	*fors'anche*	tal vez
altrettanto	otro tanto; igual-	*incontrare*	encontrar
	mente	**diceva*	decía
l'eguale	su parecido	*arcigno*	ceñudo, sombrío,
l'oggetto	el objeto		malhumorado,
*lètto, -a	leído, -a		cejijunto
sembrare	parecer	*il piano*	el piso.

Tema 31⁰.

Quel cavallo è più bello del mio, ma il mio è più grande del tuo. — Questo ragazzo è meno ábile che scaltro. — Quella signorina è bella quanto spiritosa, ma non è altrettanto ricca. — Enrico è così buono che non v'ha l'eguale; è anche istruitíssimo, e nella sua casa si trovano più libri che altri oggetti.

---

[1]) En lugar de *molto* empléase a menudo *assái* (que realmente significa *asaz*).

Ma, ha egli letti quei libri? Più che letti, studiati. — È meno gióvane che non sembri. Quanti anni ha? Ne ha più di te certamente, fors'anche più di cinquanta (50). — La mia padrona (ama) di casa in Beirût era la donna più insopportábile ch'io abbia mai conosciuta; era anche la più cattiva d'animo ch'io mai incontrassi in vita mia. Era giovane o vecchia? Diceva di non aver più di quarantadue anni, ma credo che ne avesse non meno di sessanta; la sua faccia era la più antipática ed arcigna che [mai] si potesse (pudiera) imaginare. Eppure credeva sè stessa la più buona donna del mondo! La gente pèssima sovente non s'accorge della propria malvagità. Ciò è più vero di quel che sembri, è veríssimo. — Amália sarebbe stata un'óttima signorina, se la sua educazione fosse stata migliore. Era scortese? Anzi, era gentilíssima e molto laboriósa; parlo della educazione del cuore e dei sentimenti. La sua sorella minore chiamávasi María; esse abitávano al piano inferiore al mio. Viciníssima a noi abitava una famiglia turca, ov'era una signorina non bella ma molto simpática, di nome Uarda. Rimpetto stava (En frente vivía) una signora greca assai distinta, il cui marito era acèrrimo nemico dei Russi. — La migliór cosa che tu possa fare è andártene (irte). — Il mio íntimo amico mi condusse all'estremo della «Via Lunga» in Damasco, e mostrándomi una casa disse: la facciata (fachada) anteriore è brutta, ma la posteriore è magnífica; il cortile interiore (o interno), poi[1]), è il più splèndido ch'io abbia veduto in questi paési.

Vocabulario.

Dulce	dolce	ilustre	illustre
árabe	árabo, -a	humilde	úmile
me comí	mangiái	el signo	il segno
la ternura	la tenerezza	potable	potábile
Domingo	Doménica; -co	pequeño	piccolo
cuerdo	saggio, prudente	el botín	lo stivaletto
el diablo	il diávolo	condecoración	decorazione
poderoso	potente, poderoso	cruel	crudele
Diógenes	Diògene	el coronel	il colonnello
necesidades	bisogni	el ejemplo	l'esèmpio
risueño	allegro, ridente	la costumbre	il costume.
el título	il título		

Tema 32º.

¿Oyes a esa señora que habla (parla) una lengua dulcísima? Sí. ¿Qué habla? Turco. Pues la turca es una lengua muy bonita; ¡y yo la creía peor que la árabe! ¡Ni por pienso! (Nemmén per sogno o per idèa), la lengua árabe es a veces muy áspera. — ¿Es buena esa manzana? Mejor que la otra;

---

[1]) El adverbio pòi, entre dos comas, corresponde al lat. autem.

es bonísima. La mejor es ciertamente la que me comí yo. — Es un hombre integérrimo, el más íntegro de toda la oficina. — ¿Por qué tratas a Julia *(Giulia)* con menor ternura que a Domingo? Porque él es más *diligente* que ella. — *Eufemia* es tan hermosa como su hermana, pero no es igualmente cuerda. — El diablo no es tan feo como le pintan *(si dipinge)*. — Alejandro era más poderoso que Diógenes, pero éste tenía menos necesidades que aquél. — Esos lugares eran sobremanera *(sommamente)* risueños. — Los títulos de ilustrísimo y humildísimo son signos de *miserias* muy hondas, dijo Jorge *(Giòrgio)*. — El agua potable de esta ciudad es *salubérrima*. — Tu madre es una mujer muy pequeña, por eso lleva botines con el tacón *(tacco)* altísimo. — El *Ministro* de Gobernación *(degl'Interni)* distribuyó *(-buì)* tantas condecoraciones cuantos eran los periodistas. — El león es menos cruel de lo que se cree *(creda)*. — El general *(-le)* es superior al coronel. — Carmela es una bonísima muchacha; lástima *(peccato)* que viva con una familia de ínfima clase, donde no se le da la [más] mínima educación, donde no tiene sino los más malos ejemplos y no ve [más] que pésimas costumbres!

Lección décimotercera.

De los numerales cardinales.

1.º — Los numerales **cardinales** se denominan en italiano:

0	zero	19	diciannove
1	uno, -a	·20	venti
2	due	21	ventuno, -a
3	tre	22	ventidue
4	quattro	23	ventitrè
5	cinque	24	ventiquattro, *etc.*
6	sèi	30	trenta
7	sètte	31	trentuno, -a
8	òtto	32	trentadue, *etc.*
9	nòve	40	quaranta
10	dièci	50	cinquanta
11	úndici	60	sessanta
12	dódici	70	settanta
13	trédici	80	ottanta
14	quattórdici	90	novanta
15	quíndici	100	cènto
16	sédici	101	cento uno, -a
17	diciassette	115	cento quíndici
18	diciòtto	200	duecènto (*o* dugento)

300	trecento	10,000	diecimila
400	quattrocento	23,000	ventitrè mila
500	cinquecento, *etc.*	100,000	cento mila
1000	mille	1,000,000	un milióne
2000	duemila	12,000,000	dódici milioni [do.
3000	tremila		*un billón* un bilione, o un miliar-

NB. — *a*) A excepción de *uno, mille, milione, miliardo,* todos los numerales son invariables.[1]) — Nótese el plural *mila*.

b) Los numerales compuestos de decenas, centenas, millares y unidades se escriben generalmente en una palabra; pero los otros se pueden escribir separadamente o unidos, como se quiera; v. gr.:

1894 *mille ottocento novantaquattro,* o
milleottocentonovantaquattro.

2027 *duemila ventisette,* o *duemilaventisette.*

2.⁰ — Locuciones especiales con numerales cardinales.

— *a*) La **edad** se expresa en italiano de la misma manera que en castellano, v. gr.:

Quanti anni hai?	¿Cuántos años tienes?
Che (o Quale) età ha Ella?	¿Qué edad tiene Vd.?
Ho 27 anni e 3 mesi.	Tengo 27 años y 3 meses.
All'età di 3 anni sapeva lèggere.	A los 3 años de edad sabía leer.

b) La **fecha** también se expresa casi como en castellano, v. gr.:

Quanti ne abbiamo del mese?	¿A cuántos estamos (del mes)?
Che data abbiamo oggi?	¿Qué fecha tenemos hoy?
Oggi siamo al 31 maggio.	Hoy estamos a 31 de Mayo.
Oggi è il 31 maggio.	Hoy es el 31 de Mayo.
Milano, 29 Luglio 1954.[2])	Milán, 29 de Julio (de) 1954.

[1]) Los numerales en general pueden sufrir elisión antes de vocal (excepto *due, tre sei,* y por lo común *5* y desde *10* hasta *15*; y *mila, milione*), v. gr.:

quattr'uòmini cuatro hombres; — *vent'anni* veinte años.

[2]) Los nombres de los días de la semana y de los meses (todos masculinos, excepto *doménica*), son:

Lunedì	lunes	*Venerdì*	viernes
Martedì	martes	*Sábato (Sábbato)*	sábado
Mercoledì	miércoles	*Doménica*	domingo.
Giovedì	jueves		

Gennaio	Enero	*Lúglio*	Julio
Febbraio	Febrero	*Agosto*	Agosto
Marzo	Marzo	*Settèmbre*	Septiembre
Aprile	Abril	*Ottobre*	Octubre
Mággio	Mayo	*Novèmbre*	Noviembre
Giúgno	Junio	*Dicèmbre*	Diciembre.

NB. — *El primer* día del mes se llama también *il primo.* — En frases como ésta: *á los nueve días de estar malo se murió* corresponden en italiano otras como la siguiente: *dopo nove giorni di malattia* (o *dacchè era ammalato) morì* — o: *il nono giorno dacchè era ammalato morì.*

c) **En el año de** . . . o **en** . . . se traduce *l'anno* . . . o *nel* . . ., v. gr.:

> *Nacque l'anno* (o *nel) 1854.* Nació en 1854.

d) Las **horas** se indican exactamente como en castellano; pero obsérvese que con la voz *quarto* en el singular se debe siempre emplear *un,* v. gr.:

Che ora è? (o *Che ore sono?)*	¿Qué hora es?
È la una, sono le due, le dódici in punto (o *precise).*	Es la una; son las dos, las doce en punto.
All'una meno un quarto mi sveglierái, e verrái a préndermi alle due e mèzza[1] *o (alle) due e tre quarti; in ogni caso, non tardare oltre le tre meno dieci (minuti).*	A la una menos cuarto me despertarás, y vendrás a buscarme a las dos y media o tres menos cuarto; en todo caso no vengas después de las 3 menos diez (minutos).
Ritornerò circa le úndici.	Volveré a eso de las once.

NB. — El verbo dar (las horas) se dice *suonare,* v. gr.:

Sono suonate le tre?	¿Han dado las tres?
Non ancora, ma stanno per suonare; — *mi sbáglio, sono appena suonate.*	Todavía no, pero van a dar; — me equivoco, acaban de dar.[2]

3.º Los numerales *colectivos* son:

un paio	un par	*una ventina*	una veintena etc.
una diecina	una decena		
una dozzina	una docena	*una centina*	una centena
una quindicina	una quincena	*un centinaio*	un centenar
		un migliaio	un millar.

---

[1] Los toscanos, y los que siguen su manera de hablar, dicen siempre *mezzo,* ya se trate de horas, ya de otra cosa. Pero, siendo *mezzo* un adjetivo, y debiendo los adjetivos concertar en género con su sustantivo, no se ve la razón por qué no se deba decir *mezza* con las horas u otras voces femeninas, y por el contrario se deba contravenir ilógicamente a una ley de concordancia.

[2] En italiano se indica el tiempo muy próximo con *stare per estar para, ir a;* y el que acaba de pasar con el adverbio *appena* o *appunto;* v. gr.:

stava per uscire, quando . . .	iba a salir, cuando . . .
appena entrò che . . .	acababa de entrar, cuando . . .
ho appena (o *appunto) finito*	acabo de concluir.

NB. — En cuanto a las frases: *hace un mes, dos años
ha* etc., v. Lecc. 17ª, 6.⁰ — Obsérvese también la fórmula
de la multiplicación: *tre vía tre* o *tre per tre (fanno)
nove = tres veces tres (tres por tres) son nueve.*

Las locuciones *uno a uno, dos a dos* etc. se traducen lite-
ralmente *(ad) uno ad uno, (a) due a due,* etc.

Vocabulario.

La lira	la peseta, el franco	**raccògliere*	reunir, recoger
*verrái	vendrás	*parecchi, -ie*	algunos, -as
pòrtano	llevan, traen	*la colazione*	el almuerzo
la lèttera	la carta	*(far colazione*	almorzar)
datare	fechar	*pronto*	pronto, listo
finchè	hasta que	**nacque*	nació.

Tema 33⁰.

Ho 11 pesete in tasca; e tu? Ne ho 37. Allora fra tutt'e
due *(entre los dos)* [ne] abbiamo 48. Precisamente. — Ho
veduto la tua amica or fanno sette od otto giorni. Come
stava? Beníssimo. — Quanti anni ha suo nipote? È nato
nel 1933; fa il conto *(saca la cuenta)*. — A che ora verrái
da me *(a mi casa)*? Alle 11¹/₂ o alle 12 meno ¹/₄. — Quali
date pórtano le lèttere? L'una è datata da Firenze, 28 Gennaio 1953; l'altra da Bologna, 13 Marzo, stesso anno. Bene;
e le risposte? 9 Febbrajo e 7 Aprile 1953. — Quanto fanno
7 per 8? Sette per 8 fanno 56. E 9 via 9? Fanno 81. —
A diecine, a ventine *scendévano i contadini *(campesinos)* dalla
montagna, finchè nella notte si furono raccolti in parecchie
centinaia. M'avevano detto che fossero diverse *(varios)* migliaia.
No. — Dammi due dozzine d'uova. È già ora die colazione?
Sono suonate or ora le 10; per le 10¹/₃ tutto dev'essere pronto.
— Quando nacque il bimbo? Il 1.⁰ Agosto 1952; e dopo 11
giorni di vita morì. Che giorno era? Mercoledì o giovedì.
Quanti anni aveva sua madre? 27 anni, 4 mesi e 19 giorni.
Ed ore? Burlone!

Vocabulario.

Sabes	*sai*	perecer	*perire*
el habitante ⎱	*l'abitante*	descubrir	*scoprire*
el morador ⎰		Cristóbal Colón	*Cristòforo Co-*
apellidar	*chiamare*		*lombo*
llegó	**giunse*	vi	**vidi*
lo extrañas	*te ne meravigli*	encontré	*trovái, incontrái.*

Tema 34⁰.

A las 12 es media noche *(è mezzanotte)*. Y a las
12 también es medio día. Cabal. — ¿Cuántos meses tiene
el año? Doce. ¿Y semanas? 52. ¿Sabes los nombres de
los meses y los de los días de la semana en italiano? Sí.

Pues, dilos *(dilli)*. — La ciudad de Milán tiene cerca de 1.270.000 habitantes; sus moradores se llamaban, y se llaman todavía, Ambrosianos *(-i)*. — ¿Cuántas horas había caminado *(Da quante ore camminava)* el caballero cuando llegó? 17. — 6 meses se llaman en italiano un „*semèstre*“, 4 un „*quadri- mèstre*“, 3 un „*trimèstre*“, y 2 un „*bimèstre*“. — ¿Qué edad tiene el niño? 9 años y 5 meses. — ¿A qué hora vino el maestro? A las 4 menos cuarto; y salió a las 10 y 25 en punto. ¡Entonces comió con vosotros! ¿Lo extrañas? — 4 veces 12 son 48. — 70 entre *(fra)* hombres y mujeres pere- cieron en aquel *incendio*, que *duró* más de 36 horas. — En el año 1492 descubrió Cristóbal Colón *América*. — ¿Han dado las 3? Sí, hace ya 10 *(da 10)* minutos a lo menos. — Conque ¿hace más de un mes que estás aquí? Sí. ¡Y yo sin verte aún! Sin embargo vine a tu casa repetidas *(diverse)* veces; pero nunca te encontré. *La última* vez fué el viernes pasado.

Lectura.

Una lettera

Napoli, 4 febbraio 1953

Caro Alberto,

ti ringrazio della tua gentilissima lettera per il mio ono- mastico. I miei genitori mi avevano regalato un biglietto per un volo da Napoli a Roma. Ieri sono andato all'aeroporto, dove c'erano parecchi aeroplani pronti per partire. Il nostro ap- parecchio era un grande trimotore che può portare circa trenta persone. Fa servizio regolare fra Napoli e Roma. Devo con- fessare che il mio cuore[1] batteva più forte del sòlito[2] mon- tando sull'apparecchio. Mi ricordavo della descrizione di una disgrazia d'aviazione che avevo letta pochi giorni prima[3] in un giornale. Ma dopo qualche minuto dimenticai[4] la mia paura[5] e godetti[6] le bellezze del volo. La veduta era magnifica. Pur- troppo[7] arrivammo presto a Roma. D'ora in poi[8] prenderò più spesso[9] l'aeroplano, le spese[10] non sono troppo alte, e si guadagna molto tempo.

Ti prego di pòrgere[11] i miei ossequi[12] ai tuoi genitori.

Saluti cordiali dal tuo amico
Carlo

[1]) corazón. — [2]) de ordinario. — [3]) antes. — [4]) olvidar. — [5]) miedo. — [6]) gozar. — [7]) por desgracia. — [8]) de ahora en adelante — [9]) más a menudo. — [10]) gastos. — [11]) transmitir. — [12]) saludos

Lección décimocuarta.

De los numerales ordinales.

1.º — Los numerales **ordinales** se llaman:

1.º primo	50.º cinquantèsimc (quinquagèsimo)
2.º secondo	
3.º terzo	60.º sessantèsimo (sessagèsimo) [simo]
4.º quarto	
5.º quinto	70.º settantèsimo (settuagè-
6.º sesto	80.º ottantèsimo (ottuagè-
7.º sèttimo	simo)
8.º ottavo	90.º novantèsimo (nonagè-
9.º nono	100.º centèsimo [simo)
10.º dècimo	101.º { centesimoprimo / centunèsimo
11.º { undècimo / undicèsimo / decimoprimo	102.º { centesimosecondo / centoduèsimo, etc.
12.º { duodècimo / dodicèsimo / decimosecondo	110.º centodècimo
13.º { tredicèsimo / decimoterzo	111.º { centoundècimo / centoundicèsimo / centesimodècimoprimo, etc.
14.º { quattordicèsimo / decimoquarto, etc.	200.º { duecentèsimo / dugentèsimo
20.º ventèsimo (o vigèsimo)	300.º trecentèsimo
21.º { ventunèsimo / ventesimoprimo	340.º trecentoquarantèsimo
	821.º ottocentoventunèsimo
22.º { ventiduèsimo / ventesimosecondo	1000.º millèsimo
	2000.º duemillèsimo, etc.
23.º { ventitreèsimo / ventesimoterzo, etc.	1001.º millèsimo primo
30.º trentèsimo (trigèsimo)	2804.º duemillèsimo ottocentèsimoquarto[1])
31.º { trentunèsimo / trentesimoprimo, etc.	10,000.º diecimillèsimo
	100,000.º centomillèsimo
40.º quarantèsimo (quadragèsimo)	1,000,000.º milionèsimo / *último* último.

Observación. — *a*) Todos tienen regular forma femenina y plural[2]); y tienen en italiano los mismos usos que en castellano.

b) En la sucesión de soberanos se emplea siempre el numeral *ordinal*.

---

[1]) Se puede también decir *duemilaottocentoquattrèsimo*; — 2792 = *duemilasettecentonovantaduèsimo*; etc.

[2]) En los ordinales compuestos, donde sólo el último miembro tiene forma ordinal, se entiende que sólo éste es declinable.

2.^{0} — Los numerales **fraccionarios,** con excepción tan sólo de $^1/_2$ = *un mezzo, una mezza (una mitad* = *una metà),* se forman por medio de los numerales ordinales tales como se han indicado, advirtiéndose que, en los ordinales compuestos, para las fracciones se emplea la sola forma -*èsimo;* v. gr.:

$^1/_3$ un terzo $^{29}/_{42}$ ventinove quarantaduèsimi
$^1/_4$ un quarto $^{101}/_{263}$ centoún duecentosessanta-
$^7/_{10}$ sette dècimi treèsimi, etc.

3.^{0} — Los numerales **multiplicativos** se expresan como sigue:

sémplice	simple, sencillo	séstuplo	séxtuplo
dóppio, duplo	doble, duplo	décuplo	décuplo
triplo	triplo	undécuplo	undécuplo
quádruplo	cuádruplo	duodécuplo	duodécuplo
quíntuplo	quíntuplo	céntuplo	céntuplo.

Los **demás** se expresan con el numeral cardinal correspondiente antepuesto a la expresión **volte più** o **tanto** = *veces más* o *tanto,* v. gr.:

Quindici volte tanto (o più). Quince veces más.

4.^{0} — Nótense las expresiones: **decènne, ventènne trentènne, quarantènne, centènne,** etc., con sus numerales intermedios *(undicènne, dodicènne, venticinquènne* etc.*),* los que significan: *de diez, veinte, treinta* etc. *años de edad;* — a la vez que la duración de otros tantos años, sin miramiento a la edad, se indica con **annuale, quinquennale, decennale, ventennale,** etc. = **di 1, 5, 10, 20,** etc. **anni.** — También en italiano hay los numerales correspondientes a los castellanos *anuario, decenario, centenario* etc. — **annuario, decenario, ventenario, centenario** etc.; — y las expresiones: **un biènnio, triènnio, quadriènnio, quinquènnio, decènnio, ventènnio** etc., **centènnio, millènio** = *espacio de 2, 3, 4* etc. *años.*

5.^{0} — Los *adverbios de orden* se forman como en castellano, v. gr.:

prima(ria)mente
primieramente } primero, primeramente,

secondariamente
secondo } segundamente, en segundo lugar

in terzo luogo, etc. en tercer lugar, etc.

6.^{0} — Nótense las voces:

un ambo un ambo
» *terno (una -a)* » terno

6*

un quaderno (una -a)	un cuaterno
una cinquina o *quintina*	» quinterno, una cinquena
» *sestina*	» sextino.

Vocabulario.

Ripristinare	restablecer	*la víncita*	la ganancia, el premio
*raggiúngere	alcanzar, lograr		
*víncere	vencer, ganar	*la giornata*	el día, la jornada
il lotto, la lot-	la lotería, la rifa	*levarsi*	levantarse
tería		*Germánia*	Alemania.

Tema 35⁰.

Filippo II., re di Spagna, fu figlio dell'imperatore Carlo V.⁰ — Qual'è la 30. parte di mille? Dividi mille per 30 e la *saprái *(sabrás)*. — Ferdinando VII. ripristinò una legge del 1789 che abilitava anche le fémmine *(hembras)*[1]) alla successione del trono, affine di lasciare la corona alla sua fíglia, che fu poi Isabella II.ᵃ , *nátagli dalla sua quarta moglie María Cristina delle Due Sicílie. — Dal secolo VIII.⁰ al XV.⁰ gli Arabi dominárono nella Spagna, e durante i secoli X.⁰ e XI.⁰ [vi] raggiúnsero l'apogèo della loro potenza. — Mio padre è morto, sessantatreenne e mio nonno settantottenne. — Nel 1921 si celebrò il centenario di Napoleone I. — Quanti quarti abbisógnano *(se necesitan)* per fare 12 unità? Moltíplica 12 per 4. — Ho vinto un ambo al lotto. Ed io una quaderna e tre terni. Ed io una quintina. Ma tutti avete vinto, dunque! Se ognuno di voi mi dà la metà o almeno il terzo della sua víncita, sono contento. — Che hai fatto in tutta la giornata? Primo, mi sono levato; secondo, ho fatto colazione; poi ho lavorato; finalmente sono andato a teatro. — Una guerra settennale *avvenne *(tuvo lugar)* in Germania nel sècolo XVIII. Ed una trentennale nel sec. XVII. — Il primo biennio è il più faticoso. — La luna è all'último quarto *(cuarto menguante)*.

Vocabulario.

La novedad	*la novità*	reinar	*regnare*
el reinado	*il regno*	diré	**dirò*
Luis	*Luigi*	el tonto	*lo sciocco*
sagaz	*sagace*	sesos	*buon senso, giudízio.*
imperfecto	*imperfetto*		

Tema 36⁰.

El primer día de un mes *viene* siempre después del último del *precedente.* ¡Que novedad! — Este cuarto *(stanza)* es el cuádruplo del otro. — ¿Cuánto hacen $^3/_{12}$ y $^{24}/_{36}$? Haz la

---

[1]) *Fémmina* en general se usa para los brutos; aplicado a mujer se emplea sólo en ciertos casos, siendo por lo común título de desprecio.

cuenta ; yo no sé, no soy calculista *(computista)*. — De todos
los reinados de los reyes de *Francia*, el más largo *(lungo)* ha
sido el de Luis XIV.; el más *desgraciado* fué el de Luis XVI.;
el menos sagaz el de Carlos X., decía el profesor de historia. —
El primer hombre, según se cree *(crede)*, fué *creado* a imagen
(ad imágine) de Dios. — El *papa Pio IX.* reinó 32 años; dos
más que *San* Pedro *(Piètro)*. — En primer lugar te diré que
eres un tonto ; en segundo lugar, que no tienes sesos ; en
tercero y último lugar, que te has arruinado a ti mismo y a
tu familia. — Ese hombre es un setentón. — Dame tres veces
más y me quedaré *(*rimarrò)* contento y satisfecho *(soddisfatto)*.

_____

Lección décimoquinta.

De la voz pasiva del verbo. — Pron. *si*.

1.⁰ — La voz **pasiva** de los verbos transitivos se
forma como en castellano, empleándose el auxiliar
essere, ser. — Ejemplo:

Ind. pres.:	*sono, amato, -a*	soy	amado,	-a
	sei » »	eres	»	»
	è » »	es	»	»
	siamo amati, -e	somos	amados,	-as
	siete » »	sois	»	»
	sono » »	son	»	»
» impf.:	*era amato, -a*	era	amado,	-a
	eri » »	eras	»	» , etc.

Y así los demás tiempos.

NB. — En vez de la preposición *por* o *de* que acompaña
al verbo en la voz pasiva, se emplea en italiano ***da***, v. gr.:

Fosti molto amato da tua madre.	Fuiste muy amado *por* tu madre.

2.⁰ — La forma pasiva para las 3.ᵃˢ personas se
puede expresar por medio del pronombre reflexivo ***si***,
cuando el agente es indeterminado o tiene un sentido
impersonal; — la misma forma se emplea en el participio, gerundio e infinitivo. En los tiempos compuestos
se debe emplear siempre como auxiliar el verbo ***essere***.
Ejemplos:

A volte si védono (o *vendonsi*) *cose che . . .*	A veces se ven cosas que...
In tutto il paese si parlò (o *parlossi*) *molto di lui.*	En todo el lugar se habló mucho de él.
Come si scriveranno queste parole?	¿Cómo se escribirán esas palabras?

Non si mangia più?	¿No se come ya?
Si è già cenato.	Ya se ha cenado.
Essèndosi conosciuto che . . .	Habiéndose conocido que . . .

3.º — Cuando el pronombre *si* va acompañado de un pronombre personal, éste se le antepone, v. gr.:

| *Mi si era* (o *Èramisi*) *narrata certa storia su voi . . .* | Se me había contado cierta historia sobre vosotros . . . |
| *Loro si promise* (o *Si promise loro*) *del denaro se *volèssero *tacére.* | Se les prometió dinero si querían callar. |

NB. — Antes del pron. demostrat. *ne,* el pron. *si* se cambia en *se* (v. Lección IX, 7.º), y el pron. *gli* en igual caso se cambia en *glie;* v. gr.:

| *Se ne è parlato tanto, che so questo fatto a memòria.* | Tanto se ha hablado de este hecho, que lo sé de memoria. |
| *Glie se ne* (o *Se glie ne*) *offèrc̣ro d'ogni sorta.* | Le ofrecieron de toda clase de ellos. |

4.º — El pron. *si* no se puede emplear con la forma pasiva cuando el verbo es reflejo; entonces en lugar de *si* se usa *ci* o mejor *uno, taluno,* o bien se cambia la frase; v. gr.:

| *Ci si diverte molto in quel luogo.* | En aquel sitio se divierte uno mucho. |
| *Uno si pente talvolta di fare il bene.* | Uno se arrepiente a veces de hacer bien. |

5.º — Para la voz pasiva determinada se suele también emplear el verbo *venire*[1]) en lugar del verbo *essere* (lo que se critica por incorrecto); v. gr.:

| *La buona fanciulla venne lodata da tutti.* | La buena muchacha fué alabada por todos. |

NB. — Para la voz pasiva, el verbo *venire* puede emplearse tan sólo en los tiempos que corresponden a los simples de la forma activa.

Vocabulario.

Sprecare	malgastar, derrochar, perder (el tiempo, etc.)	*il mirácolo*	el milagro
		informare	enterar
chiúdere	cerrar	*la róndine*	la golondrina
la chiáve	la llave	*intorno*	alrededor
sprangare	echar el cerrojo	*mangiare*	comer
il cestello	el canastillo	*fregiáre*	adornar, condecorar
aggredire	acometer	*la mobília*	los muebles, el ajuar
		accórrere	acudir.

[1]) V. Lección XXII, 7.º

Tema 37º.

Amare e non essere amato è tempo sprecato. — Fu chiusa a chiave la porta? Fu chiusa a chiave e sprangata. — Questi cestelli sono stati fabbricati a Fiésole. — Anche tu saresti stato invitato da Emanuèle se ti si fosse trovato. — Mi si disse che erano stati uccisi quella notte. No, ma fummo aggrediti e per miracolo ci si lasciò in vita. — Le buone azioni sono presto o tardi *(tarde o temprano)* riconosciute dalla gente. — Dove saranno andati *(habrán ido)* i tuoi fratelli? Non *saprei *(sabría)* dire dove siano andati; soltanto so che nòn mi s'informa mai di nulla. — Si vedevano migliaia di róndini volare intorno al castello *(castillo).* — Qui si mangia, si beve, si balla; qui ci si diverte. — Venne fregiato con la medaglia al valor militare. — Essèndosi *saputo *(sabido)* che si vendeva tutta la mobilia della casa, accorse molta gente per comperare; ma si *voleva *(quería)* pagar poco. — Ciò che si è voluto si è potuto; ma non da tutti si può ciò che si vuole.

Vocabulario.

Sin duda	senza dúbbio	ahorcar	impiccare
el baile	il ballo	el verdugo	il boia, il carnéfice
el amo de casa	il padrone di casa	Jerusalén	Gerusalemme
abrir	*aprire	el cruzado	il crociáto
el ejemplo	l'esèmpio	herir	ferire
estimar	stimare	la herida	la ferita
despreciar	(di)sprezzare,	el cuchillo	il coltello
	(di)spregiáre	juzgar	giudicare.
conocer	*conóscere		

Tema 38º.

Sin duda serán convidadas muchas personas a ese baile. ¿Por quién? Pues *(Via)*, por el amo de casa. — ¿Cuándo se abren las puertas de la ciudad? Están siempre abiertas. — Los amigos se forman con los ejemplos y los *beneficios.* — *Dolores* es buen ama de casa (è *buona massaia*), y por eso es querida y estimada de todos cuantos la conocen. — El *avaro* es despreciado por toda *(ogni)* clase de personas. — Un asesino fué ahorcado por el verdugo, y otro por su ayudante. — La ciudad de Jerusalén fué tomada *(presa)* por los Cruzados en 1099, el año mismo en que murió el Cid en Valencia *(-za).* — Por lo que se vió *(*vide)*, se debe creer que fué herido con un cuchillo. La herida será examinada por el *médico*, y entonces se sabrá *(*saprà)* de qué es.

Lectura.
Il fuòco, l'acqua, l'onore.

Il fuoco, l'acqua e l'onore fecero un tempo comunella[1] insieme. Il fuoco non può mai stare in un luogo, l'acqua anche sempre si muove; onde, tratti[2] dalla loro inclinazione, indussero l'onore a far viaggio in compagnía. Prima di partire dissero che bisognava darsi fra loro un segno da potersi ritrovare, se mai si fossero smarriti[3] l'uno dall'altro. Disse il fuoco: Se mi avvenisse mai questo caso, ponete ben mente colà dovè voi vedete fumo; questo è il mio segnale e mi troverete certamente. E me, disse l'acqua, se voi non mi vedrete più, non mi cercate colà dove vedrete seccura[4], ma dove vedrete salci[5], cannucce o erba molto alta e verde; andate costà in traccia[6] di me, e quivi sarò io. Quanto a me, disse l'onore, tenétemi saldo[7], perchè, se la mala ventura mi guida fuori di cammino, sì ch'io mi perda una volta, non mi trovereste più mai.

Gasparo Gozzi.

[1] compañía. — [2] atraidos. — [3] separados, alejados. — [4] sequedad. — [5] sauces. — [6] trazas, pista. — [7] fuerte.

Lección décimosexta.

De los pronombres indeterminados y numerales.

1.⁰ — Algunos de ellos se usan siempre como sustantivos, otros como adjetivos, otros de ambas maneras. Algunos pueden también pertenecer a otra clase de pronombres según su empleo.

Pron. indeterm. — *a)* Sustantivos:

altri[1]	otro (= otra persona)	*chicchessía*	quienquiera,
alcunchè	algo, alguna cosa		cada cual
chi...chi...	quién...quién...	*checchessía*	
chïúnque	quienquiera que	*checchè*	cualquier cosa

[1] No se debe confundir con el plural de *altro*. — Los marcados con asterisco son invariables.

*niènte, *nulla nada[1]) | qualcuno, -a   ⎫ alguien;
ognuno, -a   cada uno, | qualcheduno, -a   ⎬ alguno, -a,
                cada cual | taluno, -a, -i, -e[2]) ⎭ etc.

b) Adjetivos (invariables):

*ogni   cada, todo, -a | qualsiasi,   ⎫ cualquier, -a
*qualche algún(o), -a | pl. -siansi   ⎭ cualesquier, -a.

c) Sustantivos y adjetivos:

alcuno, -a -i, alguno, -a, etc.; al- | certo, -a, -i, -e cierto, -a, etc.
   -e[3])   guien; unos, -as | ciascuno, -a   ⎫ cada; cada
altro, -a, -i, -e otro, -a, etc. | ciascheduno, -a ⎭   uno
altrúi   de otro, -os; | nessuno, -a   ⎫ ningún(o), -a;
              ajeno, -a, etc.[4]) | niúno, -a   ⎭ nadie
un(o), -a[5]) un(o), una | *qualunque   cual(es)quier,
veruno, -a   ningún(o), -a. | -a (que).

Pron. numerales — todos como sustantivos y
adjetivos:

alquanto, -a,   algún(o), etc.; | parecchi, -ie[6]) unos, algunos,
   -i, -e   un poco | -as
molto, -a, -i, -e mucho, -a, etc. | troppo, -a, -i, -e demasiado, -a,
poco, -a, pochi, -e poco, -a, etc.| etc.
                                  | tutto, -a, -i, -e[7]) todo, -a, etc.

2.⁰ — **Observaciones.** — a) **Altro** se emplea
con el artículo, ya determinado ya indeterminado, en
sentido adjetivo y sustantivo; también se le pueden
anteponer otros pronombres, o numerales cardinales.
— **Altro** aislado puede tener la significación de *otra
cosa*, v. gr.:

Altro è il dire, altro il fare.   Uno es decir y otro hacer.

b) De **certo** — que a menudo en el singular va
precedido de *un, una* — se forma el pronombre sus-

___

[1]) *La nada*, il **nulla.**
[2]) *Taluno* se halla empleado también como adjetivo.
[3]) Los compuestos de *uno* se apocopan o se eliden en general
según las leyes de *uno* (v. Lecc. I.ª, 4.⁰). — *Niente, nulla, altro,
certo, alquanto, molto, poco, troppo, tutto* se pueden también elidir.
[4]) Verdaderamente es un pronombre posesivo, pero indeterminado. — Como sustantivo, significa: *lo ajeno*, pero es de escaso uso.
— Se halla también empleado con el sentido de: *a otros*, pero in-
correctamente.
[5]) *Uno* empleado adjetivadamente es *artículo indeterminado*.
[6]) Sólo en el plural. — En el toscano hablado se emplea también en el singular *parecchio, -a* (= algo), lo que imitan muchos
escritores.
[7]) Puede ser reforzado por el pron. *quanto, -a, -i, -e* (*tutto
quanto*, etc.).

tantivo general (referido a personas) **certuni** *algunos, varios.*

c) **Qualche** no se usa en frases negativas absolutas; en su lugar se emplea entonces **alcuno** *(o* **nessuno)**. — A **qualche** puede preceder *un, una.*

d) **Alcuno, altrúi, nessuno, qualunque, tutto, veruno** se pueden posponer al sustantivo a que se refieren; en este caso *qualunque*[1]) requiere el articulo indeterminado antes del sustantivo. — **Tutto,** antepuesto al sustantivo, debe ir siempre seguido del artículo.

e) **Niúno, nessuno, niènte, nulla, veruno** pospuestos al verbo exigen la negación *non* antes de aquél.

f) **Altrúi** = *a* (o *de) otro* es realmente un pronombre sustantivo; pero hace oficio de adjetivo en la significación de *ajeno.*

g) Con **qualunque** se puede sobreentender el sustantivo (o el pronombre); entonces, como cuando está pospuesto a un sustantivo, puede referirse a un plural. Ejemplos:

Degli uomini qualunque póssono essere ummessi.	Cualesquiera hombres pueden ser admitidos.
Queste persone, qualunque (esse) siano	Estas personas, cualesquiera que sean . . . .

h) **Chiúnque** puede referirse a singular y plural; pero en el plur. tiene significación menos extensa, se usa sólo como sujeto del verbo *essere,* y debe tener un correlativo expreso. Ej.:

Chiunque dice questo . . .	Quienquiera que diga eso . . .
Chiunque fóssero coloro (o gli individui) che . . .	Quienesquiera que fuesen los (los individuos) que . . .

i) Los pronombres indeterminados *fulano, zutano, mengano* se traducen por **il tal dei tali, il tale, un tale, il tal altro** o **Tízio, Caio, Semprònio.**

NB. — Omitimos aquí el pron. *si,* que es reflexivo y del cual se habla en la Lección XV, y algunos otros compuestos, no muy frecuentes.

Vocabulario.

Cercare	buscar	*il torto*	el agravio
lo spavento	el espanto	*mandare*	enviar

---

[1]) En lugar de *qualunque* se puede emplear *qualsíasi,* que tiene plur., *qualsíansi.* — *Qualunque,* come *chiunque,* se emplea en sentido correlativo, lo que no sucede con *qualsíasi, chicchessía.*

il corno	el cuerno	*maritarsi*	casarse
il danno	el daño	*poveretto*	pobrecito
il briccone	el pícaro	*il sággio*	la muestra, la prueba
*riluce	resplandece	*il volere*	la voluntad.

Tema 39º.

Alcuni álberi consèrvano le loro fòglie anche in inverno. — A chiunque mi cerchi dícasi che oggi non posso ricévere nessuno (*o* alcuno). — Chi sosteneva una cosa, chi un'altra; ciascuno voleva essere creduto. — L'iniquità si fonda sovente sulla credulità e sullo spavento altrúi. — Tutti coloro che fanno torto ad altri mèritano castigo. — Non si vede nessuno, non si *ode *(oye)* nulla; niuno dà il mínimo segno di vita. — Chi vuoi che ti mandi? Manda un uomo qualsíasi. — Qualunque cosa *diciate, checchè *facciate *(hagáis)*, siate sempre onesti. — Chiachessía lo comprerebbe a quel prezzo. — Taluni sono così sciocchi da crédere che il diávolo sia un uomo con le corna e i piedi di capra. — Che devo raccontare? Racconta alcunchè a tuo grado (*o* gusto). — Altri, non io, ti ha fatto danno. Chi? Qualche briccone. — Non ogni cosa che riluce è d'oro. — Certa gente si crede migliore degli altri. — Niuno è tanto sapiente da conóscere tutto. — Certuni vorrèbbero *(quisieran)* ogni cosa per sé. — Tutte le donne ch'erano presenti esclamárono: Nessuna di noi vuol maritarsi! — Quando si legge che il tal dei tali si è ucciso, secondo l'umore degli uni o degli altri dei presenti si esclama: «poveretto!» ovvero: «che béstia!» — Rispettátela, qualunque essa sia, da qualunque parte venga. — Hai veduto mai qualche uccello senz' ali? Non ne vidi mai (alcuno). — Molti sono i chiamati, pochi gli eletti. — Che differenza v'ha tra *ognuno* e *ciascuno*? Il primo è generale, il secondo è distributivo. — Venne qualcuno durante la vostra assenza, ma non volle dire il proprio nome. — Fate qualche cosa per me; checchessía mi basterà per darmi un saggio del vostro buon volere. — Chi ruba l'altrúi denaro va in prigione. — Veruna cosa sia da voi fatta in òdio al vostro pròssimo!

Vocabulario.

Trabajar	*lavorare*	el paño	*il panno*
mirar	*guardare*	la alforja	*la bisáccia*
el pañuelo	*il fazzoletto*	esforzarse	*sforzarsi*
confesar	*confessare*	la soberbia	*la supèrbia*
la limosna	*l'elemòsina*	codiciar	*bramare, desi-*
soportar	*sopportare*		*derare (con án-*
la paz	*la pace*	el precepto	*il precetto [sia)*
echar	*gettare*	desean	*desíderano*
mal sujeto	*cattivo soggetto*	sufrir	**soffrire*
el examen	*l'esame* (m.)	la resignación	*la rassegnazione.*
coger	**cògliere*		

Tema 40º.

Casi nadie es temerario cuando no es visto de nadie. — Dame algo de *(da)* comer, tengo hambre *(ho fame)*. — Unas mujeres había allí que trabajaban, otras que las miraban trabajar. — Alguno de vosotros me quitó el pañuelo y ninguno quiere *(*vuole)* confesarlo. — Ningún buen señor fué tan querido como él. — Quienesquiera que sean, dales limosna. — Tráeme *(Pòrtami)* una pluma cualquiera. — Cualquiera que sea su suerte, debe soportarla en paz. — No se debería nunca hablar mal de nadie. — Algunos padecen *(patíscono)* por necesidad, y el avariento *(avaro)* por su voluntad. — Echa esos tiestos de cántaro *(cocci di brocca)* por una ventana cualquiera. — Ningún mal sujeto ha entrado en mi casa. — Alguien toca *(suona)* el *piano* en mi casa: ¿quién puede *(*può)* ser? Algún amigo tuyo. — Un *candidato* en los exámenes de *agricoltura*: ¿Cuál es el *momento* mejor para coger manzanas? Señores, cuando nadie lo ve *(vede)*. — Véndeme algunos metros de aquel paño que me mostraste *(-ti)* ayer. — Cada uno de ellos traía una alforja. — Ciertos hombres no saben vencer *(*víncere)* sus pasiones, porque no quieren esforzarse de *(in)* ningún *modo*. — Cada cual se cree mejor que su vecino; todo hombre, toda mujer tiene siempre un *fondo* de soberbia. — No se deben codiciar los bienes ajenos, dice un precepto del *decálogo*. Sin embargo, muchos desean los bienes de otros. — Lleva esto a otros, que yo no lo quiero. — Envíame algo bueno *(qualche cosa di buono)*. — No te enviaré nada ni bueno ni malo, pues *(poichè)* no mereces *(mèriti)* nada. — Cualquier pequeña cantidad *(piccola somma)* me bastará para salvarme. — Muchas, demasiadas penas he sufrido; y creo que nadie puede *(possa)* jactarse de tener más resignación que yo *(di me)*.

Lección décimoséptima.
De los verbos impersonales.

1.º — Esta clase de verbos, que pertenece a los intransitivos, no presenta en su uso, y en general en su esencia, ninguna diferencia entre la lengua italiana y la castellana.

Verbos verdaderamente impersonales (o unipersonales) son los que expresan variaciones o estados de la atmósfera, a saber:

albeggiáre	alborear	*albéggia, albeggiò,* etc.
aggiornare[1]),		
farsi giorno	amanecer	*aggiórna, aggiornò,* etc.
annottare	anochecer	*annotta, annottò,* etc.
balenare	relampaguear	*balena, balenò,* etc.
lampeggiáre	»	*lampéggia, lampeggiò,* etc.
brinare	escarchar	*brina, brinò,* etc.
diluviáre	diluviar	*dilúvia, diluviò,* etc.
gelare	helar	*gela, gelò,* etc.
grandinare	granizar	*grándina, grandinò,* etc.
nevicare	nevar	*névica, nevicò,* etc.
nevischiáre	cellisquear	*nevíschia, nevischiò,* etc.
*piòvere	llover	*piòve, piòvve,* etc.
piovigginare	lloviznar	*piovíggina, piovigginò,* etc.
sgelare	deshelar	*sgela, sgelò,* etc.
tuonare	tronar	*tuona, tuonò,* etc.

Su sujeto puede expresarse en italiano por el pronombre *egli, ei, e',* v. gr.: *ei piove da tre giorni* hace tres días que llueve; pero comúnmente el sujeto se omite.

2.⁰ — Hay verbos que, sin ser impersonales, se emplean sólo en las 3.ᵃˢ personas, como: *accadēre* o *avvenire* acontecer; — otros que se usan a veces impersonalmente, mientras pueden tener su conjugación completa, v. gr.:

bisognare	necesitar	*sembrare*	parecer
*occórrere	ser menester	**convenire*	convenir.
importare	importar		

En esta clase se hallan varios que se usan también reflexivamente, v. gr.:

| **riuscire* | acertar | *(non) mi rièsce (di)* | (no) acierto (a) |
| **rincréscere* | sentir | *me ne rincresce* | lo siento. |

3.⁰ — En general, para los tiempos compuestos de los verbos impersonales se emplea el auxiliar **essere;** sin embargo, con varios de ellos se puede, y aún se suele, emplear **avere,** v. gr.:

Ha (o *È) piovuto tutta notte.* Ha llovido toda la noche.
Quando ebbe albeggiato . . . Cuando hubo alboreado . . .
È accaduta una cosa che . . . Ha acontecido una cosa que . . .

NB. — Con los impersonales reflexivos es siempre preferible emplear *essere.*

---

[1]) En sentido transitivo significa; *aplazar,* y es personal. — En sentido de *amanecer* se usa poco, empleándose por lo común *farsi giorno.*

4.º — El verbo **haber** impersonal se traduce con **esservi** o **esserci**; y este *vi* o *ci* acompaña al verbo en todas las 3.ᵃˢ personas, participios y gerundios, v. gr.:

essèndovi	habiendo	*essèndovi stato* (o tan sólo: *státovi*)		habiendo habido	» »
vi è	hay	*vi è stato*		ha	habido
vi èrano	había	*vi era stato*		había	»
vi fu	hubo	*vi saranno stati*		habrá	» etc.

C'è? Ci sono? ¿Está? ¿Están? — *C'è la signora?* ¿Está [en casa] la señora?).

5.º — Muchas locuciones impersonales se forman con el verbo *fare* o *essere*, v. gr.:

Fa (o È) freddo, caldo, bel tempo, etc.	Hace calor, frío, buen tiempo, etc.
Faceva(Era) d'uopo, mestieri.	Era menester.
Faceva giorno, notte, etc.	Amanecía, anochecía, *etc.*

Hay otras locuciones correspondientes exactamente a las castellanas, v. gr.: *sta bene, è mèglio,* o *val meglio* (o *più*) etc. = está bien, mejor es, más vale, etc.

6.º — *Hace, ha*, referido a tiempo, se traduce con **fa, fanno,** o **è, sono; or è, or sono; or fa, or fanno,** v. gr.:

È (Fa) un anno che lo vidi.	Hace un año que le ví.
Sono (Fanno) due anni che lo vidi.	» dos años » » »
Un anno fa era ancor vivo.	» un año estaba todavía con vida.
Or sono (Or fanno) cinque mesi che . . .	Cinco meses hace que . . .
Cinque mesi or sono (no: or fanno) comperái . . .	Cinco meses hace que compré...

Vocabulario.

L'allòggio	el alojamiento, la vivienda, habitación	*il giornale*	el diario, el periódico
pazientare	tener paciencia	*il ricettácolo*	el receptáculo
scarso	escaso	*la grándine*	el granizo
impazzire	volverse loco	*davvero*	verdaderamente
simile	semejante	*l'arcobaleno*	el arco iris
		* èscono	salen.

Tema 41º.

Mi occórrono 20000 lire; *puoi prestármele? Non sono ancora due mesi che te ne prestái altrettanto; e siccome vi è gente più ricca di me fra i tuoi amici, fáttele prestare da altri. Sta bene; sarà meglio che non ti chieda più nulla. —

Ti riuscì di[1]) trovare un alloggio come volevi? Non ancora; bisognerà pazientare. Me ne spiace davvero, specialmente per la tua signora. Grazie. Sembra *(Parece)* che gli appartamenti siano scarsi quest'anno. Allora *convèrra pigliare *(tomar)* il meno male. — Che è accaduto? È accaduto che tutta una intera famiglia impazzì **ieri**. Povera gente! Ma mi *sovviène *(me acuerdo)* che una cosa símile *avvenne un anno fa a Firenze; se ne parlò in tutti i giornali. — Piove, piove sempre in questo paése! — Albéggia? Non ancora, — Quando annotta èscono gli uccelli di rapina dai loro ricettácoli. — Grandinò per un'ora di séguito; tirava *(soplaba)* un vento freddo, lampeggiava e tuonava in una manièra spaventosa; la terra era tutta bianca di grándine, sicchè sembrava davvero che avesse nevicato. Poi *prese *(empezó)* a piòvere; diluviáva; e mezz'ora dopo, ecco *(he ahí)* un magnífico arcobaleno dalla parte d'occidente. — Andiamo *(Vámonos)*, è d'uopo rassegnarsi a quella disgrázia. — Vi è *(o* È in casa) la signora? No, vi è soltanto la signorina; la signora è fuori *(ha salido)*.

Vocabulario.

Corregir	*corrèggere*	la tarde	*il pomeríggio, il dopopranzo*
asegurar	*assicurare*		
poner mal semblante	*fare cattiva cièra*	el crimen	*il delitto*
		la corrupción	*la corruzióne*
enfermo	*ammalato*	preciso	*preciso, necesstrano*
llover a cántaros	*piòvere a catinelle*	extraño	*[sário*
		la pesadumbre	*il dispiacere.*

Tema 42º.

Es necesario que le dé una amonestación amistosa *(che gli faccia un rimpròvero amichévole); así se corregirá. Esperemos que no sea en balde *(invano)*. — En invierno nieva y en verano graniza. — En Milán anochece cuando en Buenos-Aires amanece. — No hay duendes *(folletti)* de ninguna clase, ¡ y Vd. asegura haberlos visto! — ¿Qué te parece del mal semblante que ha puesto? Me parece que ha estado enfermo. — Granizó y llovió a cántaros toda la tarde. — Hay hombres que nunca saben decir la verdad. — Habrá muchos crímenes donde hay mucha corrupción. — No me importa nada él, ni conviene que entre otra vez en mi casa. Sin embargo, hace seis meses eres su grande amigo. Me insultó dos meses ha, y desde entonces *(d'allora)* no quiero verle más. — No habiendo *(essèndovi)* nada que hacer aquí, preciso será que nos vayamos. — Más vale tener pocos amigos pero buenos, que muchos y malos. Se sabe *(Si sa)*. — Es menester sacarle *(tòglierlo)* de allí a toda costa *(ad ogni costo)*. — ¿Qué acon-

---

[1]) En forma personal se diría: *Riuscisti a . . .*

teció en ese país? Nada de extraño. — ¡Qué calor hace hoy!
Y yo tengo frío. — Si no aciertas a hallarle en su casa, irás
a buscarle a su oficina. — Sentiré darte esa pesadumbre, pero
me parece imposible *evitártela*.

Lectura.

A Venezia.

Passò l'inverno, giunse[1] la primavera; una primavera così
serena e gioconda come non s'era da molto tempo veduta.
M'innamorai ancor più di Venezia. Ci stavo il più che potevo,
senza compagnía. Il mio maggior diletto[2], dopo lo studio, era
d'andar vagando le mezze giornate per calli e canali, senza
mèta certa, alla ventura. Non potevo saziar gli occhi di quegli
aspetti tanto singolari e diversi: qua un palazzo annerito[3]
che si specchia[4] nel verde di un canale deserto; colà un breve
arco di ponte marmòreo, gettato per isbieco[5] tra due rive di
pietra; poi una viuzza[6] angusta, che per un sottopòrtico
sbocca in un campiello[7] remoto, e nel campiello un pozzo,
con la sponda[8] logorata[9] dall'uso, e intorno una ressa[10] di
casucce sbilenche[11], ingombre[12] di panni[13] sciorinati[14] al sole;
poi una chiatta[15] malconcia[16] cárica d'erbaggi[17] e di frutta,
che stracca[18] stracca si muove nella penombra di un rio,
s'imbuca sotto un ponte e sparisce. Quelle pompe superbe
e quella povertà rassegnata; la gloria di un passato che ancora balena[19] da lungi; quei chiari mattini e quei colorati tra-
monti[20] della laguna; la quiete augusta delle notti serene;
il lento palpitare di una vita che manca[21]; tanti e così diversi
aspetti, tante e così diverse memorie movévano nell'animo mio
un dolce tumulto d'affetti e vi rinnovellavano l'antica vaghezza[22]
del sogno.   *Arturo Graf*

[1]) llegar. — [2]) placer. — [3]) ennegrecido. — [4]) reflejarse. —
[5]) oblicuamente. — [6]) callejuela. — [7]) plazuela. — [8]) pretil. —
[9]) desgastado. — [10]) multitud. [11]) inclinado, torcido. — [12]) tapado. —
[13]) ropa. — [14]) tendida. — [15]) chalana. — [16]) en mal estado. —
[17]) verduras. — [18]) lentamente. — [19]) resplandece. — [20]) puestas
de sol. — [21]) desaparecer, apagarse. — [22]) belleza.

Lección décimoctava.

Aumentativos, diminutivos, despectivos.

Solamente la práctica puede enseñar el gran número de alteraciones que sufren ciertas partes de la oración[1]) en italiano para expresar aumento, diminución, cariño o desprecio; — a veces dos o más formas se combinan en una palabra (lo mismo que en castellano).

La alteración se hace por medio de afijos, a saber:

a) **Aumentativos** — trocando la última vocal con el afijo *-óne;* entonces la voz, cualquiera que sea su género primitivo, se hace masculina. — Sin embargo, los nombres femeninos pueden, en general, tomar el afijo *-óna,* quedando femeninos; v. gr.:

naso	nariz,	*nasone*	larga nariz
cappello	sombrero,	*cappellone*	sombrerón
sala	sala,	*salone*	salón
		donnone m.	
donna	mujer,	*donnona* f.	mujerona.

b) **Diminutivos.** — Para éstos hay una multitud de afijos, v. gr.:

uómo	hombre,	*ometto, omino, omúccio, omicciáttolo, omicino.*
donna	mujer,	*donnetta, donnina, donnúccia, donnicciuòla.*
figlio, -a	hijo, -a,	*figliuolo, -a; figliolino, -a; -oletto, -a; figlietta.*
fanciúllo, -a	muchacho, -a,	*fanciullino, -a; -lletto, -a.*
villano, -a	campesino, -a,	*villanello, -a.*
grande	grande,	*grandetto, -a; grandicello, -a.*
vècchio, -a	viejo, -a,	*vecchietto, -a* (adj. y sust.); *vecchierello, -a* (sust.)
gióvane	joven,	*giovanino, -a* (adj.); *-nettu, -a* (adj. y sust.)
cane	perro,	*canino, cagnino, cagnetto, cagnolino, -oletto.*
cagna	perra.	*cagnetta, cagnoletta, cagnettina.*
òcchio	ojo,	*occhiétto, occhiúzzo, occhino, -chiolino.*[2])

---

[1]) No sólo el sustantivo, sino también el adjetivo y aún el adverbio son susceptibles de alteración.

[2]) *Occhièllo* = ojal.

bocca	boca.	*boccúccia, -uzza, bocchina.*[1])
fante	criado,	*fanticello, (fantino).*
áquila	águila	*aquilotto*[2]), *aquiletta.*
mercante	mercader,	{ *mercantuzzo, -a; -túccio, -a;* { *mercantuòlo, -a; -tino, -a.*
soldato	soldado,	*soldatino, soldatuccio, -tuzzo.*
Giovanni, -a } *Gianni, -a* } Juan, -a		{ *Giovannino, -a; Giannino, -a;* { *Giannetto, -a.*
Luigi, -ia	Luis, -a	*Luigino, -a.*
María	María,	*Mariétta, Mariúccia, Mariet-* *tina.*
Giúlia	Julia,	*Giulietta.*

NB. — Los afijos diminutivos sirven también para expresar cariño; y, a excepción de -*ino*, -*ello*, -*etto*, se usan a menudo aun en sentido despectivo.

c) **Despectivos** *(Spregiativi).* — Para éstos sirven los afijos *áccio, -a; azzo, -a; astro, -a* y *áglia* (éste último sirve sólo para nombres colectivos); v. gr.:

soldato	soldado,	*soldataccio.*
casa	casa,	*casaccia.*
mèdico	médico,	*medicastro, -accio.*
pòpolo	pueblo,	*popolazzo, -accio.*
plebe	plebe,	*plebaglia.*
gente	gente,	*gentaglia.*[3])

d) Otros afijos se usan en casos especiales, pero no hay necesidad de mencionarlos aqui.

Sin embargo, repárese en el afijo -*òtto, -a,* que según los casos tiene valor diferente; v. gr.:

giovinotto, -a	mocetón, -na.
vecchiotto, -a	algo viejo, -a; anciano, -a.
passerotto	gorrionote; etc.

Superfluo es observar que no cada voz puede tomar toda suerte de afijos, — lo mismo que en castellano.

e) Como ya queda dicho, varios de los mencionados afijos pueden reunirse en una sola palabra, v. gr.:

occhiettino ojuelo.	*vecchierelluzza*	viejecita mezquina.
Mariettina Mariquita.	*farabuttonaccio*	picaronazo; etc.

---

[1]) *Bocchetta* = boquilla.
[2]) *Aquiíotto* = águila joven, aguilucho.
[3]) Además del sentido despectivo, el afijo -*aglia* tiene el de extensivo o colectivo; v. gr.:
orto huerta, *ortaglia* huerta ancha, terreno cultivado de huertas.
veste saya, *vestaglia* bata.

Vocabulario.

Arruolare	alistar	*pastrano*	gabán
canna	caña	*indossare*	ponerse, llevar
scarpa	zapato		(vestidos)
stivale	bota	*bottega*	tienda
calzolaio	zapatero	*rigattière*	ropavejero
pian pianino	callandito	*ciurmáglia*	canalla
avvicinare	aproximar	*noioso*	cargante, fastidioso
*spíngere	empujar	*garzone*	mancebo.

Tema 43º.

Un soldatúcolo, promosso caporale venti anni dopo che èrasi arruolato, diceva: Ora ho anch'io degl'inferiori a cui comandare. — Chi è quell'omicciáttolo? È il padre dell ragazzino che vedesti nella casúpola *(choza)*. — Quelle donnicciuòle ficcano il naso dappertutto *(meten la nariz en todo)*. — Cannone è aumentativo di canna. — Che ventaccio! non si può camminare. — Gi(ov)annina, vedi quelle giovanette? Sì. Sono quelle stesse che hanno comperate le scarpine e gli stivaletti *(botines)* dal nostro calzolaio. — Nel mèdio evo v'erano principotti e signorotti quasi in ogni terricciuòla. — Pián pianino s'avvicinava a lui. — Un ragazzino piccoletto assai voleva spíngere quel barcone. — S'imprigiónano i ladruzzi ma non i ladroni. — Che pastranáccio hai indossato? Uno che ho trovato in una bottegúccia da rigattière. — Che è quella ciurmáglia? E del popoláccio che fa rumore e canaglièggia *(se acanalla)*. — Un poetastro mi diceva: Vuoi udire una canzonetta che feci per quel signorino? Gli risposi che i suoi versacci m'erano noiosetti. Bene, benone! — Come sta la signorina? Benino, grazie; ma ieri stava malúccio davvero. — I versetti dei salmi di Dávide sono sovente bellíssimi. — In un'oretta vado e torno, disse il garzoncello di bottega. — Quel ragazzo è ancora giovanino, però *(por eso)* non ha esperiènza.

Vocabulario.

La campanilla	*il campanello*	tocar a reba-	*suonare a stormo*
mirar	*guardare, mirare*	to	
chico	*bambino, piccino*	la mesa	*la távola*
		la mesilla	*il tavolino*
		quebrantar	*spezzare*
el torrente	*il torrente*	la espada	*la spada*
el río	*il fiume*	el espadín	*lo spadino*
el anzuelo	*l'amo*	el suelo	*il suólo*
coger	*pigliare, prèndere*	la corbata	*la cravatta*
		desaforado	*smisurato*
la catedral	*la cattedrale*	la silla	*la sèdia, la sèggiola.*

Tema 44º.

Tiran de la campanilla; ¿quién puede ser? Mira si es Angelita *(-lina)* — ¿Quién era ese chiquirritín que te pedía limosna? Un niñito de mi vecino. — Un riachuelo *(rigágnolo)* puede convertirse *(-si)* en un torrentazo o también en un riachón. — Con el anzuelo pesqué un pececito *(pesciolino)*. — ¿Florecica *(Fiorellino)* de mi amor, en qué campito *(campicello)* naciste? — El campanón de la catedral ha tocado a rebato. — El espejuelo se cayó de la mesita y se quebró (se hizo pedazos). — Ese tontacho de tu primo habló todo el día con unas mujerzuelas harto jóvenes. Yo le ví con una mujerona tamañaza *(tanto grande)*. — Ese mocetón es el marido de aquella mujercita. — ¡Qué hermoso espadín! — La muñequita *(bamboletta)* de mi niñita yacía *(giaceva)* en el suelo. — La puerta cochera *(Il portone)* no está abierta. — El librote *(-òtto)* que me enviasteis no vale nada. — De *(Con)* un sablazo *(sciabolata)*[1] le cortó *(tagliò)* la cabeza. — ¿Por qué llevas siempre un corbatón tan desaforado? Para tener caliente *(calda)* la garganta *(gola)*. — El sol era tan abrasador *(V'era un solliòne)* que no se podía caminar. — Esta sillaza me hará caer. — Me dió un silletazo *(seggiolata)* en la *(sulla)* cabeza.

Lección décimonovena.

Nombres propios geográficos y de personas.

1.⁰ — Una y otra clase de tales nombres se usan en general como en castellano.

2.⁰ — Los nombres de reinos, regiones etc. llevan siempre el artículo; los de ciudades y lugares, no; — las excepciónes son casi las mismas que en castellano.

Los nombres de montes, ríos, islas, etc. llevan también el artículo y son considerados como nombres comunes. Ej.:

l'Italia	Italia	*Roma*	Roma	*il*	*Tèvere*	el	Tibre
dell' »	de »	*di* »	de »	*del*	»	del	»
all' »	a »	*a* »	a »	*al*	»	al	»
l' »	»	»	»	*il*	»	el	»
dall' »	de »	*da* »	de »	*dal*	»	del	»

3.⁰ — Las preposiciones **a**, **en** se traducen ordinariamente por *in* (in artículo, en general) con nombres de reinos, regiones, provincias, etc.; — se traducen *a* o *in* con nombres de aldeas y ciudades. — La prepo-

---

[1] El afijo *-azo* para indicar *golpe* de algo se traduce generalmente en ital. por *-ata*, v. gr.: *cannonata, fucilata, pedata*, etc. — A veces se traduce por: *colpo di* . . ., no usándose en algunos casos el afijo *-ata*.

sición **de** se traduce siempre *da* (+ artíc., o no). —
Ejemplos:

Guglielmo va in Fráncia, in África.	Guillermo va a Francia, a África.
Rimasi due settimane in (o nella) Svízzera, in (nella) Lombardía.	Me quedé dos semanas en Suiza, en Lombardía.
Mi recherò domani a Pavía.	Iré mañana a Pavía.
Ho dimorato 10 anni a (o in) Vienna, al Cáiro, all'Aia.	He vivido 10 años en Viena, en el Cairo, en el Haya.
Quando partisti da Palermo?	¿Cuándo saliste de Palermo?
Quando ritornerai dalla Sicília?	¿Cuándo volverás de Sicilia?

NB. — Pero se suele decir: *al Giappone, al (o nel) Méssico,* etc.; *nel Vèneto; agli (o negli) Stati Uniti, nelle Marche,* etc. (Con los nombres plurales se emplea siempre el artículo). — Más particularidades se aprenderán por la práctica.

4.º — Hé aquí algunos nombres de los países más comunes, con los de sus habitantes:

Europa,	Européo
Ásia,	Asiático
África,	Africano
Amèrica,	Americano
Oceánia, Austrália,	(Oceáno) [1]), Australiáno
Itália,	Italiáno
Spagna,	Spagnuòlo
Áustria,	Austríaco
Fráncia,	Francese
Germánia *(Alemania)*,	Tedesco *(Alemán)*
Inghilterra,	Inglese
Rússia,	Russo
Prússia,	Prussiáno
Svízzera *(Suiza)*,	Svízzero
Portogallo *(Portugal)*,	Portoghese
Belgio *(Bélgica)*,	Belga *(m. y fem.)*
Olanda,	Olandese
Svézia *(Suecia)*,	Svedese
Norvègia *(Noruega)*,	Norvegese
Danimarca *(Dinamarca)*,	Danese
Scòzia *(Escocia)*,	Scozzese
Grècia,	Greco
Turchía,	Turco
Arábia,	Árabo.

---

[1]) No se confunda con *océano* = el océano. — Mejor se dirá, sin embargo: *un abitante dell'Oceánia* o *un Oceánio.*

NB. — *a)* Los nombres de habitantes se emplean en la misma forma (pero con letra minúscula) como adjetivos [1]); y forman su femenino y plural regularmente. — El adjetivo sirve también para indicar la lengua, como en castellano (*L'italiano* = *la lingua italiana*).

b) Francfort del Mein y nombres parecidos se traducen por *Francoforte sul Meno*, etc.

c) Los nombres de los habitantes de ciudades y aldeas se forman de diferentes modos, como en castellano, v. gr.:

> Roma, *Romanò* — Milano, *Milanese* — Parigi, *Parigino*
> — Madrid, *Madrileno* — etc.

5.° — Los nombres propios de personas se usan como en español. — Obsérvese aquí el empleo de la preposición *da* con nombres propios o comunes de persona (o pronombres), según se ve por los ejemplos siguientes:

Vado da Giovanni, da mia zia.	Voy a casa de Juan, de mi tía.
Sono stato tutto il giorno da Pietro, da tuo cugino; da lui, da essi, etc.	He estado todo el día en casa de Pedro, de tu primo; en su casa (de él, de ellos), *etc.*
Vengo dal fornaio.	Vengo de la tienda del panadero.
Vengo (Vado) [2] *anch' io dal fornaio.*	Yo también voy a la tienda del panadero.

Vocabulario.

*Percórrere	recorrer, viajar	*passare*	pasar, trasladarse
fermarsi }	detenerse, quedar, parar(se)	*il cannocchiále*	el anteojo (de larga vista).
soffermarsi }			

Tema 45°.

In un solo anno visitái la Turchía, la Grècia, gli Stati Balcánici, la Rússia, l'Áustria, l'Unghería e la Germánia, soffermándomi nelle principali città. Per esempio? Le capitali: Costantinòpoli, Atène, Sofía, Búcarest, Belgrado, Mosca, Viènna, Buda-Pest, Berlino; ma inoltre vidi il Pirèo, Patrasso, Salonicco, Adrianòpoli, Odessa, Chiew, Vilna, Varsávia, Breslávia, Praga, Cracòvia, Presburgo, Graz, Zagábria ossía Ágram, Lubiána; e Mónaco, Augusta, Ratisbona, Norimberga, Stoccarda, Cárlsruhe, Dresda, Lípsia, Danzica, Magdeburgo, Amburgo, Lubecca, Brema, Colònia, Magonza, Strasburgo. L'anno seguente percorsi con

---

[1]) De *Océano* el adjetivo será *oceánico* u *oceánio*; de *Árabo* puede ser también *arábico*.

[2]) En ital. se emplea el verbo *venir* cuando se expresa que se *va* a algún lugar con alguien, o donde se encuentra alguien.

mia moglie gli altri Stati dell'Europa e le loro città capitali
e principali; Oslo, Stoccolma, Upsala, Copenághen, L'Aia,
Amsterdám, Rotterdám, Brussèl, Edimburgo, Dublino, Londra,
il Paése di Gálles, Parigi, Digióne, Lióne, Marsíglia, Avignone,
Tolone, Mompellièri, i Pirenèi, Barcellona, Saragozza, Búrgos,
Baiona, Bilbáo, Santiágo, Vagliadolíd, Madríd, Valenza, Toledo,
Córdova, Granata, Málaga, Sivíglia, Gibilterra, Cádice, Lisbona,
Coímbra, Oporto. — E non fosti in Italia e in Svízzera? Sì,
ci sono stato, dapprima in Italia e poi in Svízzera. Ho visto
le più belle città di questi due paesi. Ma le città italiane sono
più interessanti. Quali città hai visto? In Italia mi sono fermato
a Firenze, Roma, Napoli, Táranto, Messina, Palermo e Venézia.
Passato nella Svízzera ho visitato Lugano, Zurigo, Basiléa, Berna
Zurigo, Sciaffusa, Costanza, Basiléa, Berna, Friburgo, Losanna
e Ginevra. Dalla Svízzera ripassái quindi *(después)* in Francia
e di là in Spagna. — Ed ora dove ábiti? A Madrid. Da Madrid
mi recherò poi a Málaga nell'inverno, e di là forse in Algería.
    Ti piace Algéri? Non lo vidi ancora; ma vidi Túnisi, Trí-
poli, l'Egitto. — Ti sei fermato molto al Cáiro? Due mesi in
quella città bellíssima; poi due altri mesi fra Tantah, Alessándria e Porto-Sáid. Poi visitai la Palestina e in essa Giaffa,
Gerusalemme, Betlemme, il Mar Morto, Názaret, Tiberíade; e
la Síria, soffermándomi a Beirút, Damasco, Tiro, Sidone, nel
Líbano, in Celesíria, nell'Antilíbano, a Trípoli di Soría, Aleppo,
ecc., ecc. — Non fosti in India? Non ancora; ma vi andrò
l'anno venturo. — Verrai da me quando sarai a Málaga? Da
te vengo sempre volontièri. — Di' un po' *(Dime)*, come si
chiámano gli abitanti di Palermo? Palermitani. E quelli di
Cándia? Candiotti. Quelli di Bologna? Bolognesi. Quelli di
Beirút? Beirutini. E quelli di Gerusalemme? Gerosolimitani.
— Sono belle le montagne della Giudèa? Squállide. E il Líbano?
È bello e ben coltivato. E il Tarso? Sublime di vegetazione.
— Fosti in (o a) Cipro? Vidi l'isola con il cannocchiale da
Brummana, nel Líbano. Anch'essa è abbastanza nuda. — Vedi
quei tre uomini? L'uno è un moscovìta, l'altro un valenziano,
il terzo è un londinese. — Ti piace la lingua italiana? Mi piace
più della tedesca (del tedesco); ma ancor più mi piace lo spagnuolo. — È più difficile l'árabo o il turco? L'árabo. — È bello
il persiano? È adatto alla poesía quanto l'italiano.

Vocabulario.

El penique	*il pfennig* (invar.)	el duro (norte-americano)	*il dòllaro*
el céntimo	*il centèsimo*		
el kopek	*il copec* (invar.)	la moneda	*la moneta*
el para	*il para* (id.)	los Estados Unidos	*gli Stati Uniti*
el florín	*il fiorino*		
el chelín	*lo scellino*	la milicia	*la milízia*

el brigadier	*il brigadière*	el cabo	*il caporale*
el comandante	*il maggióre*	el mariscal	*il maresciallo*
el capitán	*il capitano*	el almirante	*l'ammiráglio*
el teniente	*il tenente*	manchar	*macchiáre*
el sargento	*il sergente*	la muerte	*la mòrte*
el furriel	*il furière*	alegrarse	*rallegrarsi.*

Tema 46º.

¿Vendrá Vd. mañana a mi casa? Con muchísimo gusto iré a su casa de Vd. — Junto a mí se hallan siempre buenas personas. No dudo de ello; pero ese berlinés no me pareció tal. Creo que se equivoca Vd.[1]); es un hombre dignísimo. Tanto mejor para él. — La moneda corriente en Alemania es el *marco* (100 peniques), en Francia y Suiza el *franco* (100 céntimos), en Italia la *lira* (100 céntimos), en Rusia el *rublo* (100 kòpek), en España la *peseta* (100 céntimos), en Turquía el *kurus* (40 paras), en los Estados Unidos de América el *dòllaro* (100 cents), en Inglaterra el chelín (12 *pence*), en Noruega la *corona*, la moneda divisional (-*e*), de la cual es el *oere*. — En Italia hay estos grados en en el ejército de tierra: mariscal; general de ejército (*d'armata*), teniente general, mayor general, coronel, teniente coronel, comandante (*maggiore*), capitán, primer teniente (*tenente*), teniente (*sottotenente*); mariscal (de alojamiento, *d'allòggio*), primer sargento (*furier maggiore*), furriel, sargento; cabo primero (*caporal maggiore*), cabo; soldado raso (*soldato sèmplice*). — Entre los *carabinièri*[2]) el sargento primero o furriel-mayor se llama mariscal de alojamiento (*maresciallo d'allòggio*), el furriel se llama brigadier, y el sargento se llama sub-brigadier (*vice-brigadiere*). — El almirante Nelson manchó su vida con la muerte del almirante Carácciolo. — Mucho me alegro (*Sono lietíssimo*) de verle en mi casa, caballero. — Las armas principales son: infantería (*fantería*), caballería (*cavallería*), artillería (*artiglieria*), ingenieros (*gènio*), marina, aviación. — Este niño habla mejor el italiano que el francés; ese otro mejor el inglés que el alemán.

Lectura.

Città dell'Italia.

Le città principali dell'Italia sono: *Roma*, capitale, di cui parliamo estesamente più avanti; *Nápoli*, spléndida per posizione naturale, per il suo golfo incantévole, a poca distanza dal Vesúvio;

---

[1]) Despúes de los verbos que significan duda, temor y semejantes, se usa en ital. el modo subjuntivo.

[2]) Soldados escogidos, que sirven también para la policía. — Cada *carabinière* raso tiene el mismo grado que un cabo de las otras armas — Los *carabineros* españoles corresponden a los *guardacoste* y *guardie di finanza* italianos.

Milano, la prima città del paese per popolazione urbana, la prima pure per industria, commercio, iniziative, beneficenza, onde a ragione è chiamata la «capitale morale d'Italia»; *Firenze*, in posizione bellíssima, la «città dei fiori», ricchissima d'arte; *Venézia*, la regina delle lagune, una città *sui géneris*, fondata, come è noto, su molte isolette collegate da ponti, in capo al mare Adriático; *Triéste* pure in capo all'Adriatico, di fronte a Venezia; *Torino* l'antica capitale del Piemonte, pure molto industre; *Bologna* cèlebre per l'università e notévole per i suoi porticati *(soportales)*; *Génova* splèndida di marmi e di sorriso di cielo, con un potentíssimo tráffico, spècie dal mare; *Palèrmo* capitale della Sicília, stupenda per ubicazione nella «Conca d'Oro»; *Cágliari* la principale città della Sardegna; *Bari* (delle Puglie) molto industre; porto cospícuo; *Catánia* in Sicilia, con strade ed illuminazione magnifiche, e università; ai piedi dell'Etna.

Una minúscola repúbblica indipendente, situata nell'Italia centrale a poca distanza da Rímini, è quella di *San Marino*. Altre città degne di nota sono nell'alta Italia Bréscia, Verona, Pádova, Alessándria e Mòdena; nell'Italia meridionale Salerno, Fóggia, Réggio Calábria e Táranto; in Sicília Messina e Siracusa; in Sardegna Sássari.

Domande.

Quali sono le città principali d'Italia?
Che si dice di Nápoli, Milano e Firenze?
Dove si tròvano Palermo, Cágliari?
Che si dice della Repubblica di S. Marino?

Lección vigésima.

Verbos irregulares en -*are*. [2])

— Son sólo cuatro, a saber:

I.⁰ — *andare* ir.

Pres. indic.:	vado *o* vo, vai, va; *andiamo, andate,* vanno.
» *subj.:*	vada, vada, vada; *andiamo, andiate,* vádano.
Imperat.:	va, vada, *andiamo, andate,* vádano.
Futuro:[3])	andrò, andrái, etc. (o *anderò, anderai,* etc.).

---

[1]) Damos la media proporcional entre la población urbana y la de la comunidad. (Se dan cifras redondas.)

[2]) No se dan sino los tiempos irregulares; cuando se pone *etc.*, eso significa que debe procederse regularmente según las primeras voces. (Las voces en *letra cursiva* son regulares.)

[3]) El *condicional* sigue siempre las mismas anomalías del fut indic.; así pues: *andrèi, andresti,* etc.

(Pretér. perf. ind. 1.ª pers. sing. *andiedi* — voz anticuada).
Este tiempo es regular ahora: *andái, andasti,* etc.

NB. — Lo mismo: ***andársene*** irse — *me ne vado, te ne vai,* etc.

II.º — ***dare*** *dar* (raíz: *da*).

Pres. indic.:	do, dai, dà; diámo, date, danno.
» *subj.:*	día, día, día; diámo, diáte, díano.
Imperat.:	dà, día; diámo, date, díano.
Pretér. perf. ind.:	dièdi *o* dètti, desti, dième *o* diè *o* dette; demmo, deste, dièdero.
Pret. impf. subj.:	dessi, dessi, desse; déssimo, deste, déssero.
Futuro:	darò, darái, etc.

III.º ***fare*** (por *facére*) *hacer.*

Pres. indic.:	fáccio *o* fo, fai, fa; facciámo, fate, fanno.
» *subj.:*	fáccia, etc.; facciámo, facciáte, fácciano.
Imperat.:	fa, fáccia; facciámo, fate, fácciano.
Pret. impf. ind.:	faceva, facevi, etc. (*regular según* fácere).
» » *subj.:*	facessi, facessi, etc. » » »
Pretér. perf. ind.:	feci, facesti, fece *o* fe'; facemmo, faceste, fécero.
Futuro:	farò, farái, etc.
Part, pres.:	facènte (*regular según* fácere).
» *pas.:*	fatto.
Gerundio:	facèndo » » »

IV.º ***stare*** *estar, quedar(se),* etc.

Se conjuga como ***dare,*** sustituyéndose *st* a *d.* — Sólo en la 1.ª pers. sing. del pretér. perf. indic. hace ***stètti,*** 3.ª ***stètte,*** 3.ª pl. ***stèttero;*** imperat. 2.ª ***sta.***

NB. — Los imperativos *va, fa, sta* pueden tomar un apóstrofo *(va', fa', sta').*

2.º — El verbo ***consumare*** *consumar* puede tener en el pretérito perfecto indic. 1.ª y 3.ª pers. sing. y 3.ª pers. plur., y además en el partic. pasivo, forma regular e irregular, a saber:

1.ª *consumai* y *consunsi;* 3.ª *consumò* y *consunse;* 3.ª pl. *consumárono* y *consúnsero;* — part. pas.: *consumato* y *consunto.*

NB. — Las voces regulares sirven especialmente para acciones materiales y para el lenguaje usual.

3.º — Los compuestos o derivados de estos verbos se conjugan como ellos. Nótese que ***contrastare*** *contrastar, contender* es regular, al paso que ***contrastare*** *estar contra* hace como **stare**.[1]) — **Restare** *quedarse* es regular; — **ristare** *cesar, detenerse* hace como *stare* (*ristò, ristái*, etc. — *ristetti*, etc.). — No todos los acabados en *-stare* se derivan de *stare*, v. gr. *costare* (costar), *constare* (constar).

Nótese asimismo que *no* todos los verbos acabados en *-dare*, v. gr. **ridondare** *resultar*, son compuestos de *dare*, y entonces se conjugan regularmente. — También son regulares los compuestos de *dare* que en el infinitivo tienen más de 3 sílabas; los demás son irregulares, v. gr.: *circondare* (rodear), pres. indic. *circóndo, circóndi*, etc. — pret. perf. *circondái, -dásti, -dò*, etc.; — al contrario, v. gr.: *ridare* (dar otra vez), *ridò, ridái, ridà*, etc. — *ridièdi, ridesti*, etc.

Vocabulario.

*Richièdere	pedir otra vez; rogar	*dà aiuto*	presta socorro
il sarto	el sastre	*ogniqualvolta*	cada vez (que)
il mendicante	el mendigo	*la carta*	el papel, la tarjeta
grosso	grueso, grande	*avanti*	adelante [jeta
il parrucchière	el peluquero	*la serata*	la tertulia
il capo	el jefe	*il posto*	el lugar, el sitio
il buco	el agujero	*folto*	espeso
vedrái	verás	*la sièpe*	el seto, el cercado
insième	juntos	*l'orto*	la huerta, el huerto.
súbito	luego, pronto		

Tema 47º.

Se ti facessi questo favore una volta, me lo richiederesti poi cento volte. — Chi ti fece quest'ábito? Il sarto Noseda. È molto ben fatto; me ne farò fare uno anch'io così. — I signori Balducci diedero 20 lire al mendicante. Non fecero una grossa elemòsina. No; ma forse tu non avresti dato altrettanto. — Dove vai? A casa; poi andrò dal parrucchiere; andrei anche dal fabbro se non fosse che dovrò star qui ad aspettare il capo-música. — Facendo un buco nell'acqua che cosa si ottiène? Pròvati a farlo, e vedrai. — Oggi feci il giro della città in bicicletta. E noi lo facemmo ieri e lo rifaremo domani. — Essi se ne vanno senza dirci *(decirnos)* addio. E noi pure ce ne andremo. — Che stía o che vada, fa lo stesso per me. — Vádano pure *(Pueden Vds. irse)*, signori. — Andresti solo di notte in un cimitero? Perchè no? Vi vado anche súbito se

---

[1]) Así pues, según el significado, se dirá y escribirá: *contrasto* y *contrastò*; *contrastái* y *contrastetti*; subj. pres. *contrasti* y *contrastía*, etc. etc. (Pero *contrastare* en el segundo sentido es raro.)

vuòi.	Bene, va; anzi; andiamo insieme. — Dà aiuto al bisog-
noso ogniqualvolta te se ne presenta l'occasione. — Díano la
loro carta e pássino avanti. — Il duca darà una festa di ballo
(un baile) o una sèmplice serata? Un ballo. — Facciano posto,
signori, come fecerò già altri. — In breve si consunse e morì
vittima dei mali trattamenti di lui. — Circondai il mio giardino
con una folta siepe, e circonderò anche l'orto.

Vocabulario.

El trabajo	*il lavoro*	el jugador	*il giuocatore*
equivocarse	*sbagliare, -rsi*	quitar	**tògliere*
detener	*fermare*	ocioso	*oziòso*
tarde	*tardi*	ver	**vedēre*
la criada	*la serva*	el golpe	*il colpo*
agradecido	*grato*	entendidos	**intesi, uditi*
la tarde	*la sera*	echar a perder	*guastare*
conmigo	*con me*; *indosso*	el puente	*il ponte*
el café	*il caffè*	el servicio	*il servízio.*

Tema 48º.

Si vas allí, verás al hombre que hizo este trabajo. — Me
he equivocado; no lo haré ya. — ¡Adónde iría si no le detu-
viesen! — Déme Vd. un pedazo de pan. — ¡Hágame V. este
favor! — Vamos todas las tardes a casa de nuestros amigos.
¿Fuisteis ayer allí? Ayer no; pero iremos mañana. Vayan Vds.
con Dios, caballeros. — Ahora te doy esto; más tarde te daré
otra cosa. — Hice siempre el bien donde pude *(potèi)*. — Dí
mi pan al hijo de tu criada, y él me dió *infinitas* gracias. Es
un niño muy agradecido. Dale también algo. Se lo daré esta
tarde; le daría ahora algún dinero, pero no lo tengo conmigo.
— Si te diésemos mil pesetas, ¿que harías con ellas? Dámelas,
y verás después. — Nunca voy *(Non . . . . mai)* a ese café.
¿Van tus amigos (allí)? No. — Da al niño su sombrero. —
Una valla humana *(muráglia umana)* rodeaba la mesa de los
jugadores. — ¿Qué haces? No hago nada. Hazme pues el
favor de quitarte de aquí. ¿Por qué? Quiero a la gente que
hace algo, y no a los ociosos. ¿Que quisiera Vd. que yo hiciera
aquí? — Hacéis siempre el mal, vosotros; ¡haced el bien alguna
vez! — Dadme vuestras manos, y os haré ver las *líneas* de la
vida. — Dimos dos golpes, pero no fueron oídos. — Haga Vd.
lo que yo digo *(dico)*, y se hallará V. contento. — Haciéndolo
así, lo echa V. a perder todo. — Si te doy otra vez lo que ya
te dí, ¿te quedarás en casa? — Estuve ya dos horas en el
puente; ahora estoy aquí, a vuestro servicio. Si no estuviera
bien, llamaría al *médico*.

Lectura.
Le rovine di Pompèi.

Nell'anno 1748 un contadino[1], lavorando la terra col badile[2] e la marra[3], sentì il solco resístere ai suoi colpi e si diede a scavare con cura e curiosità il suolo che da diciassette sècoli ricopriva, verde e fèrtile, i resti della fiorente città, distrutta nel 79 dell'èra nostra da una spaventévole[4] eruzione del Vesuvio. Tornarono così alla luce, per òpera di un ignaro contadino, i primi oggetti e le prime státue che rivelarono l'esistenza d'ignorati tesori, là dove per sècoli pascolávano[5] le pècore[6] e crescevano in un clima mite[7], ai piedi del vulcano, ortaggi[8], alberi, ed agrumi[9]. La scoperta di quei primi monumenti scosse[10] vivamente le immaginazioni dei contemporanei e diede impulso a nuove e più vaste ricerche[11]. Circa trent'anni prima, alcuni scavi[12] intrapresi ad Ercolano avevano già posto in luce preziosi ricordi e testimonianze sorprendenti della vita pubblica e privata, dei costumi e dell'arte, fioriti in quella meravigliosa regione in epoca così lontana. Ercolano era apparsa come una città di svaghi[13] e di riposo, destinata alla villeggiatura[14] di persone raffinate e facoltose[15], mentre Pompèi si rivelava come un centro di commerci e d'affari quanto più la città emergeva dalla profondità del suo secolare sepolcro. Ma questi commercianti di provincia erano gente che amava vivere signorilmente, in un ambiente in cui l'arte gareggiava[16] colla natura per espandere dovunque la bellezza, la dignità e il fascino che ancora colmano di sè l'atmosfera di questa città, distrutta da un cataclismo e spogliata dagli uomini. I mosáici che ornavano i pavimenti delle case private, le statue che animavano i loro giardini, le suppellèttili[17], ora úmili ed ora raffinate, che servivano alla vita quotidiana dei suoi abitanti, sono conservate nel museo di Napoli. Ma pure nelle sue strade deserte, nel silenzio delle case e delle ville, nella solitudine delle rovine chiunque abbia il cuore aperto alle grandi impressioni potrà evocare la visione di un passato pieno di grandezza, e meditare, come tanti hanno già fatto, sulle «morte stagioni» che rivívono in noi feconde d'insegnamenti, d'ispirazioni e di íntimi godimenti.

[1] campesino. — [2] pala. — [3] azada. — [4] espantosa. — [5] pastaban. — [6] ovejas. — [7] suave. — [8] hortalizas. — [9] agrios. — [10] excitar. — [11] investigación. — [12] excavaciones. — [13] recreo. [14] veraneo, descanso. — [15] pudientes. — [16] rivalizar. — [17] utensilios.

Diálogo.

Che giorno è oggi?   Oggi è martedì.
Allora vado alla banca.   Oggi è chiusa. È giorno di festa
                                      (festivo).
Non è giorno di lavoro?   Oggi è San Giuseppe.
Va bene. Andremo al cinema. A   Alle 19 in punto.
che ora comincia lo spettá-
colo?
Faremo ancora in tempo?   Forse che sì; non c'è tempo da
                                      pèrdere.

Lección vigésimoprimera.

Verbos irregulares en *-ere.*

1.⁰ — La clase de los verbos en ·*ere* es la que
ofrece el mayor número de irregulares. Aquí consignamos unos pocos; advirtiéndose que muchos,
especialmente en *-ĕre*, son irregulares sólo en algunas
voces del pretér. perf. y en el part. pasivo. — (En el
Apénd. VI. damos una lista alfabética de los verbos
irregulares, defectivos y contractos en *ere*, *ire*, que se
consultarán al encontrarlos).

I.⁰ — *dovére deber.*

Pres. indic..   dèvo o dèbbo, dèvi (o dèi, dè'), dève; dob-
                   biámo, *dovete*, dèvono o dèbbono.
 » subj.:   deva o debba o dèggia, *etc.*; dobbiámo, dob-
                   biáte, dèvano o dèbbano.
Futuro: dovrò, dovrái, *etc.*
Part. pas.:   dovuto *(y* débito — *adj. y sust.*).

II.⁰ — *porre* (por *pónere*) *poner.*

Pres. indic.:   pongo, *poni, pone; poniámo, ponete*, póngono.
 » subj.:   ponga, *etc.*; *poniámo, poniáte*, póngano.
Imperat.:   *poni*, ponga; *poniámo, ponete*, póngano.
Pret. impf. ind.: *poneva, ponevi, etc.*
 »   » subj.:   *ponessi, ponessi, etc.*
Pretér. perf. ind.: posi, *ponesti*, pose; *ponemmo, poneste*, pósero.
Futuro: porrò, porrái, *etc.*
Part. pres.:   *ponente.*
 » pas.:   posto, — Gerund.: *ponendo.*

NB. — Las voces en letra cursiva son regulares según
pónere.

III.⁰ — **potére** *poder.*

Pres. indic.:	pòsso, puòi, può (*o* puote); possiámo, *potete,* pòssono.
» *subj.:*	possa, *etc.*; possiámo, possiáte, pòssano.
Imperat.:	pòssa (tu), possa (egli); possiámo, possiáte, pòssano.
Part. pres.:	*potente* (*y* possente).

IV.⁰ — **sapére** *saber.*

Pres. indic.:	sò, sai, sa; sappiámo, *sapete,* sanno.
» *subj.:*	sáppia, *etc.*; sappiámo, sappiáte, sáppiano.
Imperat.:	sappi, sáppia, sappiámo, sappiáte, sáppiano.
Pretér. perf. ind.:	sèppi, *sapesti,* seppe; *sapemmo, sapeste,* sèppero.
Futuro:	saprò, saprái, *etc.*
Part. pres.:	(sapiènte — *adj.*).

V.⁰ — **scégliere** (voz poética: **scerre**) *escoger, elegir.*

Pres. indic.:	scelgo, *scegli, scéglie; scegliámo, scegliéte,* scélgono.
» *subj.:*	scelga, *etc.*; *scegliámo, scegliáte,* scélgano.
Imperat.:	*scegli,* scelga; *scegliámo, scegliéte,* scélgano.
Pretér. perf. ind.:	scelsi, *scegliesti,* scelse; *scegliemmo, scegliéste,* scélsero.
Part. pas.:	scelto.

NB. — Como *scegliere* se conjuga **sciògliere (sciòrre)** *desatar,* cambiando la 1.ª *e* en *io (sciòlgo, sciògli,* ecc.*).* Éste, en el futuro y condicional, puede tener la forma contracta *sciorrò, sciorrái,* etc., *sciorrèi, sciorresti,* etc. por *scioglierò,* etc.

Asimismo: **tògliere (tòrre)** *quitar* (tòlgo; toglierò *o* torrò; tòlsi; tolto); — **cògliere (còrre)** *coger.*

VI.⁰ — **tenére** *tener.*

Pres. indic.:	tengo, tièni, tiène; *teniámo, tenete,* tèngono.
» *subj.:*	tenga, *etc.; teniámo, teniáte,* tèngano.
Imperat.:	tièni, tenga; *teniámo, tenete,* tèngano.
Pretér. perf. ind.:	tenni, *tenesti,* tenne; *tenemmo, tenesti,* ténnero.
Futuro:	terro, terrái, *etc.*

VII.⁰ — **vedére** *ver.*

Pres. indic.:	vedo *o* veggo (*o* véggio), *vedi, vede; vediámo* (*o* veggiámo), *vedete, védono o* véggono.
» *subj.:*	veda *o* vegga (*o* véggia), *etc.*; *vediámo* (*o* veggiámo), *vediáte* (*o* veggiáte), *védano o* véggano.
Pretér. perf.:	vidi, *vedesti,* vide; *vedemmo, vedeste,* vídero.
Futuro:	vedrò, vedrái, *etc.*
Part. pas.:	*veduto* (*o* visto).

VIII.⁰ — *volére* querer.

Pres. indic.:	vòglio o vo', vuòi, vuole (o vuo'); vogliámo, *volete,* vògliono.
» *subj.:*	vòglia, *etc.,* vogliámo, vogliáte, vògliano.
Imperat.:	vòglia, vòglia; vogliámo, vogliáte *(o volete)*[1]), vògliano.
Pretér. perf.:	vòlli, *volesti,* volle; *volemmo, voleste,* vòllero.
Futuro:	vorrò, vorrái, etc.

2.⁰ — Damos aquí también algunos de los verbos que tienen irregularidad (o mejor dicho, alteración) en pocas voces, a saber: 1.ª y 3.ª pers. sing. y 3.ª pers. plur. del *pretérito perfecto;* y en el *partic. pasivo.* En lo restante son regulares.

Cadére	caer	*caddi, cadde, cáddero*[2])*; (caduto).*
conóscere	conocer	*conobbi, conobbe, conóbbero; (conosciuto).*
córrere	correr	*corsi, corse, córsero; corso.*
créscere	crecer	*crebbi, (crescesti),* etc.; *(cresciuto).*
lèggere	leer	*lessi,* etc.; *letto.*
méttere	meter	*misi,* etc.; *messo.*
muòvere	mover	*mòssi,* etc.; *mosso.*
náscere	nacer	*nacqui,* etc.; *nato.* (V. Apénd. VI.).
nuòcere	dañar	*nocqui,* etc.; *(nociuto).* (id.)
piángere	llorar	*piansi,* etc.; *pianto.*
prèndere	tomar	*presi,* etc.; *preso.*
rídere	reir	*risi,* etc.; *riso.*
rispóndere	responder	*risposi,* etc.; *risposto.*
rómpere	romper	*ruppi,* etc.; *rotto.*
scrívere	escribir	*scrissi,* etc.; *scritto.*
stríngere	apretar, estrechar,	*strinsi,* etc.; *stretto.*
víncere	vencer	*vinsi,* etc.; *vinto.*

NB. — Los compuestos y derivados siguen las variaciones de sus simples.

Vocabulario.

Non ... soddis-	ninguna satis-	*il legume*	la legumbre
fazioni di	facción	*badare*	cuidar
sorta		*bada! badate!*	¡cuidado! ¡ojo!
una sgridata	una reprensión	*in fallo*	mal, en falso
ascoltare	escuchar	*misurare*	medir [buena
*cuòcere	cocer	*felicitare*	dar la enhora-

[1]) *Vogliáte* significa *tened la bondad de;* — *volete,* tened *la firme voluntad.*

[2]) Las demás personas del pretérito, así en éste como en los otros verbos, son regulares, v. gr.: *cadesti, cademmo, cadeste; conoscesti, conoscemmo,* etc., *corresti,* etc. — Ponemos entre paréntesis los participios regulares.

il panière, la cesta	el canastillo, la cesta [ceno	*lo sciacallo*	el chacal
láido	feo, sucio, obs-	*stancarsi*	cansarse
la corsa	la corrida, la ida	**piacére*	placer, gustar
la crusca	el afrecho, el sal-	**spárgere*	derramar
	vado	*la giòia*	la alegría
sciògliere un voto	cumplir una pro- mesa, un voto	*l'arrivo*	la llegada
		ringraziáre	agradecer, dar las gracias.

Tema 49⁰.

Non sempre si può ciò che si vuole, nè sempre si fa quello
che si deve. — Dove vuoi andare? Andrò dove vorrò; non
voglio darti soddisfazioni di sorta. — Gli ho data la débita
sgridata, ora può andársene. — Che tu possa essere felice,
figlio mio! — Debbo raccontártelo? Ebbene, ascolta. — Se
ponéssimo la carne al fuoco? Non è ancor tempo; prima
dèbbono cuòcere questi legumi. — Possiamo entrare? Sì;
badate tuttavía di non porre il piede in fallo. — Dove hai
posto il libro? Santo Dio, poni sempre le cose fuori del loro
posto! — Poniám caso *(Supongamos)* che tu ti trovi su un
alto monte: sapresti misurarne l'altezza? Credo di sì, col
barómetro. — Seppi della tua fortuna e venni *(vine)* a feli-
citártene. — Tieni questo paniere e scégliti uno degli oggetti
che vi si contèngono. — Vídesi mai faccia più láida? Non
vorrei dírtelo, ma la tua è proprio tale. Grazie. Anzi *(No
hay de que)*. — Dove prendesti questo fiore? Lo presi nel
tuo giardino. — Aspetta, cavallo, che l'erba cresca *(proverbio)*.
Crebbe già da tempo. — Che tu voglia o no, devi farla questa
corsa *(debes ir)*. — Che vuole il signore? Voglio un po' di
crusca. Éccola. — Volli tentare di persuaderlo, ma non vi
riuscíi. — Smosse il sasso dal suo luogo, lo sollevò e lo mise
sul muro; allora si conobbe ch'era realmente forte. — Come
debbo fare? Fa come vuoi, ora; ma se prima l'avessi preso
come si doveva, non ti troveresti adesso in impíccio *(embarazo)*. — Tenne quell'officio per vent'anni; poi glielo tólsero,
Perchè? Chi sa? tali sono i frutti che colse delle proprie
fatiche! — Sciolse il suo voto sulla tomba del padre. — Tò-
glimi da questa cárcere! Lo si tolga. — Vidi uno sciacallo
**venire verso me; armai il fucile, e quello fuggì. — Vedrai
Páolo? Lo vedrò domani. — *Segga, signore; non siede mai,
si stancherà. — Nacque per mal fare, nocque a tutti, piacque
a nessuno, fece spárgere molte lágrime, e non è ancor morto.
— *Piangesti? Piansi di gioia quando mio figlio corse nelle
mie braccia. — Lessi due ore; anzi leggemmo io e Giacinto.
— I miei compagni sèppero del mio arrivo e mi córsero in-
contro esclamando: Dunque fosti prescelto! Che rispondesti?

Risposi: la scelta cadde su me non per mèrito mio, ma per
sorte; nè so come ringraziarvi della vostra bontà.

Vocabulario.

La resolución	la risoluzione	desaparecer	*sparire
la luz	il lume, la luce	el trance	l'impíccio, il perí- colo
doler	*dolēre		
el ojo	l'òcchio	enseñar	indicare, inseg- nare
pegar	báttere; appicci- care		
		adivinar	indovinare
la desdicha	la sventura	billete de banco	biglietto di banca
echar	cacciare, gettare	tomar	*prèndere
ofender	*offèndere	el vaso	il bicchière
vedar	vietare	entre los dedos	fra le dita
hasta	fino a	el vidrio	il vetro
la cuadra	la stalla	romper, que- br(ant)ar	*rómpere, *frán- gere, spezzare
la vuelta	il ritorno; il giro		
ayudar	aiutare	afortunada- mente	fortunatamente
el cequí	lo zecchino		
avisar	avvisare, avvertire	el loco	il pazzo
las tinieblas	le tènebre	el cordón	il cordone
la callejuela	la viúzza	el vencedor	il vincitore
la ventana	la finestra	el senado	il senato.

Tema 50º.

Tomé la resolución de no leer *durante* la noche. Hiciste
muy bien; cuando he leído una hora con la luz, me duelen
los ojos. — ¿Por qué has llorado? Lloré porque mi madre
me pegó. — No se compadeció de mi desdicha, me
echó de su casa; y yo caí por *(come)* muerto en la calle.
¿Qué quieres hacer? Con tal gente es preciso *(bisogna)* tener
paciencia. — Ponte *(Póniti* o *Méttiti)* allá, y espera. — Se
puede a veces ofender sin quererlo. — Quisieron convidarnos,
pero no pudieron. ¿Por qué? Se lo vedó su padre. — No
creo que podáis llegar en dos días a Valencia. Pues nuestro
vecino llegó en un día y medio. Hubo de *(Dovette)* tener
muy buenos caballos. — Se pondrán Vds. en la cuadra y espe-
rarán mi vuelta. ¿Ponernos allí? ni por ensueños *(nemmen
per sogno).* — Deberás ayudarle a pesar tuyo *(tuo malgrado).*
— Me puso un cequí en la mano y me dijo: debes avisarme
su salida, ¿Y si no acierto a verle? Debes verle, respondió.
¿Y si no puedo por *causa* de las tinieblas? continué. Pues,
ve como te las compones *(aggiústati come puòi),* no debe
salir sin que tú le veas, sin que yo lo sepa. Supe después
que el tal hombre *saltó* por la ventana a una callejuela y
desapareció sin que nadie le viera. — Elige a uno de estos
discípulos por tu compañero *(-agno).* Le elegí ya. — ¿Qué
medio has escogido para salir de aquel trance? Escogí uno
muy bueno, que te enseñaré luego. — ¿Qué tenías entre las

manos? No tenía nada cuando me viste; pero una hora antes
tuve en mi mano . . . . adivina qué. No sabría decirlo. Nada
menos que un millón de pesetas en billetes de banco. Veo
que vas a hacerte *(stai per diventare)* un *Creso*. ¡No eran
míos! ¿Y dónde tomaste tanto dinero? Lo tomé donde lo
había. Cierto; pero no quieres decir el lugar, ¿eh? No. —
Apreté tanto el vaso entre los dedos, que el vidrio se quebró. Y te heriste sin duda. Afortunadamente no. — Esos
señores que sabes me escribieron una carta muy larga. ¿Y
qué te han escrito? Nada (de) bueno. — Reí, reí tanto,
que no me acuerdo haber reído tanto en mi vida. —
Rompió el loco todos los muebles de su aposento, y luego
lloró. — No sé por qué lo has estrechado tanto. ¿Qué? El
cordón. Para que no corra. — El vencido fué más grande
que el vencedor.

Lectura.

Laghi dell'Italia.

Nell'Italia settentrionale, la parte del paese ove la popolazione è più densa, si raggiunge anche il più alto grado
nell'industria e nel commercio, come pure si ha la rete fer-
roviária più complessa; il di cui sviluppo è favorito sia dalla
pianura padana (= del Po), sia dal fatto che là sono gli sbocchi
dell'Italia verso le altre nazioni finítime. Là, inoltre, e più precisamente in Lombardía, sono gl'incantévoli laghi: *Maggióre,
di Como, di Garda,* e quello *di Lugano* (appartenente in mássima parte al Cantón Ticino, Svízzera), quello *d'Iséo, d'Orta,*
quello *di Varese,* e parecchi altri minori.

Sui primi quattro di essi laghi si ha púbblico servízio di
navigazione regolare e frequentíssima per mezzo di piròscafi,
alcuni grandiósi e capaci di portare più di mille persone. Il
lago preferito è quello di Como, il quale fino a Menággio,
rimpetto a Bellágio si può dire offra sulla sua sponda sinistra
una catena ininterrotta di ville signorili e di alberghi lussuosi.
Anche gli altri laghi che abbiamo citati sopra hanno pubblico
e regolare servizio di piròscafi.

La Lombardía, oltre, èssere la regione più lacustre del-
l'Italia, e formare con i suoi laghi e le loro fortunate condizioni
climátiche uno dei paesi più belli e più ricchi d'Europa; oltre
èssere percorsa da molti fiumi (Po, Ticino, Adda, Oglio, Chiése,
Míncio, ecc.), è pure irrigata da una quantità di canali arti-
ficiali, che sono stati e sono la gloria e la ricchezza dell'antica
Lombardía; alcuni di essi dátano dal medio evo, e fúrono imi-
tati dagli altri pòpoli dell'Europa.

Nell'Italia centrale sono da notare, per ampiezza, il lago
di Perúgia o Trasimeno, quello di Bólsena e quello di Brac-

ciáno; ma nè per navigazione, nè per attrattive di sponde
sono da mettere in línea coi laghi dell'Italia superióre.

(*L. Pavía*).

Domande.

Che cosa si nota nell'Italia settentrionale?
Da che è favorito lo sviluppo della rete ferroviaria?
Quali sono i principali laghi d'Italia?
Che si dice del Lago di Como?
Che si dice della Lombardía?

Lección vigésimosegunda.

Verbos irregulares en *-ire.*

No son muchos los irregulares de esta clase; los
más usados son los siguientes (véanse los demás en el
Apénd. VI.⁰):

I.⁰ — *aprire* abrir; — *coprire* cubrir.

Su pretér. perf., 1.ª y 3.ª pers. sing. y 3.ª plur.,
tiene dos formas, regular e irregular; — irregular es
el part. pasivo; a saber:

aprii y *apersi*, *aprì* y *aperse*, *aprirono* y *apèrsero*; —
aperto. — Lo mismo *coprire.*

II.⁰ — *dire* (por *dícere*) decir.

Pres. indic.:	dico, dici, dice; diciámo, dite, dícono.
» *subj.:*	dica, *etc.*; diciámo, diciáte, dícano.
Imperat.:	di', dica; diciámo, dite, dícano.
Pret. impf. ind.:	diceva, dicevi, *etc.*
» » *subj.:*	dicessi, dicessi, *etc.*
Pretér. perf. ind.:	dissi, dicesti, disse; dicemmo, diceste, díssero.
Futuro:	dirò, dirái, *etc.*
Part. pres.:	dicente; — *id. pas.* detto; — *gerund.:* diciendo.

N.B. — Casi todas las voces son regulares según *dícere.*

III.⁰ — *morire* morir(se).

Pres. indic.:	muòio (muoro, mòro), muori, muore; *moriámo, morite,* muòiono.
» *subj.:*	muòia, *etc.*; *moriámo, moriáte,* muòiano.
Imperat.:	muori, muòia; *moriámo, morite,* muòiano.
Futuro:	morrò o *morirò,* morrái, o *morirái,* etc.
Part. pas.:	morto.

IV.⁰ — *salire* subir.

Pres. indic.:	salgo, *sali, sale; saliámo, salite,* sálgono.
» *subj.:*	salga, *etc.*; *saliámo, saliate,* sálgano.

Imperat.:   *sali*, salga; *saliámo, salite*, sálgano.
Pretér. perf. ind.: *salii, (y* salsi).[1])

V.⁰ — *udire* oír, entender.

Pres. indic.:   odo, odi, ode; *udiámo, udite,* òdono.
 » *subj.*:   oda, *etc.*; *udiámo, udiáte,* òdano:
Imperat.:   odi, oda; *udiámo, udite,* òdano.
Futuro: *udirò* y udrò, *udirái,* y udrái, *etc.*

VI.⁰ — *uscire* y *escire* salir.

Pres. indic.:   esco, esci, esce ; usciámo, uscite, èscono.
 » *subj.*:   esca, *etc.*; usciámo, usciáte, èscano.
Imperat.:   esci, esca; usciámo, uscite, èscano.
Pretér. perf. ind.: uscii, uscisti, *etc.*

Lo restante también regularmente según *uscire* y *escire*,
pero con preferencia según el primero. (*N.B.* — Formas
realmente irregulares no las tiene este verbo; las que llevan
el acento en la 1.ª sílaba se forman segùn *escire*, las otras
según *uscire*.)

VII.⁰ — *venire* venir.

Pres. indic.:   vengo, vièni, viène; *veniámo, venite,* vèngono.
 » *subj.*:   venga, *etc.*; *veniámo, veniáte,* vèngano.
Imperat.:   viéne, venga; *veniámo, venite,* vèngano.
Pretér. perf. ind.: *venni, venisti,* venne; *venimmo, veniste,*
             vénnero.
Futuro: verrò, verrái, *etc.*
Part. pres.:   *veniente* o vegnente; — *id. pas.*: venuto.
Gerundio: *venendo* o vegnendo.

N.B. — Asimismo los compuestos y derivados de éstos.

Vocabulario.

Menzogna	mentira	*fallire*	quebrar; faltar,
prima	antes		errar; no acer-
appunto	justamente		tar
schiúdere	abrir	*sovvenirsi*	recordarse
pazzía	locura	*pregare*	rogar, suplicar
arrabbiársi	enfadarse, eno-	*affiggere*	pegar (con cola)
	jarse	*cantonata*	esquina
tacére	callar(se)	*campare*	vivir
pióggia	lluvia	*farsi beffe*	burlarse
fabbro	herrero	*restituire*	devolver.

Tema 51⁰.

Dico ch'egli credette ch'io dicessi menzogne; ma ch'io
muoia qui se ne dissi mai! — Tu vieni quando io esco; perchè
non venisti prima? Non venni prima perchè vénnero a casa
mia parecchi amici appunto allorchè io ne usciva. — Odi?

---

[1]) *Salsi*, es voz poética o de estilo elevado; en *assalire*, asaltar,
es común con la forma regular.

Odo un romore confuso. — Non udrò più la sua voce, non
vedrò più gli occhi suoi, il suo bel sembiante; s'apèrsero le
porte del cielo per essa, e per me si schiúsero quelle dell'inferno. Che dici dunque? Pazzie! — Dite, amici, e dícano
queste signore: ho io torto o ragione? Se diciamo che hai
torto, forse t'arrabbî; diremo dunque che hai ragione. — Disse,
poi tacque. Certo; anche Bertoldino diceva che dopo la
pioggia riluce il sole. — Hai detto a tuo padre che il fabbro
è morto fallito? Glielo dissi ieri. — Di', chi è quella signora
con quell'abito verde? Quella che sale la scala? Appunto.
E la Baronessa C., di cui udrai molto parlare. Ah! sì, ora
mi sovviene averne udito parlare in casa S. — Verremo
stasera da voi. Venite domani, vi prego; stasera usciámo.
— Èscano tutti fuorchè i due fratelli di Caterina. — Il dì
vegnente si leggeva questo bollettino affisso alle cantonate:
«Si può calcolare che in città muòiano di coléra 200 persone
al giorno». — Hai aperta la porta? L'apersi da un'ora. —
Se non morrái fra un anno, potrái camparne altri 60. —
Muori, assassino, e con te muòiano tutti i tuoi compagni! —
Venuto a morte, Cósimo de Médici così parlò. — Esci? Esco.
Usciámo dunque insieme. — Quando ti odo parlare così,
penso che devi essere pazzo o che ti fai beffe di noi. —
Salga al 1.º piano, signorina, là do⸍e sálgono anche quelle
signore. — Venimmo a restituirle la visita che gentilmente
ci aveva fatta. — Síano i benvenuti.

Vocabulario.

Castigar	*punire, castigare*	Moretín	*Morettino*
ahora	*ora, adesso*	socorro	*soccorso*
arrojar	*lanciare, scagliáre*	pronto	*presto*
sacar	**trarre, *estrarre*	cirujano	*chirurgo*
abrevar	*abbeverare*	pierna	*gamba*
heredero	*erede*	preguntar	*domandare*
broma	*burla, scherzo*	sobrevenir	**sopravvenire*
armario	*armádio*	gangrena	*cancrena*
pariente	*parente*	muslo	*còscia*
maceta de	*vaso di garòfani*	castillo	*castello*
claveles		derribar	*rovinare, diroc-*
juez	*giúdice*		*care*
acusado	*accusato*	comprender	**comprèndere*
apodo	*soprannome*	venganza	*vendetta.*

Tema 52º.

Si se *previene* un crimen (*delitto*), ¿no es mejor que
castigarlo después de (*dopo che è*) cometido? — No salgo ahora,
ni saldré en todo el día. — Óigame Vd., caballero; ¿qué dijo
Vd. ayer a mi sobrino? Le dije lo que dijeron también sus
hermanos de Vd. — Diciendo esto se arrojó sobre su

enemigo y le mató. — ¿Por qué está abierta la cuadra? He
sacado los caballos para abrevarlos. — ¡No muere nunca!
dijeron los herederos. — He dicho, y no lo diré (otra vez)
más, que no quiero este género de bromas. No se harán ya.
— Qué dirías si ganaras un terno en la lotería? Di tú
mismo lo que dirías. — Decid la verdad: ¿abrió el niño el
armario? No le vimos. — Digo que oigo muy bien lo que
se habla en aquel aposento. — Ven, hijo mío, dame un beso
y vete después á la escuela. — ¿Vendrán hoy nuestros parientes? Ya vinieron ayer, ¿no te acuerdas? — Sal, y ve si
en el patio hay una maceta de claveles. — Dijo el juez al
acusado: «¿Qué apodo tiene Vd.?» El respondió: «Me llaman
el Moretín». — ¡Socorro, me muero! — Va a morir pronto,
dijo el cirujano hablando del hombre a quien había *amputado*
la pierna. ¿Qué? preguntó la mujer: ¿no ha salido *(è riu-
scita)* bien la operación? Sobrevino la gangrena en la *parte*
superior del muslo, y ya no hay remedio *(ri-).* — Pues, ¿ya
lo has cubierto? Lo cubrí hace un mes; no lo supo Vd.?
No lo supe. — Oyóse un estruendo espantoso, se vió subir
una *nube* de polvo al *cielo,* luego se vió que el castillo estaba
derribado; entonces se comprendió que el *moro* había llevado
a cabo su venganza. — César escribió al Senado *romano:*
vine, ví, vencí.

Lectura.

Era calata la notte già da qualche ora, nè la luna s'era
tuttavia mostrata all'orizzonte; tenebre fitte avvolgévano il
castello di Pavía e dávano letízia agli ánimi dei personaggi
che_trovávansi adunati nelle cámere di Valentina.

Rinaedo, venuta la sera, dietro cenno di Galeotto era
andato a cercare Brandino; le lance[1] appostate li avévano
lasciati passare liberamente, giacchè non era stata loro data
dal Beccaría alcuna istruzione riguardo ad essi; poi il pággio
aveva pensato a trovare una lunga e rebusta fune, la quale,
fáttivi frequenti nodi, servisse ai fuggitivi per calare nella
fossa . . . E così, quando l'ora parve propízia, Galeotto si
dispose a partire. Valentina si fece più forte del pròprio do-
lore e non una parola disse al cugino per supplicarlo di ri-
manere qualche istante ancora; soltanto, vedendo Brandino
accarezzare con una mano l'estenuata borsa di cuoio che
teneva appesa al cíngolo della spada, domandò a Galeotto:

— Avete denari abbastanza?

— Non so, Valentina, — egli rispose; — ma che monta?
il bráccio d'un Visconti è sempre tenuto in prègio da un
príncipe o da un capitano di ventura.

---

[1] *Láncia* era un manípulo ya de 3, ya de 5 soldados de a
caballo.

— Ventisette fiorini d'oro, — disse Brandino battendo
le dita sulla borsa.

— Mio Dio, è ben poco! — esclamò Valentina. — Ed
anche dovete comperare i cavalli e bardature ed armi . . . .
Aspettate.

La principessa corse ad uno scrigno ov'ella teneva i propri monili, ne tolse una borsa di fina pelle rivestita di velluto
trapunto d'oro, e:

Éccovi, Galeotto, disse pórgèndogliela; — vogliáte tenerla
per mia memòria. Io l'ho trapunta.

Il cavalière la prese senza esitazione alcuna.

In oggi un uomo non accetterebbe, si stimerebbe anzi
umiliáto, vilipeso, offeso enormemente da una símile offerta,
dell'amante; questa stessa non oserebbe fare tale offerta
ovvero la circonderebbe d'una quantità di eufemismi; ma
allora, in cui in alcune, anzi in molte cose era maggiore buon
senso che nei tempi presenti e non si avevano nella testa
tante idèe sciocche importate dalla moderna civiltà, nessuno
pensava tenersi ingiuriáto da un dono di denari. Soltanto
la incòngrua e falsa educazione dei giorni nostri, che ha per
base la mancanza di schiettezza e si fonda sui rispetti umani,
sulle frivolezze, può far ritenere obbrobrióso l'accettare un
dono che vale quanto un altro e che anzi può servire meglio
d'un altro. E la incongruenza del moderno pensare apparisce
maggiormente quando si rifletta che questo è proprio il sècolo
mercatante, in cui più d'ogni altra cosa si stima il denaro, in
cui si ha riguardo quasi soltanto alla conveniènza econòmica
anzichè alle idee gentili.

Galeotto prese dunque senza esitare la borsa offèrtagli
da Valentina e ne versò quasi tutto il contenuto in quella
di Brandino, che ne fu lièto; poi, poste le labbra sulla biscia
viscontea ricamata dalla principessa, appese la borsa alla
propria cíntola.

I due cugini amanti scambiáronsi l'estremo addío. Lau-
retta spense cautamente la lámpada; Brandino e Rinaldo
attaccárono la corda alla finestra, e quegli, baciata la mano
di Valentina che tale onore gli aveva concesso, scese primo.
Galeotto sentì un sommesso singhiozzo a sè vicino e una mano
posárglisi su un braccio; con l'altro egli allora fece arco e
strinse dolcemente a sè la snella persona di Valentina che
con ambe le braccia gli cinse il collo e si attrasse il capo di
lui. Egli non vide, sentì le lagrime che rigavano la gota alla
gióvine principessa . . .

Brandino era omai sceso, e udívasi l'acqua della fossa
gorgogliare sordamente contro il corpo di lui. Galeotto valicò
la finestra e s'aggrappò alla corda.

— Addío, Valentina, — mormorò.

Essa non rispose; non poteva. Là, appoggiata alla finestra, immota, vedeva spiccare oscura contro lo stellato firmamento la figura di Galeotto che incominciava a scéndere; omai essa non discerneva più che il capo di lui e le piume del cimiero; un álito le portò ancora le parole: «Addío, Valentina», mormorate in tona di voce lungo, accorato; poi la fanciulla distinse le piume sole, poi nulla. Se anche avesse voluto spòrgersi in fuori o mirar lui discéndere, l'avrebbe impedito lo spessore del muro. Ma presto s'udì un nuovo gorgóglio dell'acqua: Galeotto trovávasi già nella fossa. Rinaldo scosse allora la corda: era lenta; la tirò a sè, poi salì nel vano della finestra e potè discèrnere due ombre agitarsi sulla riva opposta e svanir rapidamente.

(De la novela histórica: «Valentina Visconti» por *L. Paría*.)

Lección vigésimotercera.

De los adverbios.

1.º — Los adverbios se tratan y se dividen en italiano del mismo modo que en castellano, y hacen en ambas lenguas los mismos oficios. — Hay adverbios primitivos y derivados, simples y compuestos; además, locuciones formadas con varias voces, cuyo conjunto tiene significación adverbial; v. gr.:

ieri	ayer	*di tempo in tempo*	de vez en
abbastanza	bastante		cuando
d'altronde	además		etc.

2.º — Hay adjetivos que se emplean, en su forma masculina singular, como adverbios; tales son: *certo, stesso, chiaro, pròprio, molto, poco, lontano*. Ej.:

È proprio così. — Es cabalmente así.

Da ciò si vede molto chiaro che . . . — Por esto se ve muy claro que . . .

Oggi stesso verrò, certo. — Hoy mismo vendré, de veras.

3.º — Muchos adverbios, especialmente los derivados de adjetivos, tienen los mismos grados de comparación que éstos, v. gr.:

tardi	tarde	*più tardi, meno tardi, tardíssimo* o *molto tardi.*
grandemente	grandem.	*più, meno grandem.; grandissimamente.*
bene	bien	*mèglio* mejor, *benissimo* o *molto bene* muy bien, etc.

(*N.B.* — *Peggio* peor; *più* más; *meno* menos.)

4.º — Algunos adverbios hacen también oficio de conjunciones o preposiciones, otros de pronombres, por ejemplo:

come, quando, dove, onde y *donde, dietro (detrás, tras), dopo (después, más tarde),* etc.

5.º — Los adverbios acabados en *-mente* se forman del *femenino singular* de los adjetivos; si tal femenino acaba en *-le, -re,* la *e* final se pierde, v. gr.:

onesto	honesto,	*onestamente.*	*scorré-*	corredi·	*scorrevol-*
caro	querido,	*caramente.*	*vole*	zo,	*mente.*
fedele	fiel,	*fedelmente.*	*partico-*	particu-	*particolar-*
amábile	amable,	*amabilmente.*	*lare*	lar,	*mente.*

(Superl.: *fedelissimamente, amabilissimamente, carissimamente,* etc.)

NB. — No se usa en italiano suprimir la terminación *-mente* cuando varios adverbios se siguen; v. gr.:

caballeresca, generosa y gen-tilmente,	*cavallerescamente, generosa-mente e gentilmente.*

(Para evitar el sonido ingrato de muchos *-mente,* se pueden emplear locuciones adverbiales, v. gr.: *in maniera gentile,* etc.)

6.º — Otras particularidades se aprenderán por la práctica. — He aquí una lista de los adverbios (y de algunas locuciones adverbiales) más comunes:

a) — de lugar.

qui	aquí	*sopra, su*	arriba
lì	allí	*sotto; abbasso,*	debajo; abajo
là	allá	*giù*	
qua	acá	*(di)rimpetto*	enfrente
colà	acullá, allá	*dappertutto*	por todas par-tes
costì, costà	ahí		
presso, vicino	cerca	*dovunque*	(por) doquiera
lontano, lungi	lejos	*altrove*	en (o a) otra parte
dentro	dentro, adentro		
fuori	fuera, afuera	*d'altronde*	de otra parte
ivi, vi, ci (ve, ce)	allí, allá	*(all')intorno*	alrededor
ne	de allá (de allí, *etc.*)	*ecco*	he aquí, he allí
		da qui, da lì	desde aquí desde allí
ove, dove	donde, adonde		
onde, donde	de donde	*al di là*	más allá
davanti, di-nanzi	delante	*al di qua*	de esta parte
		a dritta; a manca o *a sinistra*	a la derecha; a la izquierda.
avanti, innanzi	adelante		
dietro, indietro	detrás, atrás		

b) — de tiempo.

oggi	hoy	*già*	ya
ièri	ayer	*mentre*	mientras
domani	mañana	*ancóra*	todavía, aún
avantièri, ier-l'altro o *ieri l'altro, l'ultro ieri*	anteayer	*pòi, pòscia*	después, luego
		frattanto	entretanto
		dopo	luego, después
		prima, diánzi	antes
posdomani, dopodomani	pasado mañana	*talora*	
ora, adessó	ahora	*talvolta*	alguna vez, a veces
presto	luego, temprano	*a volte*	
		indi, quindi, in séguito	luego, después
súbito	luego, pronto, de pronto	*stamane, stamattina*	esta mañana
quando, allorchè	cuando	*domattina*	mañana por la mañana
tardi	tarde	*stasera*	esta tarde
sovente, spesso	a menudo	*per tempo*	temprano
sempre	siempre	*anticipatamente*	de antemano
mai	alguna vez		
non . . . mai, giammái	jamás, nunca	*non ancora*	todavía no
		al più tardi	a más tardar.

Vocabulario.

Lo sguardo *il guardo*	la mirada	*girare* *ond'è?*	*volver ¿cómo sucede?
spicciarsi	concluir pronto, apresurarse	*le gríglie*	¿cómo es? las celosías.

Tema 53º.

Il servitore fu riccamente ricompensato. — Veramente non saprei dire se questo lavoro sia difficile. — Dícesi che Dio sia infinitamente buono; come potè dunque creare l'inferno? — Cantate più piano *(en voz más baja); mia madre non sta bene oggi. Speriamo che stía meglio domani. — Se non cammina più adágio *(despacio)*, non la posso seguire; corre troppo veloce. — Mi alzai stamane pertempíssimo *(muy de madrugada)*. — Beníssimo, ragazzi; quando si agisce così, certamente si ha buon cuore. — Viene sempre tardíssimo; venga più presto. — Presto, presto, accorrete; perchè dunque non venite mai? — Hai tu mai veduta ragazza più maliziosa di questa? — Dovunque il guardo io giro, immenso Dio, ti vedo. Ma io non lo vedo mai in alcun luogo! Guárdati intorno, e dappertutto vedrai i segni della mano di Lui. — Andasti ieri a Monza? Sì; e ne arrivo appunto ora. — Va su, e dille che si spicci. — Ond'è (o Com'è) che sei così rosso?

Ecco, ti dirò: vedi quella casa là, un po' lontano, alla diritta?
Da qui non vedo alcuna casa. Méttiti lì; la vedi ora? Quella
là? Sì. Ebbene? Ne venni a corsa *(corriendo)* in 3 minuti
e ¹/₂. — È un contínuo dentro e fuori con questi ragazzi;
domani farò chiúdere la porta. — Chi è abbasso? Giulia. Signorina, venga su, la prego. È lei, amica mia, dietro le griglie?
Sì. Salgo súbito. — Se verrái qua, ti divertirái; ma se vai
là, vi ti troverái male. — Il Beduino era lì presso col suo cavallo; davanti stávano le selle ammucchiáte ch'egli aveva tolte
alla tribù nemica, e un po' più discosto *(lejos)* erano i cadá-
veri degli uccisi. — Mon l'ho più riveduto dacchè partì. — Sei
qui ancora? Partirò più tardi. — Egli va indietro invece
di andare avanti! — Avvèngono a volte cose incredíbili. —
Frattanto la saluto, signore; ne riparleremo poi. Sta bene; addío.

Vocabulario.

El chocolate	*la cioccolata, il cioccolatte*	escuchar	*ascoltare*
la confitura	*la confettura, il confetto*	ayes	*grida, lamenti*
sencillo	*sémplice*	tropezar (con)	*inciampare (in)*
casa de campo	*casa di campagna, villa*	el cadáver	*il cadávere*
		el hospital	*l'ospedale*
detenidamente	*attentamente*	harto	*abbastanza; sázio* (adj.)
la sortija	*l'anello*	el palacio	*il palazzo*
el rubí	*il rubino*	descubrir	**scoprire*
el cartero	*il portalèttere*	Leonor	*Eleonora*
marchar	*camminare, marciáre*	el conde	*il conte*
		extraordinario	*straordinário.*

Tema 54⁰.

Vestida sencilla y *elegantemente*, la señora *presentóse* muy
temprano en casa de su amiga. — Antes no era permitido
hacer esto, ahora se hace muy comúnmente. — Luego dijo el
cura: Señores, deben Vs. pagar de antemano. ¿Y si pagá-
semos después? No se puede; hoy es el último día, mañana
sería ya tarde. — Visitaba entonces a menudo a su tía Luisa
(Luígia) y le llevaba siempre chocolate o confituras; ahora
nunca la visita *(vísita)*. — Si alguna vez te preguntaren
después de estar yo muerto: «¿Qué te parecía de él?», ¿qué
responderías? No sé, lo veré después. — Enfrente había una
linda casa de campo. — Mira muy detenidamente lo que
tienes delante: di, ¿qué es? Una sortija con un *diamante*
y todo alrededor rubíes y *perlas*. — Todavía no ha llegado
el cartero; pues, es tarde ya. No vendrá antes de ponerse
el sol *(prima del tramonto)*. — Mañana por la mañana iré
ádonde fuí esta mañana. ¿Es decir . . . *(Cioè)*? Eres *curioso.*
no te lo diré. Nada me importa *(Non me ne importa).* —

Marcha adelante, yo iré luego con el sobrino de Juan. — Por todas partes no se veían sino heridos; por doquiera que se fuese, no se escuchaban más que ayes de dolor; abajo, arriba, a la derecha, a la izquierda no se tropezaba sino con cadáveres. — ¿Dónde está el hospital? No lejos; antes bien *(anzi)*, harto cerca. — Desde aquí se ve el palacio del rey, y desde allí se descubre el del *infante.* — ¿De dónde llegas a esta hora? ¿Vienes de la ciudad? ¿Vienes de casa de Leonor? De allí vengo. — ¿Qué hallaste en el jardín del conde? Nada *(di)* extraordinario hallé.

Lectura.
Roma.

L'único centro del Lázio sviluppátosi lungo un fiúme e con questo connesso è Roma, la cui importanza come città di trapasso del Tévere è però molto diminuíta per trovarsi essa in mezzo ad un territorio 'scarsamente popolato, e per lo spostamento delle vie di tránsito. La grande importanza acquistata e conservata da Roma dèvesi, ben *(mucho)* più che alla sua posizióne topográfica, al senno[1] ed alla gagliardía de' suoi abitanti ed alle condizióni stòriche. Tra i fattori di caráttere geográfico che contribuírono al suo sviluppo va notata[2] la conformazióne del terreno, che si compone di colline in posizioni facilmente fortificábili nel mezzo dell'ámpia valle del Tévere . . . L'ingrandimento urbano fu facilitato e il caráttere edilízio determinato dalle cave di pietra sotterránee, pròprio[3] nel sottosuolo della città, le cosí dette *catacombe,* che fornívano una buona pietra da costruzione nei tufi vulcánici compatti, mentre le cave di travertino che si tròvano a poca distanza nella campagna romana, specialmente presso Tívoli, e di calcare compatto degli Appennini fornivano una pietra bella anche per edifici sontuosi; materiali più nòbili si potévano poi *(además)* con poca spesa far venire da lontano, sia dall'Appennino, sia specialmente per via di mare. Nè fa difetto l'argilla per la cottura dei mattoni, il più usato materiale da costruzione dei giorni nostri. Contribuì pure allo svilluppo della città eterna la copiosa e sana acqua potábile condóttavi dai Monti Sabini, in parte anche dagli Albani e Sabatini, sui quali le posizioni sane e arióse offrívano a dovízia[4] villeggiature estive. Per la glòria del suo grande nome Roma, dopo essere stata la capitale dell'impero romano, divenne la metròpoli religiosa della cristianità e nei giorni nostri la capitale della nuova Italia.
(Continúa.)

[1]) tino, cordura. — [2]) débese notar. — [3]) cabalmente. — [4]) en abundancia, en copiosidad.

Domande.

Dove si sviluppò Roma?
Presso quale fiume?
Quali furono le cagioni della sua importanza e del suo sviluppo?
Da che fu determinato l'ingrandimento urbano?
Che si dice dell'acqua di Roma e dei monti da cui essa deriva?
Che fu e che divenne la città eterna?

---

c) — de modo.[1])

bène	bien	*apposta, a bella*	adrede
male	mal	*posta*	
così	así	*altrimenti*	de otra manera
come	como	*parimenti*	asimismo
appena	apenas	*fortemente*	recio
invano, indarno	en balde	*volontièri*	de buena gana
adágio	despacio	*malvolontièri*	de mala gana
svelto	aprisa, pronto	*sottovoce*	bajo, en voz
piano, pianino	quedo, quedito		baja
bocconi	de bruces	*davvero*	de veras
così così	así así	*(a) tentoni*	a tientas
a gara	a porfía	*supinamente*[2])	boca arriba
ad onta di (o	a pesar de	*presto, -amente*	pronto
che)	(que)	*al contrário,*	de lo contrario,
senza più ⎫	sin más ni	*all'opposto*	al revés
senz'altro ⎭	más	*a più non posso*	a más no poder
di soppiatto	a hurtadillas	*ginocchióni*	de rodillas
addosso	a cuestas,	*a memòria*	de memoria
	sobre . . .	*a cavalcióni*	a horcajadas.
affatto	de todo punto		etc.
insième	junto, -a, etc.		

d) — de cantidad y comparación.

molto	muy, mucho	*il più . . . pos-*	lo más . . .
poco	poco	*sibile*	posible
alquanto	algo, bastante	*abbastanza*	bastante, harto
troppo	demasiado	*oltremodo*	sobremanera
quanto	cuanto	*quasi*	casi
tanto	tanto	*affatto*	enteramente
più, oltre	más	*appena*	apenas
meno	menos	*soltanto, solo,*	sólo
purtroppo	por desdicha	*solamente*	

---

[1]) A los adverbios de *modo* pertenecen los derivados en -*mente*, de que se habló ya.

[2]) O el adjetivo *supino, -a*. — **Supinamente** significa también *estúpidamente*.

almeno	a lo menos, siquiera	*per lo meno*	por lo menos
nè anche	ni aun, ni si-quiera	*circa, all'incir*) *ca, presso*) *poco, a u.* (*dipresso*)	poco más o menos, apro-ximadamen-te.
a buon mercato	barato		

e) — de afirmación, negación, duda e interrogación.

sì	sí	*neppure*) *neanche* (	ni ... tampoco
no	no	*anche*	también
non	no	*indubbiamente*	indudable-mente
perchè?	¿por qué?		
quando?	¿cuándo?	*forse*	tal vez, quizá, acaso
come?	¿cómo?		
cèrto, -tamente	cierto, de veras	*niente affatto*	de ningún modo
davvero	verdadera-mente	*non . . . più*	no . . . ya
giammái, non . . . mai	nunca, jamás	*non . . . punto*	no... absoluta-mente.
nemmeno	(no...)tampoco		

7.⁰ — Observaciones. — *a)* Varios adverbios pueden pertenecer a diferentes clases, v. gr.:

Da qui ad otto giorni (tiempo);	De *aquí* en ocho días;
Tuo padre è qui (lugar).	Tu padre está *aquí.*
È appena venuto (tiempo);	Acaba de llegar;
Mi diede appena un soldo (cantidad).	Me dió apenas un sueldo.

b) — La locución: *por más . . . que* se traduce *per quanto, per . . . che,* v. gr.:

| *Per quanto grande sia . . .*) *per grande che sia . . .* (| Por más grande que sea . . . |
| *Per quanti denari abbiate.* | Aunque tengáis mucho dinero. |

c) — La otra: *no más . . . que* o *de, no . . . sino,* se traduce casi siempre *non . . . che,* v. gr.:

| *Non mi diede che mele.* | Mo me dió más que manzanas. |
| *Non ha che vent'anni.* | No tiene más de 20 años. |

Vocabulario.

Il poliziòtto	el alguacil	*la gentilezza*	la amabilidad
ammanettare	maniatar	*il borsellino*	el bolsillo
la bara	el féretro, el ataúd	*epperò*	por eso
		stancare	cansar
*trattenére	retener, dete-ner	*lo scudo*	el duro; el escudo
il singhiózzo	el sollozo	*la pesca*	el melocotón.

Tema 55º.

· Di bene *(De mejor)* in mèglio, bravo; sono contento di te. Ed io procurerò di far sempre meglio. — È una brava persona quella di cui stai parlando? Al contrario, è la peggiore che si possa immaginare. — Pian pianino, a tentoni si recárono nella cámera del duca; ma appena essi vi fúrono, i poliziotti li ammanettárono. Davvero? Certo. Come fu avvertita la polizía del loro disegno? Una spía l'avvisò. — Quanto può costare questa catena? Duemìla franchi. — Ginocchioni davanti *(delante de)* la bara, quella dama velata tentava indarno trattenere i singhiozzi. — Fanno a gara a colmarla di gentilezze. — Di soppiatto gli tolse il borsellino dalla tasca. — Quanti versi hai imparati a memoria? Ho studiato poco, epperò non ne so che 20, o 25. — Restai alquanto ha cavalcioni sul muro; ma quella posizione mi stancò molto. — Corse a bríglia *(rienda)* sciolta, e giunse quando l'infelice, steso bocconi al suolo, stava per essere trucidato. — Svelto, fanciullo, dammi la candela, disse. E senza più si mise la chiave in tasca e se ne andò. — Quanto vuoi dare per questo? Indubbiamente ti darò quanto gli altri, e nulla più. Purtroppo lo so. — Fu tanto dolente di quella pèrdita, che non volle più mangiare per due giorni. — Ho ricevuto meno di te; all'incirca come Guglielmo. — Dimmi almeno questo! — E almeno un anno che non viene più qua. Forse l'hai offeso. Anche se fosse vero, non lo dirèi. Perchè? Perchè no. — Non ho neppur tempo di far colazione oggi! — Non ho che mele e pere; come potrei darti delle pesche? Non ne hai nêmmeno una? Non ne ho punto.

Vocabulario.

Soplar	*soffiáre*	la cerviz	*la cervice*
apagar	**estínguere,*	la quinta	*la villa*
	*spègnere	gustar	**piacére*
enojar	*far ràbbia*	el bofetón	*lo schiáffo*
la misa	*la messa*	la mejilla	*la guáncia*
la mercancía	*la mercanzía, la*	volverse	**(ri)vòlgersi;*
	merce		*diventare*
cargante	*noioso*	el puñetazo	*il pugno*
el reloj	*l'orològio*	la fiesta	*la fèsta*
el mezquino	*il meschino*	conocer	**conóscere.*

Tema 56º.

Sopló tan recio en el fuego que lo apagó. Lo hizo adrede para enojarte. — ¿Iremos juntos a [la] misa? Si. ¿Cuándo? A las doce. — De aquí en adelante *(D'ora in poi)* esta mercancía se venderá más barata; hasta ahora *(finora)* fué sobremanera *cara.* — Aunque seas muy rico, por más hermoso que seas, ella no te amará nunca. ¿Por qué? Porque eres de baja ralea *(di bassa orígine).* — Poco a poco quedamos solos, lo que fué harto cargante. — Casi temía por ti. ¿Tanto tardé? Más de dos horas. Quizá tu reloj adelanta *(corre).* Ni por ensueños. Verdaderamente no sé qué decir. — Me dió apenas dos pesetas y no más. — Cayó el mezquino boca arriba y se rompió *(ruppe)* la cerviz. — De muy buena gana compraré esa quinta; es harto cara, pero me gusta sobremanera. — Bien o mal llegó a la ciudad. — Se le acercó a hurtadillas, y le dió un bofetón en la mejilla. ¿Qué dijo el otro entonces? Nada dijo; sino que, volviéndose de pronto *(ad un tratto),* le descargó *(scaricò* o *diede)* un puñetazo en la cara. — A pesar de estar enfermo quiso presenciar *(-ziare)* la fiesta. — Si no tienes luz *(lume),* puedes ir a tientas. — En balde me suplicas *(súpplichi);* ni siquiera por 30 duros te lo cederé. Ni tampoco quiero yo comprarlo. — De aquí a tres meses iré al campo *(in campagna).* — Nunca le ví, nunca hablé con él *(gli parlai),* no le conozco absolutamente *(affatto).*

Lectura.
Roma. (Continuazione.)

La città originaria sorse sulla sinistra del Tévere su quei colli presso al márgine del fiume che offrívano la maggiór facilità di difesa, come il Palatino e il Campidòglio; quest'última specialmente col suo fianco ripidíssimo verso il fiume, costituente la Rupe Tarpèa formata di strati di tufo compatto.

Più tardi la città si allargò anche sugli altri colli, scese nelle frapposte bassure, prosciugate artificialmente e difese dalle inondazioni, si accostò al fiume e passò sulla riva destra, dove delle maggiori alture, Gianícolo e Vaticano, la prima fu in parte racchiusa dalle massicce mura aureliáne, ancór oggi conservátesi. Nessún documento attendíbile[1] permette di seguire le vicende edilízie della città eterna nell'oscuro e triste período di decadenza seguíto alla caduta dell'Impero, e durante il quale si compì la distruzione di gran parte de' suoi monumenti. All'aprirsi dell'età moderna, nel sécolo XVI, le prime carte auténtiche ci móstrano la città raccolta sulle rive del Tévere, nella parte più bassa dell'área occupata anticamente; gli stòrici Sette Colli sono abbandonati campi di rovine, tanto che il Campidòglio dagli *(por los)* animali che vi páscolano fra gli sterpi, si chiama Monte Caprino *(de las cabras),* e il Fòro venerábile, coperto da uno strato di macèrie di oltre *(más de)* 10 m. d'altezza, porta il nome di Campo Vaccino *(vacuno).* Del Vaticano una parte fu incorporata alla città appena nel IX sècolo da Leone IV, e tutti due i colli trasteverini fúrono completamente racchiusi nella cinta urbana con le mura

[1]) fidedigno.

edificate dal 1560 al 1640. In questo quartière trasteverino
s'innálzano: il mausolèo di Adriáno, posto presso il fiume e
che nel Mèdio Evo per la straordinária potenza de'suoi muri
fu trasformato, col nome di Castèl Sant' Ángelo, nella citta-
della² di Roma; il palazzo Vaticano e la chiesa di S. Piètro.
Questi due últimi edifici col terreno immediatamente intorno,
último avanzo del domínio temporale, mediante la legge delle
guarentígie fúrano lasciati al Papa a garanzía della sua in-
dipendenza spirituale. *(Continua.)*

²) fortaleza.

Domande.

Dove sorgeva la città originária?
Dove si estese più tardi?
Che si dice delle vicende edilízie di Roma nel M. E.?
Qual era lo stato della città all'aprirsi dell'evo moderno?
Che cosa si trova in Trastévere?

Lección vigésimocuarta.
De las preposiciones.

Como en castellano, las preposiciones rigen en
italiano el complemento ya directa, ya indirectamente.
Las de la primera clase son en general las verdaderas
preposiciones primitivas y simples; las otras son casi
todas locuciones adverbiales compuestas con una de las
preposiciones *di, a, da.*

Ya se han visto las más comunes *(di, a, da, su, in,
per, fra, con)*; he aquí ahora las demás:

a) — con régimen directo

circa	acerca de	*oltre (a)*	además de; más allá de
contro	contra		
dopo }	tras, después de,	*presso (a)*	junto a, en casa de
aiètro }	en pos de		
davanti (a)	ante, antes de, delante de	*salvo, tranne*	salvo, excepto, menos
durante	durante	*senza*	sin
eccetto, fuor- chè, meno	excepto, menos	*sopra*	sobre, encima de
		sotto	bajo, debajo de
lungo, lunghes- so	a lo largo de	*verso*	hacia, para con
		nonostante	no obstante
mediante	mediante, por medio de	*attraverso*	por, por medio de, a través de;
giusta, secondo	según		

b) — con la preposición **di**

a cáusa o *a cagióne di*	a causa de	*all'intorno di*	alrededor de
a favore di	en favor de	*al di sopra di*	(por) encima de
a forza di	a fuerza de	*a dispetto di*	a despecho de
a ragione di	en razón de	*fuòri di*	fuera de
ad onta di	a pesar de	*invece di*	en vez de, en lugar de
al di là di	más allá de		
al di qua di	más acá de, de esta parte de	*in virtù di*	en virtud de
		per mezzo di	por medio de, por
al di sotto di	(por) debajo de	*prima di*	antes de;

c) — con la preposición **a** o **da**

accanto, allato o *accosto a*	al lado de	*fino* o *sino a*	hasta
addosso a	a cuestas de, sobre	*dirimpetto a*	en frente de, mirando a
		in faccia a	
attorno a	alrededor de, en torno...	*(in) quanto a*	acerca de, tocante a
intorno a			
conforme (a)	conforme a	*(per) rispetto a*	en cuanto a, respecto de (o a)
davanti, avanti a	ante, delante de		
innanzi, dinanzi a		*vicino a, presso a*	junto a, cerca de
		oltre a	a más de
da, fino da, sin da	desde	*lungi* o *lontano da*	lejos de
incontro a	al encuentro de	*in mezzo a*	en medio de.

Vocabulario.

La pazzía	la locura	*la scusa*	la excusa
guarire (-isco)	sanar	*far passeggiate*	dar paseos
l'infánzia	la niñez	*il rigágnolo*	el riachuelo.

Tema 57º.

L'uccello è volato sopra il tetto della nostra casa ed è andato quindi a posarsi sull'álbero più alto del giardino. — In Milano l'antico palazzo reale, ora del Comune, è rimpetto alla Piázza del Duomo. — M'accompagnò fino alla scala e stette là finchè fui al basso (di essa). — Vieni dietro me. — Dopo vent'anni di pazzía guarì. — Il poverino è cièco (sin) dall'infanzia. — Per cagione di quella maledetta trave mi sono spezzato *(roto)* il braccio. — Ad onta di tutte le tue scuse sarai severamente punito. — Durante tutto quel tempo non fece che passeggiate lungo il lago. Secondo i tuoi órdini mi sono recato verso la città. — Circa quell'affare che sai, non posso ancora dirti nulla di preciso. — Sotto la strada corre un rigágnolo. — Nonostante il mio buon volere, non potei

far nulla per lui. — Siate buoni e caritatévoli verso i pòveri.
— In virtù de' suoi poteri discrezionali il presidente chiamò
due nuovi testimoni. — Sarò sempre per i tuoi amici e contro
i tuoi nemici. — Senza me che faresti? È vero; mediante i
suoi buoni offici spero ottenere quel posto. — Oltre il fiume
si stendeva una larga pianura coltivata, mentre al di qua dello
stesso il suolo era tutto pietroso ed incolto. — Prima di Colombo nessún Europeo forse aveva toccata l'América. — Ponti
(Ponte) in fáccia al nemico con ária *(semblante)* serena. —
Invece del padre venne il figlio.

Vocabulario.

El retrato	*il ritratto*	ruin	*vigliácco*
el borrico	*l'asinello*	la ribera	*la riva, la spiággia*
la alforja	*la bisáccia*		
lleno	*pieno*	extender	**stèndere*
la paja	*la páglia*	el número	*la quantità*
antiguas ruinas	*antiche rovine*	espiar	*spiáre*
la butaca	*la poltrona*	la canalla	*la canáglia*
el comporta-	*il diporta-*	la paciencia	*la paziènza*
miento	*mento [rare*	la fuente	*la fontana, la o il fonte*
cerrar	**chiúdere, ser-*		
levantar	*i(n)nalzare, elevare*	el hueco	*la cavità, il buco*
la estatua	*la státua*	el torreón	*il torrióne*
alejar	*allontanare*	Gotardo	*Gottardo.*

Tema 58⁰.

Recibirás por el correo, con esta carta mía, un retrato
de mi niñito. — Delante de la puerta estaba un borrico con
dos alforjas llenas de paja. — Cerca de la ciudad se ven
antiguas ruinas; deben ser los *restos* de un *edificio magnífico*. —
Antes de comer leo *ordinariamente* dos diarios sentado en mi
butaca. — En cuanto a su libro, no puedo decirle nada; después de leído podré juzgar si es bueno o no. — Por su mal
comportamiento fué echado de la escuela. — Salgamos al en-
cuentro de nuestro amigo; iremos hasta el puente. — El criado
obró según mis órdenes; cerró las ventanas que dan a la
(guárdano o danno sulla) calle y dejó abiertas las al jardín. —
En pos de él venía una *turba* de populacho *(popoláccio)* gri-
tando *(che gridava):* ¡Dale, dale! *(dalli, dalli).* — En medio
de la Plaza de la *Ópera* en el *Cáiro* está la bella estatua de
Ibrahim Pachá *(Pascià).* — En vez de traerle socorro, ¡se
alejó el ruin! — ¡No vayas sin mí, te lo ruego! — A lo largo de la ribera se extendían un gran número de palacios unos
más hermosos que otros. — El fraile miró en torno suyo *(a
sè)* para ver si alguien le espiaba. — Desde su niñez fué aquel
hombre muy desdichado. — ¡Lejos de mí, canalla! — ¡Hasta

dónde llevarás nuestra paciencia, o Catilina! — Frente al
hospital veíase una bella fuente de mármol, y debajo de ella
un hueco por donde desaparecía el agua. — Venid todos, excepto tú, *Alfonso*. — Encima del torreón se ve un árbol. —
De esta parte del San Gotardo se habla italiano; de la otra se
habla alemán.

Lectura.
Roma. (Continuazione.)

Nel piano attuale della città la diversa disposizione delle
strade e delle piazze nei diversi quartièri parla eloquentemente
all'òcchio e mostra il succèdersi degli ingrandimenti in lunghi
sècoli di stòria. Fino al 1870 Roma si può dire sia rimasta
in condizioni medievali: i grandi edifici dell'antichità, più o
meno ben conservati, il Colossèo, il Pánteon, il Foro, il Teatro, gli archi trionfali, gli obelischi ecc., si trovávano frammisti a
quelli del Medio Evo e dei tempi più vicini a noi, specialmente del XVI sècolo (Chiesa di S. Pietro). L'intera città
co'suoi tesori artístici conservati nel Museo Vaticano e negli
altri era una grandiosa, incomparábile raccolta di monumenti
d'arte specialmente architettònici, di oltre due millenni[1]; solo
l'època presente non era affatto rappresentata e ancór meno
le odierne esigenze di òrdine, pulizía *(limpieza)*, tutela sani-
tária, ecc. Il rápido sviluppo incominciato dopo l'annessione
di Roma al resto d'Italia costrinse ad intraprèndere grandiosi
lavori edilizi: nuove, larghe strade fúrono aperte distruggendo
un dèdalo di viuzze sporche, strette; ampio spazio fu guada-
gnato per nuovi rióni[2] con numerosi, eleganti edifici e monumenti, in ispecial modo dal lato di levante, di NE e di NO
(Prati di Castello), mentre le relíquie dell'antichità, per le
quali nei dintorni del Foro e del Palatino si forma una spècie
di zona inviolábile (la zona monumentale), con appòsita legge
fúrono salvaguardati, rispettati; conservati e riuniti nei mu-
sèi i prodotti degli scavi, e questi condotti innanzi con cri-
terî scientífici. Anche il sècolo XIX, almeno negli último anni,
ha data la sua impronta alla città, per quanto *(aunque)* solo
poche delle òpere edilizie pòssano paragonarsi con le antiche.
La città va aumentando in modo straordinario, certo non senza
che si síano commessi degli errori ed attraversate varie crisi;
c'è però ancora molto spazio líbero entro la cérchia delle
mura aureliane, almeno verso S., in giro[3] alle quali, ad un
intervallo mèdio di circa 4 km., è stata eretta, precipuamente
per difesa da un assalto dal lato del mare, una corona di
forti avanzati. I nuovi rioni hanno anzi in qualche lato, verso
NE, varcata la cinta delle mura.   *(Contínua.)*

----

[1] *millennio* = 1000 años. — [2] cuarteles. — [3] en torno.

Domande.

Com'era Roma prima del 1870?
Che si dice dei monumenti?
Che cosa s'intraprese poi?
Dove si trova ancora molto spazio libero?
Che cosa si costruì in giro alle mura aureliane, e perchè?

Lección vigésimoquinta.
Conjunciones. — Interjecciones.

1.º — Las conjunciones se suelen dividir en varias
clases según su función en la frase; además, se dividen
en simples y compuestas. — Como estas distinciones
no son necesarias para nuestro objeto, agrupamos las
conjunciones en una clase única dispuesta por orden
alfabético. — Recordamos aquí que muchas conjunciones
se usan también como adverbios. — Marcamos con *
las que rigen absolutamente el modo subjuntivo.

ad onta di o a pesar de (que)		*così*	así
che		*così come*	así como
affine di	a fin de, para	*cosicchè*	así que, así
*affinchè	a fin de que, para que	*dacchè*	pues que, ya que, porque, pues
*accioccchè		*giacchè*	
*perchè		*poichè*	
almeno	siquiera, a lo menos; ¡ojalá!	*d'altronde*	por lo demás además
allorchè	cuando, si	*dopochè*	después que o de
altresì	otrosí		
altrimenti	si no, de otro modo	*dunque*	pues, luego,
		e, ed	y [conque
anche	también, aun, además	*epperò*	luego por consiguiente
		epperciò	
*ancorchè	aunque, bien que, aun si	*eziandio*	también, otrosí
		finchè, fin che	hasta que
anzi	antes, antes bien		mientras
anzichè	antes que	*imperocchè*	pues, porque, que
appena	apenas	*imperciocchè*	
*benchè	aunque, bien que	*perocchè, chè*	
che	que	*inoltre,*	además
cioè	es decir, esto es, a saber	*oltracciò*	
		infine	en fin, por fin
ciononostante	con todo eso, sin embargo, no obstante	*laddove*	a la vez que, cuando, si
		laonde, onde	por eso, así (que)
come, siccome	como		

ma	mas, pero, sino	*persino*	aun, hasta
*malgrado	a pesar de, aunque	*piuttosto (di o che)*	antes,más bien (que)
mentre	mientras, cuando, a la vez que	*pòi*	además, también (lat. *autem*)
nè	ni [		
nè . . . nè	ni . . . ni	**purchè*	con tal que
neanche	ni aun	*pure, eppure*	sin embargo, con todo eso
nemmeno	ni siquiera,		
neppure	ni tampoco	*pure*	otrosí,también, en verdad
nondimeno	con todo eso,		
nulladimeno	sin embargo,	*posto che*	puesto que
cionondimeno	a pesar de ello	**quand'anche*	aun cuando, aunque
*non ostante	no obstante		
oltrecchè	a más de	**quando*	cuando, si
o, od	o	**quantunque*	aunque
o . . . o	o . . . o	*quindi*	por eso, así pues
oppure, ovvero	o, o bien		
ora . . . ora	ora . . . ora, ya . . . ya	*se*	si
		se anche	aun si, aunque
or dunque	ahora bien	**sebbene*	aunque, si bien
ossia	es decir, a saber, o	**semprechè*	con que, siempre que
per	para, por	*se non che*	solamente,sino
per altro	por lo demás, sin embargo	**sia . . . sia*	sea . . . sea
		*supposto che	supuesto que
perchè	porque,porqué	*tostochè*	apenas, luego que, en cuanto
perciò,	por eso, por		
pertanto	consiguiente	*tuttavia*	sin embargo.
però	por eso, pero	*tuttavolta*	

NB. — Hay otros modos conjuntivos que se aprenderán por la práctica; lo mismo se dice de los diferentes usos de las conjunciones citadas.

2.° — Obsérvese que en italiano se hace frecuente uso del infinitivo (con *di* o sin él), cuando en castellano se emplea la conjunción *que* (expresada o no) con el subjuntivo dependiente de otro verbo (*pregare* rogar, *supplicare* suplicar, *raccomandare* recomendar, *sembrare* parecer, etc.): v. gr.:

La prego di venire domani.	Le ruego a Vd. (que) venga mañana.
Mi raccomandò d'istruirlo bene.	Me recomendó (que) le instruyese bien.
Queste cose sémbrano ripétersi troppe volte.	Parece que se repiten esas cosas demasiadas veces.

Vocabulario.

Affábile	afable	*pagare il fío*	sufrir la pena
bastonare	apalear	*vuotare il sacco*	decirlo todo,
a loro volta	a su vez		cantarlas
lo sbáglio	la falta, el yerro		claras.

Tema 59º.

Ecco alcuni polli; ne vuoi uno o due? Due, e che síano i più belli. — Quantunque egli sía un gran político, non si può chiamare un grand'uomo. — Ti perdonerò, purchè prometta di non dir più bugíe. Ancorchè ricco e possente, era tuttavía affábile con ognuno. — Non venderò nè la carrozza nè il cavallo . . . neanche pensarvi *(ni por pienso)*! — La virtù, benchè perseguitata, pure è amata e stimata. — Essi li bastonárono, li ferírono, li perseguitárono in ogni manièra; come potévano dunque sperare d'esserne amati? Epperò non parve strano che più tardi a loro volta quelli fóssero maltrattati. — Rileggi la lèttera affine di vedere se vi síano degli sbagli. — I vecchi, le donne, persino i bambini furono trucidati. — O è pazzo, o sta per diventarlo. — Giacchè sei tanto ostinato, váttene da qui. — Non vuol pagarmi; quindi lo citerò davanti al magistrato. — Ad onta di tutte le sue promesse non venne. — Almeno *(¡Ojalá!)* fosse un po' più attivo! — Anzichè migliorare, peggiorò. — Dacchè sei tanto generoso, permíttimi di confessarti la mia colpa; non potrèi vívere con quel segreto in cuore. — Tostochè venga, fallo salire. — Mentre tu sei tanto buono con lui, egli è malvágio con te e con tutti; ma non tarderà a pagare il fío della sua malvagità *(maldad)*. — Tu hai seguíto questo órdine d'idèe, laddove avresti dovuto seguirne uno affatto differente. — Or dunque nárrami l'accaduto. Non ostante la mia decisione di tacere, ebbene, parlerò. Inoltre mi dirai quell'altra cosa. Ossía debbo proprio vuotare il sacco! Per altro, se non vuoi, traláscia.

Vocabulario.

La paz	*la pace*	guapo	*grazióso, di bel-*
la estación	*la stazióne; la*		*l'aspetto*
	stagióne	expulsar	**espèllere, scacciare*
la prisión	*la prigióne; la*	el colegio	*il collègio, la scuola*
	-nía; la cattura	tomar	**prèndere*
el oído	*l'orécchia (f.),-chio*	darse a co-	*darsi a conóscere.*
altivo	*altero* [(m.)	nocer	

Tema 60º.

Debí salir de mi tierra para vivir en paz. — Esa niña no es ni fea ni bonita, ni buena ni mala. — ¿Así que crees que vendrán hoy? Hoy o mañana. — Déjame ir, pues tengo que *(devo)* estar en la estación a las 4 en *punto*. — Aunque había vivido en Italia 10 años, no sabía hablar bien el ita-

liano; sin embargo, creíase capaz de hacer *versos* en esta lengua.
— Mientras vivas no saldrás de prisión. — Hasta un ciego
lo vería, ¡y tú no lo ves! — Aunque lo oyera con mis oídos,
no lo creería. — Tú has hablado bien, y él mal; con todo
eso, él tiene razón y tú no. ¡Tú también en contra mía (*me*)!
— Esa señorita es muy guapa, pero no halla marido porque
no tiene *dote*; además es demasiado altiva para casarse con
un hombre de condición inferior a la suya. — No sé si es
bueno o malo, sin embargo sé que fué expulsado del colegio.
Entonces deberías advertir de eso al señor, si no le tomará.
— Habla Vd. como si fuera Vd. el señor aquí. Y lo soy. ¿Cómo?
¿Vd. es . . .? Yo soy el amo, aunque no me doy a conocer.
— No quisieron mis niños ir allí. Ni los míos tampoco, a
pesar de haberles prometido *regalos*. — Aun cuando seas
el rey mismo, no pasarás por aquí. — Apenas le veáis, decidle
que le estoy esperando. Muy bien; adiós.

Lectura.

Roma. (Fine.)

Anche la sistemazione del Tévere, che entro la città ha
un corso tortuoso in forma di *S*, causa di maggiore elevazione
dell'acqua durante le piène col conseguente perícolo della ma-
lária, ha apportato vari cambiamenti, ad esempio lo sventra-
mento del vecchio ghetto.[1] Il fiume al presente è quasi tutto
fiancheggiato nel suo corso urbano da colossali muraglioni, e
numerosi e bei ponti l'attravèrsano. La città ha una completa rete di fogne[2], e le condizioni sanitárie, che verso la
fine dell'època papale èrano divenute, specialmente nell'estate,
molto critiche, si sono grandemente migliorate. Molti decenni
però dovranno ancora passare, prima che la campagna, la quale
oggidì circonda la città eterna come una morta steppa, sia
risanata e resa ferace di grano e di frutti come lo era nell'antichità, dappoichè *(pues)* invero finora nulla di sèrio fu fatto
in questo riguardo.

L'odièrna Roma che ha, dentro la cinta daziária[3], una
superfície di 40 km. quadrati, deve la sua grandezza a due
fattori: Alla sua condizione di capitale dell'Italia e di centro
di tutto l'orbe cattòlico; poichè numerosi seminari degli
òrdini cattòlici ecc., vi hanno la loro sede, e dacchè cessò
il governo papale più forti ancora sono le somme di denaro che vi affluíscono per la fondazione o il mantenimento
di tali istituti. Schière di pellegrini vi convèngono annual-
mente, ed a migliaia scéndono gli stranieri per visitare i suoi
tesori artístici e i suoi monumenti. Per valore, còpia e varietà

---

[1]) judería, barrio de los judíos. — [2]) albañales. — [3]) recinto
de consumo.

di capilavori artístici Roma rimane insuperata nel mondo civile. La condizione di capitale d'Italia, di metròpoli della cristianità, di musèo dei più celebrati monumenti dell'arte e della storia è una delle risorse della popolazione di Roma, che rapidamente si accresce in primo luogo per immigrazione dalle varie parti dell'Italia come pure dà vari paesi del mondo civile e cristiano. Solo lentamente si svilúppano l'indústria ed il commèrcio in misura più vasta che per i bisogni locali. L'attività industriale, la quale potrebbe valersi dell'enorme forza motrice dell'Aniène (Teverone), è ancora prevalentemente casalinga, e, come tutte le nuove intraprese, per la mássima parte non è in mano dei Romani, ma di Italiani di altre province immigrati. Da notarsi sono la lavorazione del marmo nelle sue várie spècie per oggetti di arte statuária o d'arte industriale, i lavori di mosáico, i quadri, ecc. Il commèrcio esce appena dai límiti del bisogno locale. Nel tempo del suo maggiór fiore, sotto Augusto, Roma aveva, tenèndosi ai cómputi più bassi e più fondati, 1.336.000 ab.; verso il 1337, al ritorno dei papi da Avignone, appena 17.000 cittadini vivévano in mezzo alle rovine; sotto Leone X. al princípio del sec. XVI la popolazione era salita a 50.000, alla fine del 1871 a 244.000, nel 1881 a 273.000, e nel 1901 in tutto il comune a 492.783 abitanti, aumento appunto spiegábile con la forte corrente d'immigrazione. Ora Roma ha 1.606.700 abitanti. Così l'odierna Roma ha sorpassato la popolazione che aveva nel período dell'Impero romano.

(De la obra: *La Penísola Italiana*, por T. Fischer.)

Domande.

Che cosa si dice della sistemazione del Tévere?
Che si dice della condizione igiènica della città?
Qual'è la causa del presente fiorire di Roma?
Come vi sono il commercio e l'indústria?
Quali cifre abbiamo esposte sulla popolazione romana?

Interjecciones principales.

Ah!	ay, ah ⎫ !hombre!	*bene! bravo! buono!*	bueno, bravo
oh!	o ⎭		
ahi!	ay	*(che) peccato !*	¡(qué) lástima!
olà! he! ehi!	ah,⸴eh, hola	*bada! òcchio!*	cuidado
zitto! silènzio!	chitón, silencio	*ahimè! ohimè!*	¡ay de mí!
su!orsù! ánimo!	ea, sus, ánimo	*viva! evviva!*	viva
chè chè!	ta ta	*gran Dío!*	¡valgame Dios!
		perdío!	por Dios

Dio lo vòglia!	¡ojalá!	*andiamo!*	vaya, vamos
alla buonora!	enhorabuena	*suvvia!*	
almeno . . .!	¡ojalá . . .!	*bagattelle!*	frioleras
cáspita! per	caramba	*ecco !*	toma
Bacco!		*all' erta!*	alerta
cápperi!	naranjas	*che! via!*	hombre, vaya.

Lectura.

PICCOLA PUBBLICITÀ	ANUNCIOS BREVES
COMMERCIALI	**COMERCIALES**

PROCURÀNDOCI acquisti carta da mácero corrispondiamo provvigioni. Telefonare 67.287

PROCURÁNDOSENOS adquisición papel para macerar pagamos comisión. Telefonear 67.287

DOMANDE AFFITTO APPARTAM. NEGOZI

DEMANDAS ALQUILER VIVIENDAS Y LOCALES NEGOCIO

A CONIUGI bambino necessita per tre mesi appartamento mobiliato 3-4 camere ogni conforto zona signorile. Scrivere Missikoff Grand Hotel

MATRIMONIO con hijo necesita por tres meses piso amueblado de 3-4 habitaciones todo confort en zona residencial. Escribir a Missikoff, Gran Hotel.

CAPITALI E SOCIETA

CAPITAL, SOCIOS

AVVIATISSIMA industria marmi cerca socio collaboratore prático disegno e contabilità apporto capitale adeguato. Telef. 390070

INDUSTRIA del mármol, muy introducida, busca socio colaborador práctico en diseños y contabilidad aportando capital adecuado. Telef. 390070

CAPITALI qualsiasi entità cercansi investimento redditízio massima garanzia. Riservatezza 378193

CAPITALES de cualquier cantidad se buscan para inversión reditícia de máxima garantía. Reserva 378193

VILLEGGIATURE

VERANEO

CASSAMICCIOLA Albergo Quisisana diretto dal dott. De Luise prenota per i mesi di settembre-ottobre; ottimo trattamento. Comodità moderne. Acqua corrente in tutte le camere a 500 metri dalle rinomatissime Terme Belliazzi e Manzi famosissime. per le cure dell'artritismo, reumatismo, sciátiche

CASAMICCIOLA Hotel Quisisana, dirigido por el Dr. De Luise, acepta reservas para los meses de septiembre-octubre; óptimo trato. Comodidades modernas. Agua corriente en todas las habitaciones, a 500 metros de las renombradísimas termas Belliazo y Manzi, famosísimas para la cura del artritismo, reumatismo, ciática.

OFFERTE IMPIEGO E LAVORO

OFERTAS DE EMPLEO Y TRABAJO

DATTILÒGRAFA velocissima istruzione mèdia cercasi indicando requisiti età. Casella 17-G SPI Via Parlamento. 9-Roma

DACTILÓGRAFA velocísima con instrucción media se busca; indicar pretensiones, edad. Apartado 17-G SPI Vía Parlamento 9 Roma

DOMANDE IMPIEGO E LAVORO

DISTINTA colta signorina diplomata maturità classica conoscenza dattilografía lingua inglese referenziata cerca serio decoroso impiego miti pretese. Tel. 852530

DISTINTA INSEGNANTE lunga prática uffici e dattilògrafa, occuperebbesi oppure accompagnerebbe bambini o inválidi. Telefonare 851140

DISTINTISSIMA signora conoscenza italiano, inglese, francese, tedesco e russo darebbe lezioni, traduzioni e recensioni. Telefonare 863535

TRASPORTI MERCI PERSONE

I TRASPORTI più sicuri e più cèleri. Autotreni e vettori di fiducia a vostra disposizione per il trasporto della vostra merce da e per ogni località. ORGANIZZAZIONE ROMANA TRASPORTI. Via Guicciardini 1 (777770).

SMARRIMENTI

MANCIA chi riporterà borsa pelle contenente rasoi Gillette Valet. Telefonare 862934

AUTO-CICLI-SPORT

BALILLA QUADRIMARCE, Efficentissima. Pochi Km. percorsi. Vendo. Vicolo Babuino, 8

DEMANDAS EMPLEO Y TRABAJO

SEÑORITA distinguida, culta, con diploma de bachiller humanidades, con conocimientos de dactilografía, lengua inglesa y referencias, busca empleo serio, decoroso, pretensiones limitadas Tel 85 25 30

MAESTRA distinguida con larga práctica de oficina y dactilografía se emplearía o bien acompañaría niño o inválido. Teléfono 851140

DISTINGUIDÍSIMA señora conociendo italiano, inglés, francés, alemán y ruso daría lecciones o (haría) traducciones y recensiones. Telefonear 863535

TRANSPORTES DE MERCANCÍAS Y PERSONAS

LOS TRANSPORTES más seguros y más rápidos. Autotrenes y conductores de confianza a vuestra disposición para el transporte de vuestra mercancía de y a toda localidad. Organización romana de transporte. Vía Guicciardini 1 (777770)

PÉRDIDAS

GRATIFICACIÓN a quien devuelva bolsa piel conteniendo útil afeitar Gillette Valet. Telefonear 862934

AUTOS-CICLOS-ARTÍCULOS DEPORTE

BALILLA cuatro marchas, eficientísimo, pocos km recorridos. Vendo. Vicolo Babuino, 8

Apéndices.

I.

(a la pág. 2).

Sobre la pronunciación de la *e*, y de la *o*.

NB. — La *e* y la *o* no se pronuncian de igual manera
en todas las regiones italianas; especialmente el sonido de la *e*
varía mucho según que se oiga pronunciado por los naturales
de la Italia septentrional, o por los de la central y meridional.[1]
Tampoco concuerdan los gramáticos y vocabulistas en todos
los casos acerca del sonido de dichas letras. En este libro
hemos señalado el sonido según la indicación del vocabulario
del toscano Petròcchi (aunque otros toscanos difieran de él
en algunos puntos).

Se pueden indicar estas reglas generales:

1.º — La vocal *e* se pronuncia *abierta:*

a) cuando en la última sílaba está seguida de otra vocal,
   excepto en el pronombre *ei*, en las formas sinco-
   padas (como *quéi* por *quelli*), y en la exclamación
   ehi;

b) en el final *-endo, -ente, -enza, -estro;* en *-ello, -ella,*
   -elli, -elle de los diminutivos; en *-èsimo, -a, -i, -e*
   de los numerales; y en los finales *-ebbi, -etti, -ento*
   de los verbos;

c) por lo común cuando está precedida de *i* con la cual
   forma diptongo, o de *j;*

d) en las voces del condicional acabadas en *-ei;*

e) en *-ezio, -a, -î, -e.*

2.º — La vocal *e* se pronuncia *cerrada;*

a) en las terminaciones *-mente, -mento, -ezza* y en los
   diminutivos en *-etto, -etta, -etti, -ette;*

---

[1] En general los de la septentrional pronuncian *é* cerrada
donde los otros pronuncian *è* abierta; y a menudo viceversa. — Lo
mismo puede decirse, aunque la diferencia sea menos frecuente,
acerca de *ò* y *ó*.
Análoga reflexión sobre los sonidos, suave y duro, de *s* y *z*.

b) en los pretéritos en *-ei;* y en varias otras voces
verbales (que resultan por los paradigmas de conjugaciones en las Lecc. correspondientes;

c) en las palabras italianas agudas (a la vez que las de
origen extranjeras tienen *-è*);

d) en los finales *-éccio, -éfice, -esco, -ese, -ésimo* (excepto
en los numerales), *-eto, -évole.*

NB. — Hay voces en las cuales la *e* se pronuncia cerrada o abierta según la significación, v. gr.: *accétta* hacha,
accètta acepta; — *ésse* ellas, *èsse* la letra *s*; *ésca* cebo, *èsca*
salga; — *légge* ley, *lègge* lee; — *pésca* pesca, *pèsca* albér-
chigo, — *séi* eres, *sèi* seis; — *téma* miedo, *tèma* tema; —
vénti veinte, *vènti* vientos; etc.

3.⁰ — La vocal *o* tiene el sonido *abierto:*

a) en los finales acentuados (agudos);

b) en los monosílabos, excepto: *non, con, don;*

c) por lo común cuando está precedida de *u* con la cual
forma diptongo (aunque la *u* se suprima);

d) en las voces en que la *o* se ha originado de *au*
(v. gr.: *lode* de *laude* = alabanza, loor); se exceptúan
o, coda, foce;

e) en las terminaciones en *-oro,* excepto: *loro, coloro;
costoro;* y en las donde *o* va seguida de vocal;

f) en los afijos *-onso, -òntico, -òrio, -òtto, -òzio, -òccio,*
y otros;

g) en los pretéritos y participios en *-ossi, -osso.*

4.⁰ — La *o* se pronuncia *cerrada:*

a) en las terminaciones en *-ona, -one, -orno, -oce, -ozzo,
-oso, -oio, -bondo;*

b) cuando le sigue *m, n, r.*

NB. — Hay voces en las cuales la *o* se pronuncia cerrada o abierta según el sentido, v. gr.: *accórre* acude, *accòrre
(accórre,* por *accògliere)* acoger; — *fósse* fuese, *fòsse* fosas;
— *scórsi* recorrí, *scòrsi* vislumbré; — *tórre* torre, *tòrre* (por
tògliere) tomar; — *vólgo* vulgo, *vòlgo* vuelvo; etc.

II.

(a la pág. 28—29).

Observaciones sobre el plural de los sustantivos.

1.⁰ — Como se ha indicado ya, varios sustantivos
masculinos pueden tener doble (y aun triple) forma de

plural, a saber: una masculina regular en *i*, otra femenina en *a*. En general, a la diferente forma corresponde más o menos diferente sentido.

		plural	
anello	sortija, anillo	*gli anelli*	*le anella* (de cabellos)
braccio	brazo	*i bracci* (de máquinas)	» *braccia* (de personas, o varas)
budello	tripa	» *budelli*	» *budella* (colectivo)
calcagno	talón	» *calcagni*	» *calcagna* (sentido figurado)
carro	carro	» *carri*	» *carra* (colectivo)
castello	castillo	» *castelli*	» *castella* (estilo elevado)
cervello	cerebro	» *cervelli* [1])	» *cervella* (colectivo) [1])
cíglio	borde, ceja	» *cigli*	» *ciglia* (cejas)
coltello	cuchillo	» *coltelli*	» *coltella* (estilo elevado)
comandamento	precepto	» —*ti*	» —*ta* (id. id.)
corno	cuerno	» *corni*	» *corna* (los 2 de animales)
cuóio	cuero	» *cuoi*	» *cuoia* (voz figurada)
dito	dedo	» *diti* (poco usado)	» *dita*
filo	hilo	» *fili*	» *fila* (voz figurada)
fondamento	fundamento	» —*ti*	» —*ta* (de edificios)
frutto	fruto	» *frutti*	» *frutta* y *frutte* (colect.)
fuso	huso	» *fusi*	» *fusa* (voz figurada)
gesto	gesto	» *gesti*	» *gesta* y *geste* (hazañas)
ginòcchio	rodilla	» —*chi*	» —*chia*
gómito	codo	» *gómiti*	» *gómita* (más selecto)
grido	grito	» *gridi*	» *grida* (colect.)
labbro	labio	» *labbri*	» *labbra* (de la boca, etc.)
legno	leño, madera	» *legni*	» *legna* (colect.) [2])
lenzuòlo	sábana	*i lenzuoli*	» *lenzuola* (de cama)
membro	miembro	» *membri*	» *membra* (de animales)
muro	muro	» *muri*	» *mura* (de ciudad o fortaleza)
osso	hueso, cuesco	*gli ossi*	» *ossa* (de animales)
peccato	pecado	*i peccati*	» *peccata* (voz selecta)
polpastrello	yema (del dedo)	» *polpastrelli*	» *polpastrella* (menos usado)
pomo	manzana, pomo	» *pomi*	» *poma* (= frutos — voz poét.)
pugno	puño	» *pugni*	» *pugna* (voz poét.)
quadrello	dardo	» *quadrelli*	» *quadrella* (colect.)
riso	risa, arroz	» *risi* (granos de arroz)	» *risa* (risas)
sacco	saco	» *sacchi*	» *sacca* (voz selecta)

---

[1]) *Cervelli,* varios cerebros; *cervella,* un cerebro.
[2]) Se dice también *la legna* (sing.) en sentido colect. de *leña*; asimismo, *la frutta.*

plural

		plural	
strillo	chillido	*gli strilli*	*le strilla* (colect.)
tergo	dorso, espal-	*i terghi*	» *terga* (*voltar le terga*
	das		= huirse.)
uòvo	huevo	*gli uòvi* (poco	» *uòva*
		usado)	
vestígio	vestigio	*i vestigi*	» *vestigia*
vestimento	vestido	*i vestimenti*	» —*ta* (colect.).

NB. — Donde no hay observación, los dos plurales se pueden usar indiferentemente.

2.⁰ — Plurales de sustantivos compuestos:

a) *Bassorilièvo* bajorrelieve pl. *bassirilièvi*
   capobanda jefe de bando (*o* de música) » *capibanda*
   capopòpolo cabeza de partido, cabecilla » *capipòpolo*
   caposquadra jefe de escuadrón » *capiscuadra*,

y otros semejantes (compuestos de voces declinables), según el sentido de los componentes.

b) *Guardaboschi* guardabosques *andiri-* { rodeo, revuelta (de
   guardacoste guardacostas *vièni* { camino), idas
   battistrada batidor, delantero { y venidas
   guastamestièri chapucero *saliscendi* picaporte,

y otros semejantes no varían en el plural.

NB. — Obsérvese que donde uno de los componentes es verbo o voz indeclinable, no hay variación en el plural de la palabra compuesta.

Todos los nombres compuestos en el No. 2°. son masculinos.

III.

(a la pág. 38).

Sobre el género de los sustantivos.

1.⁰ — De los sustantivos acabados en -*e: a)* Son **masculinos:**

α) los en -**ale, -ile, -one, -me.** — Se exceptúan: *fame* hambre, *speme* esperanza; *cambiále* letra de cambio; *morale* moral; *bile* bilis;

β) los en -**nte.** — Se exceptúan; *mente; gente; lente* lente, lenteja; *corrente* corriente; *patente; sorgente* surtidor;

γ) los en -**re.** — Se exceptúan: *pòlvere* polvo, pólvora; *febbre* fiebre; *torre; èrpete,* herpes; *madre.*

b) Son *femeninos:*

α) los acabados en -**ióne.** — Se exceptúan: los aumentativos: *arcione* arzón; *embrione* embrión; *lampione* farol; *campione* muestra, campeón; *arpione* gozne; *milione* millón; *settentrione* septentrión; *padiglione* pabellón; *battaglione* batallón, y otros;

β) los esdrújulos en -'dine, -'gine. — Se exceptúan: *tèndine* tendón; *cárdine* quicio; *árgine* dique, reparo; y algún otro.

γ) los en ie; — y los en -eve, -orte, -ede, -ute, -te. — Se exceptúan: *norte; piède* pie; *prete* o *sacerdote* sacerdote; *frate* fraile; *abate* abad; etc.

2.⁰ — Los sustantivos acabados en -i son masculinos, menos: *ènfasi, dièresi, ellissi, sintassi, metròpoli, acròpoli, necròpoli* y semejantes derivados de la lengua griega. — *Eclissi* (eclipse) es común.

3.⁰ — Los sustantivos apocopados son del género de la palabra primitiva.

4.⁰ Los nombres propios de ciudades son femeninos cuando acaban en -a, -e; son comunes si acaban de otra manera. (Nunca se errará haciéndolos femeninos, por el nombre *città* = ciudad).

5.⁰ — Los nombres de reinos, regiones y ríos son femeninos cuando acaban en -a no acentuada. Se exceptúan: *Bengála, Guatemála, Mella, Volga,* y otros pocos. — En todo otro caso son masculinos.

6.⁰ — Los nombres de lagos y estanques son casi siempre masculinos por su nombre común *lago, stagno;* y por la misma razón es femenino el de paludes *(la palude)* y surtidores *(la sorgente).*

7.⁰ Los nombres de árboles si no acaban en -a, son generalmente masculinos.

De los árboles frutales acabados en -o (masculinos) se cambia la desinencia en -a (femenina) para indicar el fruto; v. gr.: *il pero* (árbol) — *la pera* (fruto). — Se exceptúan: *fico, pomo, cedro* y algún otro, que no mudan.

Los nombres de otros vegetales son casi siempre iguales para la planta o el árbol, la flor y el fruto.

8.⁰ — Son del género común; **áere** *aire,* **fonte** *fuente,* **fronte** *frente,* **fólgore** *rayo,* **trave** *viga,* **cárcere** *cárcel,* **cénere** *ceniza,* **gregge** *rebaño,* **oste** *ejército.*

Dimane *mañana* (día siguiente) masculino; **dimane** *mañana* (principio del día) femenino. (En este segundo sentido se emplea muy raramente, es voz poética).

Fine es común en el sentido de *término*; masculino cuando significa *objeto*, *mira*.

Márgine femenino en el significado de *cicatriz*; en el de *orilla* es común (pero más a menudo masculino).

Tema = *argumento* es masculino; = *miedo*, femenino. (Cfr. Apénd. I., 2.º, NB.).

NB. — Más excepciones y particularidades se aprenderán por la práctica y el diccionario.

IV.

(a la pág. 44, 4.º, *d*).

Lista de los verbos más comunes en **-are** que tienen más de tres sílabas y son *esdrújulos* en el singular y *sobresdrújulos* en la 3.ª p. plur. del presente:

Abitare[1]
accelerare
accomodare
adoperare *usar, emplear*[2]
agitare
alterare
animare
annoverare *contar en el número*
anticipare
applicare
augurare[3]
Beneficare
biasimare[3] *reprender*
Caricare *cargar*
celebrare
centuplicare[4]
certificare
chiacchierare *chacharear*
circolare
considerare
coricare *acostar*
criticare
Desiderare *desear*

desinare *comer (la comida principal)*
disputare
dubitare *dudar*
duplicare[4]
Eccitare
ereditare *heredar*
esagerare
esaminare
esercitare
esitare *dudar, vacilar; despachar*
evacuare
Felicitare
Generare *engendrar*
giubilare *recocijarse, jubilar*
giudicare *juzgar*
grandinare *granizar*
Illuminare
imitare
i(m)maginare
incom(m)odare
indicare
interpretare

---

[1] Ejemplo: Indic. *ábito, ábiti, ábita*, (abitiámo, abitáte), *ábitano* — subj.: *ábiti*, etc.; *ábitino*; — imper.: *ábita, ábiti, ábitino*.

[2] Damos la traducción tan sólo de los que tienen en castellano forma no parecida a la de los italianos.

[3] 3.ª p. pl. *áugurano, -rino*; — *biásimano, -mino*.

[4] Y los demás compuestos de *-plicare*. (*Centúplica, centúplichino*, etc.).

inzuccherare *azucarar*
Lacerare
liberare *libertar*
litigare *reñir*
logorare *consumir, usar*
Masticare *mascar*
meditare
mendicare
militare
mitigare
moderare
mormorare
Navigare
nevicare *nevar*
nobilitare[1]) *ennoblecer*
nominare *nombrar*
numerare
Occupare
operare *obrar*
ordinare *mandar, ordenar*
Partecipare
penetrare
pettinare *peinar*
pizzicare *picar, pellizcar*
praticare
precipitare
predicare
prosperare
Radicare *arraigar*
recitare
regolare *(ar)reglar*
replicare

ricoverare *recobrar, dar asilo*
rimproverare *reprobar, regañar*
rimunerare
riverberare
rosicchiáre *roer*
Seguitare *seguir*
seminare *sembrar*
sollecitare *solicitar*
solleticare *hacer cosquillas*
spasimare *tener penas, codiciar*
stipulare
strepitare *hacer estrépito*
stuzzicare *atizar, estimular*
superare
supplicare
suscitare
Temperare *templar; cortar (plumas)*
terminare
tollerare
trafficare
Ululare *aullar*
Valicare *pasar (montes, etc).*
vegetare
vendicare *vengar*
vigilare
visitare
vituperare
vociferare
vomitare
Zoppicare *cojear*
zuffolare *silbar.*

Asimismo sus compuestos y derivados.

NB. — Los verbos de esta clase que se derivan de adjetivos o sustantivos tienen, en general, en el presente el acento tónico en la sílaba en que lo tiene el correspondiente sustantivo o adjetivo.

V.

(a la pág. 65).

1.⁰ — Principales verbos con el incremento -isc[2]);

NB. — Aquí también suprimimos la traducción de los que tienen en castellano forma parecida a la de los italianos.

[1]) Debería hacer *nóbilito, nóbilitano,* etc. pero hace *nobílito, nobílitano,* etc.

[2]) Los verbos cuyo *radical* acaba en -sc (v. gr.: *páscere,*

10*

Abbellire	hermosear	*atterrire*	espantar
abbrustolire	tostar	*attribuire*	
abbrutire	embrutecer	*attristire*	entristecer
abolire		*attutire*	mitigar; suavizar
abortire	abortar	*avvilire*	envilecer
accudire (a)	atender, ocuparse, cuidar de	*avvizzire*	marchitar(se).
(in)acetire	acedar	*Bandire*	desterrar,publicar
addolcire	endulzar, suavizar	*blandire*	halagar, ablandar
		brandire	blandir (un arma)
aderire		*brunire*	bruñir.
affievolire \ *affralire* /	debilitar, menguar	*Candire*	confitar
agire	obrar	*capire*	entender, caber
aggradire	agradar	*carpire*	obtener con maña
aggrandire	agrandar		
aggredire	acometer	*chiarire*	explicar, ilustrar
agguerrire		*circuire*	cercar, rodear
alleggerire	aligerar, aliviar	*colorire*	
allestire	aprestar	*colpire*	golpear, acertar, herir
ambire	ambicionar, anhelar	*concepire*	
ammannire	aprestar, aderezar	*condire*	sazonar
ammattire	enloquecer	*conferire*	
ammollire	remojar, aflojar	*contribuire*	
ammonire	amonestar	*costituire*	
ammorbidire	suavizar	*costruire*	
ammortire	amortiguar, -tizar	*costudire* \ *custodire* /	custodiar, guardar.
ammutolire	enmudecer		
annerire	ennegrecer	*Deferire*	
appassire	marchitarse	*definire*	
appetire	apetecer, codiciar	*deglutire*	deglutir, tragar
appiccinire	achicar	*demolire*	demoler
ardire	atreverse	*differire*	diferir, retardar
arricchire	enriquecer, adornar	*digerire*	
		diminuire	
arrossire	enrojecer,ponerse rojo	*distribuire*	
		disubbidire	desobedecer
arrostire	asar	*disunire*	
arrugginire	enmohecerse		
asserire	afirmar	*Erudire*	instruir
assopire	entorpecer, adormecer	*esaudire*	oir (favorablemente)
assordire	asordar	*esaurire*	agotar
assortire	sortear	*esibire*	exhibir,presentar.

náscere, conóscere etc.) conservan la *-sc* en toda la conjugación (si no son irregulares), tomando *sc* el sonido paladial *(sc)* o velar *(sk)* según la vocal que le sigue, v. gr.: *pasco, pasci, pasce, pasciamo, pascete, páscono,* — *pascéi, pascerò,* etc.; — *conosco, conosci,* etc. — *conobbi, conoscesti, conobbe,* etc. (irr.).

Fallire — errar, quebrar
fastidire
favorire — favorecer
ferire
finire — acabar
fiorire — florecer
fluire
forbire — pulir, acicalar
fornire — abastecer, proporcionar.

Garantire — afianzar
garrire — gorgear, gritar, regañar
gestire — gesticular; administrar
ghermire — agarrar, asir
gioire — alegrarse, gozar
gradire — agradar
gremire — llenar
grugnire — gruñir
guaire — quejarse, aullar, gañir
(s)gualcire — ajar, machucar
guarire — sanar
guarnire — guarnecer.

Illanguidire — desmayar, debilitar(se)
illiquidire — licuefacerse
imbaldanzire — enorgullecerse, volverse atrevido
imbandire — preparar (comidas, alimentos), guisar
imbarbarire — volverse bárbaro
imbastardire — degenerar
imbastire — hilvanar
imbecillire — volverse imbécil
imbestialire — embrutecer(se), ensañarse
imbianchire — blanquear, ponerse blanco
imbiondire — enrubiar(se)
imbizzarrire — enfurecer(se), volverse caprichoso
imbonire — aplacar
imbottire — henchir, acolchar
imbrunire — oscurecer, ir anocheciendo

imbruttire — volverse feo, afear(se)
immagrire — enmagrecer
impadronirsi — **hacerse dueño,** apoderarse
impallidire
impaurire — poner miedo
impedire
impicc(i)olire — achicar
impietosire — enternecer
impigrire — emperezar(se)
impoltronire — apoltronarse
impoverire — empobrecer
imputridire — pudrirse
inacerbire — exacerbar
inacetire — volverse agrio
inaridire — desecar, agostar, agotar
inasprire — irritar, exasperar
incallire — endurecer
incanutire — encanecer
incaparbire } — obstinarse
incaponirsi }
incenerire — incinerar, incendiar
incivilire
incollerire — **encolerizarse,** amostazar(se)
incrudelire — volverse (o ser) cruel
incrudire — hacer(se) áspero, crudo, duro
indebolire
indurire
infarcire — rellenar, henchir
inferire
inferocire — volverse feroz, ensañarse
infiacchire — debilitar(se)
infingardire — volverse holgazán
infracidire — pudrirse
ingagliardire — fortalecer; reforzar(se)
ingelosire — tener (o dar) celos
ingentilire — ennoblecer, suavizar
ingerire
ingiallire — volverse amarillo
ingrandire — agrandar
inorgoglire — engreir(se)
inorridire
inquisire

insalvatichire	volver(se) o hacer salvaje	*Partorire*	parir
insanire	enloquecer	*patire*	padecer
inserire	insertar	*pattuire*	pactar
insignire	decorar	*pervertire*	
insignorirsi	apoderarse	*piatire*	pleitear
insolentire		*polire*	pulir
insordire		*poltrire*	apoltronarse
insospettire	volver suspicaz	*preferire*	
i(n)sterilire	esterilizar, volver(se) estéril	*presagire*	
i(n)stituire		*profferire*	
i(n)struire		*progredire*	progresar
i(n)stupidire	atolondrar	*proibire*	
insuperbire	engreirse, ensoberbecer	*pulire*	limpiar.
intenebrire	entenebrecer(se)	*Rapire*	robar, arrebatar
intiepidire	entibiar	*redarguire*	
intimidire		*restituire*	devolver
intimorire	poner miedo	*retribuire*	
intirizzire	entorpecer; aterirse	*ribadire*	remachar
		riferire	
intisichire	volver(se) tísico, decaer, marchitar	*ringiovanire*	remozar(se)
		risarcire	indemnizar
		riverire	respetar, saludar, obsequiar.
intristire	entristecer; ponerse malo	*Sbaldanzire*	acobardar(se)
intuire	percibir	*sbalordire*	aturdir, atolondrar
inumidire		*sbigottire*	asustar(se)
invaghirsi	apasionarse, enamorarse	*sbizzarrire*	embravecer, volverse extraño
invanire	vanagloriarse, envanecerse	*scalfire*	rasgar
invelenire	irritar, envenenar	*scaturire*	surtir
invigorire	fortalecer, robustecer	*schermire*	esgrimir, defender
		schernire	burlar
		schiattire	gañir
inviperire	ensañar, irritar	*scolorire*	descolorar(se)
inzotichire	volverse grosero	*scolpire*	
irrigidire	poner(se) rígido.	*seppellire*	sepultar
		smaltire	digerir, despachar
Lambire	lamer		
largire	conceder, dar con liberalidad	*smarrire*	perder, extraviar
lenire	ablandar, aliviar.	*sminuire*	disminuir, menoscabar
		sopire	adormecer
Marcire	podrir	*sostituire*	
munire	proveer de, abastecer, amunicionar.	*sparire*	desaparecer
		spaurire	espantar
		spedire	expedir, enviar
Nitrire	relinchar.	*squittire*	gañir
		stabilire	
Obbedire		*statuire*	
ostruire		*stecchire*	enjugar, secarse

stizzire	irritar	*tramortire*	desmayar
stordire	aturdir	*trasferire*	trasladar
stormire	susurrar (el viento)	*trasgredire*	traspasar.
stupire	asombrar		
suggerire		*Ubbidire*	
supplire		*obbedire*	obedecer
svanire	desvanecer	*unire*	
svilire	envilecer.	*usucapire*	
		Vagire	lanzar vagidos.
Tradire	hacer traición a		

Lo mismo todos sus compuestos y derivados.

NB. — Muchos de estos verbos se usan en sentido transitivo, neutro y reflejo.

2.° — Hay algunos (y sus derivados) que pueden tomar la forma normal o el incremento, a saber:

Adempire	cumplir	*languire*	consumirse
apparire	aparecer	*mentire*	
applaudire		*muggire*	mugir, bramar
assorbire		*nutrire*	
avvertire	avisar, advertir	*off(e)rire*	
bollire	hervir	*(s)partire*	
comparire		*(= dividere)*	
compire	cumplir, acabar	*perire*	perecer
cucire	coser	*putire*	heder
empire	llenar	*ruggire*	
impazientirsi		*salire*	subir
inghiottire	tragar	*soff(e)rire*	padecer, sufrir
lambire	lamer	*tossire*	toser. .

Ej.: *adempio* y *adempisco*, *adempi* y *adempisci*, etc.; *appaio* y *apparisco*, *appari* y *apparisci*, etc.; *languo* y *languisco*, *langui* y *languisci*, etc.

NB. — El verbo *perire* se puede usar en la forma normal (sin incremento) sólo en el subj. e imperativo (pero en estilo elevado o poético). — *(S)partire* se usa raramente en la forma normal; *salire*, *soffrire*, *offrire* raramente con el incremento (los compuestos de *salire*, v. gr.: *assalire* acometer, *trasalire* sobresaltar, menos raramente). — *Putire* se usa casi sólo en la 3.ª pers. sing., *pute*, sin incremento. — *Languire* en el subj. sing. y 3.ª pl. se usa casi sólo con el incremento. — *Adempire*, *compire*, *empire* toman una *i* antes de la terminación en las formas comunes de las personas que pueden tomar el incremento (*adempio* y *adempisco*, etc.); — *apparire*, *comparire*, en igual caso, truecan la *r* del radical en *j* (*appaio*, etc). — *Lambire* no suele emplear la forma sin incremento en la 1.ª pers. sing. del Pres. Indic., en todo el Pres. Subj., y en las 3.ªs pers. de Imperativo. — *Cucire* toma *i* servil entre *c* y *a*, *o* en las formas sin incremento (*cúcio* y *cucisco*, *cúcia* y *cucisca*, etc.).

VI.

(a la pág. 110, y 116).

Lista alfabética de los verbos **irregulares** y defectivos en **-ere, -ire.**

NB. — No se indican en general sino las voces irregulares; todo lo restante es regular. — Como los verbos simples, se conjugan sus *compuestos* y *derivados* cuando no haya indicación en contrario. — Cuando se pone *etc.*, se entiende que todo el tiempo se conjuga normalmente según la primera voz o las primeras voces. — El condicional sigue siempre las mismas irregularidades del futuro. — En el subj. pres. la 1.ª pers. sirve para las tres del singular. — *pp.* = partic. pasivo; — *ppr.* = partic. activo; — *pret. pf.* = pretérito perfecto. — Las formas entre paréntesis son regulares. — Las letras *E, A* indican los auxil. *essere, avere*; donde no hay tales letras, se entiende que se usa el auxil. *avere.*

Accèndere encender — prct. pf. *accesi, accese, accésero;* — pp. *acceso*[1]).

NB. — La mayor parte de los verbos acabados en *-èndere* se conjugan como *accèndere*, v. gr.: *difèndere, pretèndere,* etc.

Accòrgersi (di) reparar (en) — *m'accorsi* — pp. *accòrto(si).*

Addurre (por **addúcere**) aducir — *addussi*[2]); fut. *addurrò*, etc.; pp. *addotto.* — Lo restante se conjuga regularmente según *addúcere*, así pues *tu adduci, egli adduce,* etc.; subj. *adduca, addúcano,* etc.

NB. — Asimismo se conjugan todos los verbos derivados de *-dúcere (-durre)*, v. gr.: *condurre, ridurre,* etc.

Affliggere afligir — *afflissi* — pp. *afflitto.* — Lo mismo: **infliggere** infligir.

Allúdere aludir — *allusi* — pp. *alluso.*

Ancídere (anticuado) matar — *ancisi* — pp. *anciso* (V. **uccídere**).

Annèttere anexar — *(annettei y) annessi* — pp. *annesso.* Lo mismo: **connèttere** juntar.

Apparire y **comparire** aparecer — *appaio* y *apparisco* — *(compaio* y *comparisco, etc.)* — *apparii* y *apparvi* — pp. *apparso* (y *apparito*). — *E.*

Aprire abrir — V. Lecc. XXII, 1.º

Árdere arder — *arsi* — pp. *arso.*

---

[1]) Se entiende que los participios de los verbos irregulares son también variables en género y número como los de los regulares.

[2]) De aquí en adelante se dará sólo la 1.ª pers. del pret. perf., sabiéndose que como ella se forman las dos terceras. — Asimismo, para los verbos que toman el aumento *sc*, se dará sólo la 1.ª pers. del pres. indic.

Ascóndere (selecto) y **nascóndere** esconder — *ascosi, na-scosi* — pp. *ascoso, nascoso* (más común *nascosto*).
Assídersi (voz selecta) sentarse — *mi assisi* — pp. *assiso*. — *E.*
Assístere asistir — *(assistéi* y *assistetti)* — pp. *assistito*.

Lo mismo: **esístere** existir — *E, A;* — **consístere** con-sistir — *E, A;* persístere persistir — *E, A.*

(As)sorbíre absorber — pp. *([as]sorbito)* y *assòrto*. El 2.º es adj. = absorto.
Assúmere emprender, **presúmere** presumir — *assunsi, pre-sunsi* — pp. *assunto, presunto*.
Astrarre, estrarre abstraer, extraer, etc. — V. **trarre.**
Avere — V. Nociones Prelim.

Bere (contracto de **bévere**) beber — *bevvi* (y *bevetti*) — *berò* (y *beverò*) — pp. *bevuto*.

Cadére caer — *caddi*.
Calére importar — (reflejo-impers.) *mi, ti,* etc. *(cule, ca-leva), calse, carrà, carrebbe, cáglia, (calesse)* — pp. *caluto*. — *E.*
Cèrnere escoger — pp. *cernito*.
Chièdere pedir — *chièsi* (y *chiedéi*) — pp. *chièsto*.
Chiúdere cerrar — *chiusi* — pp. *chiuso*.

Lo mismo: **conclúdere** (o **conchiúdere**) concluir, **esclúdere** excluir — *conclusi, concluso* (o *conchiusi, -iuso*), etc.

Cíngere ceñir — *cinsi* — pp. *cinto*.
Circoncídere circuncidar — *circoncisi* — pp. *circonciso*.

De la misma manera: **incídere** grabar.

Cògliere — V. Lecc. XXI, 5.º
Comparíre — V. **apparíre.**
Conóscere conocer — *conobbi* — (pp. *conosciuto*).
Conquídere (voz escogida) conquistar, vencer — *conquisi* — pp. *conquiso*.
Consúmere (poco us.; en su vez, *consumare*) consumir — *con-sunsi* — pp. *consunto*.
Convergere converger — *conversi* — pp. *converso*.
Convertíre, sovvertíre, pervertíre convertir, etc. — *converto* y *convertisco*, y así los otros; *convertíi* y *conversi; sovvertíi* y *sovversi, pervertíi* — pp. regul., y *converso, perverso* (adj.).
Copríre, V. Lecc. XXII, 1.º
Córrere correr — *corsi* — pp. *corso*. — *E, A.*
Costrurre, -uíre construir — reg. y *costrussi* — fut. *costrurrò* y reg. — pp. *costrutto* y reg.
Créscere crecer — *crebbi* — (pp. *cresciuto*) — *E.*

Cuòcere cocer — *cuòco* y *cuòcio, cuòcono* y *cuòciono;* — *còssi* — subj. *cuòca, cociámo,* etc. — pp. *cotto.*

NB. — En este verbo *uo* puede pronunciarse *uó* o *uò.*

Decídere decidir — *decisi* (y *decidetti*) — pp. *deciso.*
Difèndere defender — *difesi* (y *difendéi, -etti*) — pp. *difeso.*
Dilígere (voz selecta) amar — *dilèssi* — pp. *dilètto.*
    Lo mismo: **negligere** (voz selecta) descuidar.
Dipèndere depender — *dipesi* y reg. — pp. *dipeso.* — *E, A.*
Dire — V. Lecc. XXII, 2.⁰
Dirígere dirigir — *diressi* — pp. *diretto.*
Discútere discutir — *discussi* (y *-téi*) — pp. *discusso.*
Distínguere distinguir — *distinsi* — pp. *distinto.*
    Lo mismo: **estínguere** extinguir.
Divídere partir, dividir — *divisi* — pp. *diviso.*
Divèllere — V. **svèllere.**
Dolére doler — *dolgo, duoli, duole; dogliámo, (dolete,) dólgono* — *dolga; dogliámo, dogliáte, dólgano* — *dòlsi* — *dorrò* (pp. *doluto*). — *E, A.*
Dovére — V. Lecc. XXI, 1.⁰ — *E, A.*

Elèggere elegir — V. **lèggere.**
Elídere elidir — *elisi* — pp. *eliso.*
Emèrgere emergir — *emersi* — pp. *emerso.* — *E.*
Erígere erigir — V. **dirígere.**
Èrgere (sincop. de **erígere**) erguir — *ersi* y *ergei* — pp. *erto.*
Esaurire agotar — *esaurisco* — pp. *esaurito* y *esausto* (el 2.⁰ es adj.).
Esígere exigir — pp. *esatto.*
Esímere eximir — *esènsi* (y *esiméi, -etti*) — pp. *esentato* (de *esentare*) y *esènte* (adj.).
Esístere existir — V. **assístere.** — *E, A.*
Espèllere expulsar (y otros compuestos de *pèllere*) — *espulsi* — pp. *espulso.*
Èssere — V. Nociones Preliminares.
Estòllere exaltar — *estòlsi* — pp. *estolto.* (Voces selectas).
Evádere evadirse — *evasi* — pp. *evaso.*

Fèndere hender — *(fendéi* y) *fessi* — pp. *fesso* (y *fenduto*).
Flèdere (poét.) herir. — Se hallan usadas sólo estas voces: *fièdo, fièdi, fiède, fièdono* — *fiedeva,* etc. (todo el imperf. ind.) — *fiedéi,* etc. (todo el pret. pf.) — subj. *fièda, fièda, fièda, fièdano* — *fiedessi,* etc. (todo el tiempo) — *fièdere* — *fiedèndo.*
Fíggere fijar — *fissi (figgéi)* — pp. *fisso* (o *fiso*), *fitto.*[1]

---

[1] Los compuestos siguen a *figgere*; — pero *sconfiggere* (derrotar) tiene por pp. solamente *sconfitto.*

Fíngere fingir — *finsi* — pp. *finto*.
Flèttere plegar (y sus compuestos) — V. *riflèttere*.
Fóndere fundir — *fusi* — pp. *fuso*.
Frángere quebrantar — *fransi* — pp. *franto*.
Fríggere freir — *frissi*, y reg. — pp. *fritto*.

Giacére yacer — *giá(c)cio, giaciámo, giác(c)iono* — *giacqui* — *giá(c)cia* — etc. — (pp. *giaciúto*).
Gire y **ire** ir.[1]) — Se suplen uno a otro; pero, sin embargo, les faltan algunas voces, que se suplen con el verbo *andare*. — Las voces que hay son éstas: pres. ind. e imperat. *giámo, gite* o *ite* — pres. subj. *giámo, giáte* — pretér. perf. *gii, gisti* y *isti, gì; gimmo, giste* y *iste, gírono* y *irono;* — fut. y condicional e impf. indic. completos de *gire* e *ire* — impf. subj. *giste* — pp. *ito* y *gito*. — Falta el gerundio. *E.*
Giúngere llegar — *giungo, giúngono* — *giunsi* — *giunga, giúngano* — pp. *giunto*. *E.*

Illúdere ilusionar — V. **chiúdere.**
Immèrgere sumergir — V. **emèrgere.**
Incídere — V. **recídere.**
Inflíggere — V. **affliggere.**
Intrúdere ingerir — V. **chiúdere.**
Invádere invadir — *invasi* — pp. *invaso*.

Lèdere dañar, ofender — *lesi* — pp. *leso*.
Lèggere leer — *lèssi* — pp. *letto*.

Méscere mezclar, escanciar — *mesco, méscono* — *mesca, méscano* — (*mescéi*) — pp. (*mesciuto* = escanciado); — *misto* = mezclado.
Méttere meter — *misi* — pp. *messo*.
Mólcere (voz selecta) suavizar, acariciar, halagar. — Se hallan usadas sólo estas voces: *molci, molce;* — todo el futuro, el condicional, el impf. indic. y subj.
Mòrdere morder — *mòrsi* — pp. *morso* (y *morduto*).
Morire — V. Lecc. XXII, 3.° — *E.*
Múngere ordeñar — como **giúngere.**
Muòvere mover — *mossi* — pp. *mosso*.

Náscere nacer — *nasco, náscono* — *nacqui* — *nasca, náscano* — pp. *nato*. — *E.*
Nascóndere — V. **ascóndere.**

---

[1]) Son voces selectas; comúnmente se emplea *andare*. Se hallan, sin embargo, usadas en la Italia central.

Nuòcere dañar — (*nuoco* o) *nòccio* — *nociámo, nocete, nuòcono* y *nòcciono* — *nuoca, nociámo, nociate, nuòcano* — *nòcqui* — (pp. *nociuto*).

Offèndere ofender — V. **difèndere.**

Off(e)rire ofrecer — *off(e)risco* y *offro* — *off(e)rìi* y *offèrsi* — pp. *offerto.*

Lo mismo: **soff(e)rire** sufrir, padecer.

Parére parecer — *paio, páiono,* — *paia* etc. — *parvi* o (póet). *parsi* — *parrò* — imperat. (*pari*), *paia, páiano* — pp. *parso* (o *paruto*). — *E.*

NB. Sus compuestos mudan en *el Infinit.* la *e* temática en *i,* v. gr.: *apparire, sparire,* etc. = aparecer, desaparecer, etc. — *apparvi,* o *-ìi,* etc. — *apparso, sparito, comparso.*

Páscere pacer — pp. *pasciuto* (y *pasto*).

Patire padecer — *patisco* — p. pres. *paziènte.*

Pèndere pender — (*pendéi,* — pp. *penduto*) — **Appèndere** colgar, ahorcar — *appesi* (y *appendéi*) — pp. *appeso.*

Perc(u)òtere golpear, herir — como **se(u)òtere.**

Pèrdere perder — (*perdéi, perdetti*) y *pèrsi* — pp. (*perduto*) y *pèrso.* — **Dispèrdere** dispersar — pp. *disperso.*

Persuadére persuadir — (*persuadéi, -detti*) y *persuasi* — pp. *persuaso.*

Piacére placer, gustar — *piáccio, piácciono* — *piáccia, piacciámo, piacciáte, piácciano* — *piacqui* — (pp. *piaciuto*). — *E, (A).*

Piángere llorar — *piango,* (*piangi,* etc.), *piángono* — *pianga, piángano* — *piansi* — pp. *pianto.*

Píngere y **dipíngere** pintar — como **piángere.** — La forma comúnmente usada es *dipíngere.*

Piòvere llover — *piòvve* (y *piovette*). — *E, A.*

Pòrgere alargar, presentar — *pòrsi* — pp. *pôrto.*

Porre — V. Lecc. XXI, 2.º

Possedére — V. **sedére.**

Potére — V. Lecc. XXI, 3.º

Prèmere apretar (reg.). — Sus compuestos, a excepción de **sprèmere** *exprimir* (regular también), cambian la *e* radical en *i* (*opprimere, deprimere,* etc.) y hacen: *opprèssi, deprèssi,* etc. — pp. *opprèsso, deprèsso,* etc.

Prèndere tomar — *presi* (y *prendéi*) — pp. *preso.*

Protèggere — V. **règgere.**

Púngere picar — V. **giúngere.**

Rádere raer — *rasi* — pp. *raso.*

Recídere cortar — *recisi* — pp. *reciso.* — Lo mismo: **incídere** grabar.

Redígere redactar — *redassi* — pp. *redatto.*
Redímere redimir — *redénsi* — pp. *redénto.*
Règgere regir — *rèssi* — pp. *rètto.*
Rèndere hacer, rendir, volver — *resi* (y *rendéi, -detti*) — pp. *reso.*
Rídere reir — *risi* — pp. *riso.*
Rièdere (voz poét.) volver, tornar. — Tiene pocas voces,' a
     saber: *rièdo, rièdi, rième, rièdono* — *riedeva,* etc. —
     rièda, etc. *rièdano* — ger. *riedendo.*
Riflèttere reflejar, reflexionar — *(riflettéi)* — pp. *riflèsso* y reg.
     — Los otros compuestos de *-flèttere* hacen lo mismo;
     — **genuflèttere,** arrodillar, hace también *genuflèssi.*
Rifúlgere resplandecer — *rifulsi* — pp. *rifulso.*
Rilúcere relucir, resplandecer — *(rilucéi)* y *rilussi* — pp.
     (poco us.) *riluciúto.*
Rimanére quedar, permanecer — *rimango, rimángono* — *ri-
     manga, rimángano* — *rimasi* — *rimarrò* — pp. *ri-
     masto. E.*
Risòlvere resolver — *risòlsi* (y *risolvéi, -vètti*) — pp. *(ri-
     soluto* y) *risòlto.*
Rispóndere responder — *risposi* — pp. *risposto.*
Ródere roer — *rosi* — pp. *roso.*
Rómpere romper — *ruppi* — pp. *rotto.*

Salire — V. Lecc. XXII, 4.º — *E, A.*
Sapére — » » XXI, 4.º
Scalfire rasguñar — *scalfisco* — pp. *scalfitto.*
Scégliere — V. Lecc. XXI, 5.º
Scéndere bajar — *scesi* (y *scendéi*) — pp. *sceso.* — *E, A.*
Scíndere separar (con violencia) — *scissi* (y *scindéi*) — pp. *scisso.*
     — (**Prescíndere** prescindir — es regular).
Sciògliere — V. Lecc. XXI, 5.º
Scòrgere divisar, vislumbrar — *scòrsi* — pp. *scòrto.*
Scrívere escribir — *scrissi* — pp. *scritto.*
Scuòtere sacudir — *scossi* (y *scotéi*) — pp. *scosso.*
Sedére estar sentado, sentarse — *sièdo* y *sèggo; sièdono* y
     sèggono — *sièda* y *sègga; sièdano* y *sèggano.* — *E.*
Seppellire sepultar — *-isco* — pp. (*seppellito* y) *sepolto.*
Sèrpere (voz selecta) serpear. — Tiene pocas voces: *sèrpe,
     sèrpono* — *serpeva, serpévano* — *serpa, sèrpano* —
     ppr. *serpènte.*
Solére soler — *sòglio, suòli, suòle, sogliámo, (solete), sògliono*
     — *sòlsi* o *fui sòlito* — *sòglia,* etc. — Se usa poco el
     partic. pas. *soluto;* los tiempos comp. se suelen formar
     con *essere sòlito.*
Sòlvere solver — *(solvéi, -etti)* — pp. *soluto.* — **Assòlvere**
     absolver — *assolsi* — pp. *assolto.*
Sórgere o **súrgere** surgir — *sorsi, sursi* — pp. *sorto, surto.* — *E.*

Spándere derramar — *(spandéi, -detti)* — pp. *sparso* (de *spárgere*), y reg.
Spárgere esparcir — *sparsi* — pp. *sparso*.

En los compuestos la *a* radical se cambia en *e (aspèrgere, cospèrgere)*.

Sparíre — (V. **parére**). — *sparisco* — *(sparíi* y) *sparvi* — (pp. *sparito*).
Spègnere apagar, extinguir — *spènsi* — pp. *spènto*.
Spèndere gastar — *spesi* — pp. *speso*.
Spíngere impulsar — *spinsi* — pp. *spinto*.
Stríngere apretar — *strinsi* — pp. *stretto*.
Strúggere desleir, consumir — *strussi* (y reg.) — pp. *strutto*.
Súggere chupar — pp. *succhiáto* (de *succhiáre*).
Svèllere desarraigar — *svèlgo, svèlgono* — *svèlga, svèlgano* (y también regulares) — *svèlsi* — pp. *svèlto*.

Asimismo: *divèllere* arrancar, y *convèllere* torcer; pero este último hace en el pp. *convulso*. — *Divèllere* puede hacer también *divulso* (pero comúnmente, *divèlto*).

Tacére callar — *tác(c)io, taci, tace, taciamo, tacete, tácciono* — *táccia, tácciano* — *tacqui* — (pp. *taciuto*).

NB. — Se emplea también una sola *c* donde hemos puesto dos; y en efecto es mejor una sola *c*, para evitar confusión con el verbo *tacciare* culpar.

Tèndere tender — *(tendéi)* y *tesi* — pp. *teso*.
Tenére — V. Lecc. XXI, 6.°
Tèrgere limpiar — como **emèrgere**.
Tíngere teñir — *tinsi* — pp. *tinto*.
Tògliere — V. Lecc. XXI, 5.°
Tóndere tundir, esquilar — pp. *tonso* (y *tonduto*).
Tòrcere torcer — *tòrco, tòrcono* — *tòrca, tòrcano* — *tòrsi* — pp. *tòrto*.
Trarre (por *tráere*) traer — *traggo, trai* o *traggi, trae* o *tragge, traiamo* o *traggiámo, traete, tràggono* — *trassi* — *traessi*, etc. — *tragga; traiamo* o *traggiámo, traiate* o *traggiáte, tràggano* — *trarrò* o *traerò* — pp. *tratto*.

Uccídere matar — *uccisi* — pp. *ucciso*.
Udíre — V. Lecc. XXI, 5.°
Úngere untar — V. **giúngere**.
Uscíre — V. Lecc. XXII, 6.° — *E.*

Valére valer — *valgo* y *váglio, válgono* — *valga, válgano* — *valsi* — *varrò* — pp. *(valuto)* y *valso*. — *E, (A).* —
Invalére indroducirse (un uso) — pp. *invalso*.

Vedére — V. Lecc. XXI, 7.º

Venire — » » XXII, 7.º — *E.*

Víncere vencer — *vinco, víncono — vinca, víncano — vinsi — pp. vinto.*

Vívere vivir - *vissi — viv(e)rò — vissuto* (y *vivuto*). — *E, A.*

Volére querer — V. Lecc. XXI, 8º.

Vòlgere volver — *vòlgo, vòlgono — vòlga, vòlgano — vòlsi —* pp. *vòlto.* — **Invòlgere** hace pp. *involto* y *involuto.*

NB. — Se entiende que todos los participios pasivos (regulares e irregul.) cuando se emplean como *adjetivos* o en forma *pasiva*, y no como formas verbales activas, toman el auxiliar *essere*.

Vocabulario.

Italiano-Español.

A.

Abbagliare *deslumbrar*
abbaiare *ladrar*
abbáttere *derribar*; — si in topar con
abbellire *hermosear*
abbiático *nieto*
ab(b)iètto *vil, despreciable, ruin*
abbisognare *necesitar, ser preciso*
abbozzare *bosquejar*
abbruciáre *quemar, arder*
abbrustolire *tostar*
abbrutire *embrutecer*
ábito *traje, vestido, falda, levita;*
   hábito
abitúdine (f.) *costumbre,* **hábito**
accalappiare *coger en el lazo*
accampamento *acampamiento*
accanito *encarnizado*
accanto *cerca, al lado de*
acciáio *acero*
accògliere *acoger, agasajar*
accommiatare *despedir*
accorare *afligir*
accostare *aproximar, tratar*
accréscere *acrecentar*
aceto *vinagre*
ácido *agrio*
acquavite (f.) *aguardiente*
adágio *despacio, lentamente; pro-*
   verbio
addiètro *atrás;* per l'*— en otro*
   tiempo, antes
adesso *ahora*
affaccendato *(muy) ocupado, ata-*
   reado
affamato *hambriento*
affare (m.) *asunto, negocio*

affatto *del todo;* null *— abso-*
   lutamente nada; non . . . *—*
   de ninguna manera
afferrare *asir, coger, agarrar*
affittare *alquilar, arrendar*
affondare *hundir(se)*
affrettare *apresurar*
aggiúngere *añadir*
aggiustare *ajustar, reparar, ar-*
   reglar
agnello *cordero*
ago *aguja, alfiler*
agognare *anhelar, codiciar*
aiuto *ayuda, socorro*
álbero *árbol*
alcunchè *algo*
allargare *ensanchar*
allettare *atraer, deleitar*
all'ingiù *hacia abajo*
allòdola *alondra*
allungare *alargar*
almeno *a lo menos;* —! *¡ojalá!*
altero *altivo*
altro *otro;* altrimenti *de otra*
   manera, sino; altrove *en (o a)*
   otra parte; altronde *de otra*
   parte; d'altronde *además, por*
   lo demás
alveare (m.) *colmena*
amare *amar, querer bien*
ammalato *enfermo*
ammazzare *matar*
ammenda *multa;* enmienda
ammiráglio *almirante*
ammogliársi *casarse*
ammuffire *enmohecerse*
amo *anzuelo*
ampliáre *ampliar, ensanchar*

anche **también**; neanche **ni siquiera**, *(ni)* tampoco
ancóra *todavía*, **aún**
áncora *ancla*
andare *ir, andar*
anello *sortija, anillo*
anghería *vejación*
ánima *alma;* —o *ánimo, valor*
ánitra *pato, ánade*
annientare *aniquilar, anonadar*
annoiare *fastidiar*
ape (f.) *abeja*
appartenére *pertenecer*
appena *apenas;* — ora *ahora mismo;* aver (fatto) — *acabar de . . .*
apposta *adrede*
appunto *cabalmente, justamente, en punto*
arcière (m.), -ero *arquero*
arcivéscovo *arzobispo*
arcolaio *devanadera*
árdere *quemar, arder, abrasar*
ardésia *pizarra*
argento *plata*
ária *aire, semblante, talante*
aringa *arenque;* arr— *arenga*
arrabbiáto *enojado, enfadado*
arricchire *enriquecer*
arrídere *sonreír, ser favorable*
arrivare *llegar*
arrosto *asado;* —stire *asar*
arrotare *amolar; enrodar*
arruffare *enmarañar, enredar*
arr(u)olare *alistar*
artíglio *garra*
ascella *sobaco*
áscia *hacha, segur*
asciòlvere *almorzar;* m., *almuerzo*
asciutto *seco, enjuto*
ascoltare *escuchar, oir*
ásino *asno, burro, borrico; palurdo*
aspettare *esperar, aguardar*
assággio *ensayo, prueba*
assalire *atacar, acometer*
assalto *ataque*
asse (f.) *tabla, plancha;* (m.) *eje*
assediáre *cercar, sitiar*
assèdio *sitio*
assenso *consentimiento*
assetato *sediento*
assettare *componer, arreglar*

assième *juntos, -as, con*
assomigliáre *parecerse, asemejar*
assopire *entorpecer, adormecer*
assottigliáre *adelgazar*
assuefare *acostumbrar*
ástio *odio, saña, rencor*
attaccamento *afecto, apego*
attacare *atacar, atar, pegar*
attenersi (a) *conformarse (con)*
attillato *ajustado, elegante*
attíngere *sacar (agua* etc., *noticias* etc.)
attònito *atolondrado, embobecido, maravillado*
attrito *roce; discordia*
attuare *ejecutar*
augúrio *agüero*
avanti *delante, adelante, ante, antes*
avanzare *adelantar*
avanzo *resto*
avo, ávolo *abuelo*
avoltoio *buitre*
avòrio *marfil*
avveduto *perspicaz, avisado*
avvenente *gentil, guapo*
avvenire *acontecer, suceder;* (m.) *el porvenir*
avventore *parroquiano*
avvertire *avisar, advertir*
avvezzare *acostumbrar*
avvicinare *acercar, aproximar*
azzurro *azul.*

B.

Bacca *baya*
baccano *bulla, tumulto, ruido, estruendo*
bacchetta *vara*
bácio *beso*
baco *gusano;* — da seta *gusano de seda*
bada *dilación, plazo;* tener a — *tener en suspenso;* —! *¡ojo!, mira*
badare a *cuidar de, atender a*
baglióre *claridad, resplandor, relámpago, deslumbramiento*
bagnato *mojado, bañado*
balbettare *tartamudear, balbucear*
baleno *relámpago;* in un — *en un abrir y cerrar de ojos*
bália *nodriza*

balía *poder, potestad*
ballare *bailar, danzar*
balocco *juguete*
balordo *bobo, tonto; embobecido*
balza *peña, roca*
balzare *brincar, saltar*
basso *bajo,* messa —a *misa rezada;* vista —a *vista corta*
battello *barco*
báttere *batir, golpear, herir*
battésimo *bautismo*
bavarese, bávaro *bávaro*
bávero *sobrecuello*
beccaio *carnicero*
becco *pico; cabrón*
beffare *mofar*
bellimbusto *pisaverde*
bello *bello, lindo, bonito, hermoso, guapo*
belva *fiera*
benchè *aunque*
benedire *bendecir*
bensì *si bien, sino*
berretto, -a *gorra, gorro*
berságlio *blanco, hito*
bicchière (m.) *vaso*
biláncia *balanza*
bióndo *rubio*
birbante (m., f.) *bribón, pícaro, -a*
birra *cerveza*
birro *alguacil*
bisbético *difícil, caprichoso, antojadizo*
bisbíglio *murmullo, susurro*
bisogna *asunto, negocio;* —are *necesitar, ser preciso*
bisogno *menester, apuro, necesidad*
bizzarro *caprichoso, singular*
blandire *ablandar, halagar*
bollare *sellar*
bollire *hervir*
bonário *bonachón*
bòria *vanidad; orgullo*
botta *golpe*
botte (f.) *cubo, tonel*
bottega *tienda*
bottone *botón;* — (di fiore) *capullo*
bráccio *brazo; vara*
bramare *codiciar, anhelar*
briáco *borracho, ebrio*
brillare *resplandecer, brillar*
brina *escarcha*
brívido *escalofrío*

brocca *cántaro*
brodo *caldo*
bruciáre *quemar, abrasar*
bruco *oruga*
brughièra *brezal*
bruno *oscuro, castaño, moreno*
brusco *agrio, áspero, brusco, repentino*
brutto *feo*
buco *agujero;* buca *fosa, hoyo*
búe (pl. buói) *buey*
buffo *bufo, alegre*
bugia *mentira; bujía*
bugiárdo *mentiroso; embustero*
buio *oscuro, lóbrego*
búrbero *bronco, regañón, áspero*
burro *manteca de vaca*
bússola *brújula.*

C.

Cáccia *caza*
cacciáre *cazar; echar fuera*
cácio *queso*
cadére *caer(se)*
cagióne *causa*
cagliáre *cuajar*
cagna *perra*
cagnesco (guardare in) *mirar con enojo, de reojo*
calamaio *tintero*
calamita *imán*
calamità *calamidad, desgracia*
calcagno *talón*
calce (f.) *cal*
cálcio *puntapié, patada; coz; culata de fusil*
caldo *caliente*
calére *importar*
calmo *tranquilo, sosegado*
calpestare *pisar, hollar, calcar*
calza *media*
cambiale (f.) *letra de cambio*
cámera *cuarto, aposento, cámara; Cortes;* — da letto *dormitorio;* — da pranzo *comedor*
campagnuòlo *campestre; campesino, aldeano*
campanile (m.) *torre de iglesia*
campare *vivir*
campo *campo, campiña; real;* —santo *cementerio*
cánapa *cáñamo*
cancello *verja, cancel, reja*

candela *vela, bujía*

cane (m.) *perro*

cangiáre *mudar, cambiar*

cantina *bodega, cueva*

canto *canto; rincón; esquina; lado, parte*

canuto *cano*

caparra *arras, prenda*

capello *cabello, pelo*

capezzale (m.) *almohada, travesero*

capire *concebir, entender; comprender, caber*

capo *jefe, cabeza, extremidad, cabo*

capolavoro *obra maestra*

cappellaio *sombrerero*

cappello *sombrero*

capriòlo *corzo*

cárcere (m., f.) *cárcel*

carnevale (m.) *carnestolendas, carnaval*

carrozza *coche, carruaje*

carta *papel; mazzo di —e baraja; — asciugante teleta, papel secante*

cartéggio *correspondencia, epistolar*

cartolaio *papelero*

casotto *garita, granja*

cassa *caja, cofre; féretro, ataúd*

casúpola *choza, casita*

catasta *montón, pila*

catenáccio *cerrojo*

catinella *jofaina; piòvere a catinelle llover a cántaros*

cattivo *malo; cautivo*

cáule (m.) *troncho*

cavalière (m.) *caballero; jinete*

cavalla *yegua*

cavallerizza *picadero*

cavare *sacar, cavar*

ceffo *hocico, mal semblante*

cèlia *burla, mofa*

cèlibe (m.) *soltero*

céncio *andrajo, trapo*

cénere (f.) *ceniza*

cenno *signo, gesto, seña*

ceralacca *lacre*

cercare *buscar; tratar, intentar*

cervello *cerebro*

cespúglio *mata, matorral*

cheto *quieto, sosegado*

chiamare *llamar*

chiave (f.) *llave*

chièsa *iglesia*

china *declive, pendiente*

chiòdo *clavo*

chiòstro *claustro, convento*

chiúdere *cerrar*

cièco *ciego*

ciéra *semblante, cara; far buona — agasajar; poner buena cara*

ciliègia *cereza*

cima *cumbre, cima; copa*

cioè *es decir, a saber*

ciòttolo *guijarro*

circa *aproximadamente, cerca de*

cògliere *coger, topar*

colazióne (f.) *almuerzo; far — almorzar*

colèra (m.) *cólera (enfermedad)*

còllera (f.) *cólera, ira*

colombo, -a *palomo, -a*

coltre (f.) *manta, cubierta*

cominciáre *empezar, comenzar*

commiáto *despedida*

compatire *compadecer*

cómpiere *acabar, cumplir*

conca *artesa, concha*

condurre *llevar(se), conducir, guiar*

congedare *despedir, licenciar*

congiuntura *coyuntura, ocasión*

coniáre *acuñar*

consegnare *entregar, consignar*

consiglio *consejo; concejo*

contadino *aldeano, campesino, labrador*

contanti (in) *al contado*

contèndere *reñir, contender*

contrada *comarca, país, región*

convenire *convenir, reunirse; estar conformes*

coperta *manta*

coppia *pareja, par*

coróggio *ánimo, valor*

coricare *acostar*

còscia *muslo*

così *así, tan*

cotone (m.) *algodón*

crepitare *chirriar*

crusca *salvado*

cucchiáio *cuchara; cucchiaíno cucharilla*

cucire *coser; cucitura costura*

cugino, -a *primo, -a*

cuòco, -a *cocinero, -a*

11*

cuòio *cuero*
cuòre *corazón; valor*
cupo *sombrío*
cura *cuidado; parroquia*
curare *cuidar, atender a*
curato *párroco, cura*
cute (f.) *cutis*
czar *zar.*

D.

Da *de; en casa de; junto a, cerca de; desde*
dabbene *de bien, honrado*
dáino *gamo*
damma *gama*
danaro *dinero*
danneggiáre *dañar*
dappertutto *en (a) todas partes, por doquiera*
data *fecha*
dáttero *dátil*
dázio *impuesto, aduana, portazgo, recinto de consumo*
débito *deuda; debido*
decapitare *descabezar, decapitar*
decesso *finado, fallecido;* (m.) *fallecimiento*
dèdica *dedicatoria*
dedurre *deducir*
defunto *finado*
deluso *engañado; desilusionado*
dente (m.) *diente*
deperire *deteriorarse, deslucirse, ahilarse*
derelitto *abandonado, desamparado, desválido*
derídere *mofar, burlar*
desco *mesa*
desidèrio *deseo*
destare *despertar*
desto *despierto, ágil, inteligente*
destro *diestro, hábil, astuto;* venire il — *tener la ocasión favorable*
desúmere *inferir, argüir*
detèrgere *limpiar, enjugar*
deviáre *desviar*
dì *día;* di *de;* di' *di (tú)*
diáncine *caramba, cáspita*
dianzi *antes*
diávolo *diablo*
diètro *tras, atrás, detrás (de)*
difesa *defensa*

diffalcare *quitar, rebajar*
diffidenza *desconfianza*
dileguare *derretir(se), hundirse, desaparecer*
dimagrare *enflaquecer*
dimenare *menear, sacudir*
dimenticare *olvidar*
dimesso *humilde; licenciado,* **destituido**
dimora *habitación, vivienda, morada, paradero*
dinanzi *delante*
(d)intorno *alrededor;* dintorni *cercanías, alrededores*
dipinto *pintado; cuadro*
dire *decir;* per così — *por decirlo así*
dirupo *despeñadero*
disegnare *dibujar*
disegno *dibujo; designio, plan*
dispiacére *desagrado, pesadumbre;* (v.) *desagradar, pesar, sentir;* mi (di)spiace *siento*
disserrare *abrir, destapar*
dissetare *apagar la sed*
dissipare *disipar, malgastar*
distògliere, distòrre *disuadir, desviar*
distrúggere *destruir,*
disubbidire *desobedecer*
divèllere *arrancar*
divenire *hacerse, volverse*
dogana *aduana*
domandare *preguntar, pedir, demandar*
domani *mañana*
doménica *domingo*
donde *de donde*
dopo *después (de);* —domani *pasado mañana*
dopopranzo *la tarde; por la tarde*
doppière (m.) *candelero*
dóppio *doble, duplo*
dote (f.) *dote;* —i *prendas*
dove *donde, adonde; cuando, si*
dovere *deber;* (m.) *el deber*
dunque *conque, por consiguiente, así pues, luego*
duòmo *catedral*
durácina (pesca) *melocotón, duraznilla*
durata *duración.*

E.

Ebbro *embriagado, ebrio*
èbete (m.) *estúpido, atontado*
ebrèo *judío, hebreo*
eccèdere *exceder*
ecco *he aquí, he allí*
édera *yedra*
effeminato *afeminado*
elèggere *elegir*
èlica, èlice (f.) *hélice*
Ella *usted*; ella *ella*
elsa *empuñadura (de la espada)*
emicránia *jaqueca*
émpiere, enlpire *llenar, henchir*
ènfasi (f.) *énfasis*
enfiare *hinchar* [dos
entrambi, -e *ambos, -as, los (las)*
entrata *entrada; renta*
entro *dentro, en*
episcopato *obispado*
epperò *por esto, por consiguiente*
eppòi *luego, además*
eppure *sin embargo*
equatore (m.) *ecuador*
erba *yerba;* —oso *herboso*
erede (m., f.) *heredero, -a*
eredità *herencia*
eremita *ermitaño;* —taggio *ermita*
èremo *desierto, ·a; ermita*
eresía *herejía*
eròe (m.) *héroe*
erto *escarpado, yerto, empinado*
esaurire *agotar*
esca *cebo; yesca*
eseguíre *ejecutar, cumplir*
esèmpio *ejemplo*
esèrcito *ejército*
esí(g)lio *destierro*
èsile *flaco, delgado*
esplòdere *estallar*
esprímere *exprimir, expresar*
estate (f.) *verano*
èstero *extranjero*
estòrcere *sacar por fuerza o con
mañas, arrancar, hacer una
extorsión*
estrarre *sacar, extraer*
èsule (m.) *desterrado*
età *edad*
ette (non capire un) *no comprender nada*
evádere *evadirse, escaparse*
eziandío *también.*

F.

Fàbbrica *fábrica, manufactura*
fabbro *herrero, forjador*
faccenda *asunto, negocio; hacienda*
fáccia *cara, rostro, semblante; haz*
facciáta *fachada, llana*
face (f.) *luz, antorcha*
fàggio *haya*
fagiuòlo *judía*
falco *halcón*
falegname (m.) *carpintero*
fama *fama, reputación;* è — che
se dice que
fame (f.) *hambre*
famíglio *criado*
fanale (m.) *farol, fanal*
fanciullo *niño;* —llezza *niñez;*
—llesco *pueril*
fantesca *criada*
fare *hacer;* (sust. m.) *ademán*
faretra *carcaj*
farina *harina*
farmacía *botica*
farmacista *boticario*
farsetto *casaca*
fáscia *faja, venda*
fáscio *haz, gavilla, fojo, legajo,
manojo, lío*
fastello *fagina, haz, lío*
fata *hada*
fatto *hecho; acción, hazaña*
fattezze (pl. f.) *facciones*
fattucchière, -a *hechicero, -a*
favella *habla, lengua*
favilla *chispa*
fazzoletto *pañuelo*
febbre (f.) *fiebre, calentura*
fèccia *hez*
fede (f.) *fe;* fedele *fiel*
fèdera *funda (de almohada)*
fégato *hígado*
fèndere *hender*
fèrie (pl. f.) *vacaciones*
fermare *parar, detener*
fermo *firme; per* — *por cierto*
ferro *hierro;* ferrovia *ferrocarril*
fèrvere *hervir*
festa *fiesta*
fetente *hediondo*
fiamma *llama;* – ata *llamarada*
fianco *ijar, lado*
fiato *aliento, resoplido*
fidanzare *desposar*

fidanzato, -a *novio, -a*
fièno *heno*
figlio *hijo*
filo *hilo, hebra; filo, corte (de espada* etc.)
finchè *hasta que*
fine (m.) *fin;* objeto; (f.) *cabo, fin;* (adj.) *fino, delicado, delgado, sutil*
fíngere *fingir, aparentar*
finire *acabar, concluir*
finto *fingido, postizo*
fiòcco *copo*
fiòco *débil, ronco*
fiore (m.) *flor*
fiòtto *ola, onda*
físchio *silbido;* (instr.) *silbato*
fiúme (m.) *río*
fiutare *oler*
focáccia *bollo*
fòdera *forro*
fòggia *modo, moda, manera*
fòglia, -o *hoja*
fogna *cloaca, albañal*
folla *muchedumbre, gentío*
folletto *duende*
forare *agujerear, horadar*
forca *horca;* — chetta *tenedor*
formággio *queso*
formica *hormiga*
forno *horno*
forse *tal vez, acaso, quizá(s)*
fra *en, entre*
fragore (m.) *estruendo*
frángere *quebrantar, romper;* —gente *trance;* —ti *escollos*
fratello *hermano*
fréccia *flecha*
freddo *frío*
frégio *adorno, friso*
fretta *prisa;* far — *apresurar*
fríggere *freir*
fringuello *pinzón*
fronte (m., f.) *frente*
fròtta *tropa, tropel*
fròttola *cuento, fábula, patraña*
fruíre *gozar, disfrutar*
frumento *trigo*
fruscío *ruido, zurrido*
frusta *látigo*
fucina (da fabbro) *herrería, fragua*
fulíggine (f.) *hollín*

fúlmine (m.) *rayo*
fumo *humo;* —are *humear, fumar*
fune (f.) *soga, cuerda*
fúngere *funcionar*
fungo *hongo, seta*
fuòco *fuego, lumbre*
furto *hurto*
fuscello *pajilla*
futuro *futuro;* porvenir.

G.

Gabbare *engañar, estafar*
gábbia *jaula*
gabbiano *gaviota*
gaio *alegre, gayo*
galante *galán(te)*
gamba *pierna*
gámbero *cangrejo*
gambo *tallo, tronco*
gara *porfía, contienda*
garbato *cortés, atento, amable*
garrire *regañar, zaherir, chillar*
garzone (m.) *mozo*
gatto *gato*
gazza *urraca*
gazzetta *gaceta*
gelare *helar*
gelo *hielo*
gelosía *celosía;* celos
gelso *morera, moral*
generare *engendrar*
gènere (m.) *género, sexo*
gènero *yerno*
gengiva *encía*
genitori (pl.) *padres*
gentile *amable, cortés, gentil*
Germánia *Alemania*
gesso *yeso*
gesta (pl. f.) *hazañas*
gettare *lanzar, arrojar, tirar, echar*
gherminella *truhanería, broma*
ghermire *agarrar, asir*
ghetto *judería*
ghiáccio *hielo*
ghiáia *cascajo, arena gruesa*
ghiánda *bellota*
ghiòtto *goloso, glotón*
ghiottonería *golosina*
ghiribizzo *capricho, antojo*
già *ya;* giammái *nunca, jamás*
giacére *yacer*

giállo *amarillo*
gíglio *lirio*
ginòcchio *rodilla, hinojo(s)*
giornále *diario, periódico*
giórno *día*
gióvane *joven*
giovare *ayudar, ser útil o provechoso*
girare *volver, tornar*
giù *abajo*
giudicare *juzgar*
giúdice (m.) *juez*; giudizio *juicio*
giugno *junio*
giullare *joglar*
giumenta *yegua*; —o *acémila*
giúngere *llegar, alcanzar, juntar*
giuocare *jugar*
giocáttolo *juguete*
giuòco *juego*
giusto *justo*
gobba *giba, joroba*
gobbo *jorobado, gibado*
góccia *gota*
godére *gozar, disfrutar, alegrarse*
godimento *gusto, gozo, regocijo*
goffo *torpe, lento, desmañado*
gogna *argolla*
gola *garganta, gola, golosina*
gomítolo *ovillo*
gonfalonière (m.) *gonfalonero, portaestendarte, alférez*
gónfio *hinchado*
gonna *faldas, basquiña*
gota *carrillo, mejilla*
governo *gobierno*
gracchiáre *graznar*
gradito *agradable*
graffiáre *rasguñar, arañar*
gramma, -o *gramo*
gramo *triste, malo, pobre*
granata *granada, granate, escoba*; mela — *granada*
gránchio *cangrejo*; pigliare un — equivocarse
grándine (f.) *granizo*
grano *grano, trigo*; —turco *maiz*
gráppolo *racimo*
grasso *gordo, grueso*; *grasa*
grata *reja*
gratíccio *zarzo*
grato *agradecido, grato*

grattare *rascar*
gregge (m.) *rebaño*
grembiále (m.) *delantal*
grígio *gris, pardo*
grilletto *gatillo*
grimaldello *ganzúa*
grinza *arruga*
guadagnare *ganar*; —gno *ganancia*
gualcire *machucar, ajar*
guáncia *carrillo*; —ále *almohada*
guardare *mirar*; —rsi da *tener cuidado con, abstenerse de*
guardingo *prudente, circunspecto*
guarire *curar, sanar*
guastare *dañar, echar a perder*
guèrcio *tuerto*
guída *guía*
guizzare *bullir, escabullirse.*

I.

Iddío *Dios*
idrògeno *hidrógeno*
ièna *hiena*
ièri (m.) *ayer*
ierlaltro *antes de ayer*
iermattina *ayer por la mañana*
iernotte *ayer noche, anoche*
iersera *ayer por la tarde*
igiène *higiene*
ignávia *vileza, cobardía*
ílare *alegre*
illibato *puro*
imbandire *preparar, guisar*
imbáttersi in *topar con*
imbottire *acolchar*
imbrattare *ensuciar*
immolare *inmolar*
immollare *mojar*
imo *bajo, profundo*
impacciáre *embarazar, estorbar*
impadronirsi *apoderarse*
impallidire *palidecer*
imparare *aprender*
impazzire *enloquecer*
ímpeto *ímpetu*
impiccare *ahorcar*
impíccio *embrollo, enredo, embarazo*
impicc(i)olire *achicar, empequeñecer*
impigliáre *enredar, enmarañar*

inasprire *irritar, exasperar*
incandescente *ardiente, candente*
incappare in *caer en, topar con*
incesso *andadura, paso*
inchino *reverencia, saludo, zalema*
inchiòstro *tinta*
incídere *grabar*
incisióne *incisión, grabado, estampa*
(in)cominciáre *empezar*
incórrere *incurrir*
incrociáre *cruzar*
incúria *descuido*
indiètro *atrás*
indire *intimar, anunciar*
indurre *persuadir, inducir*
infíggere *fijar, clavar*
infine *por fin, al fin*
informato *enterado*
infrángere *quebrantar,despedazar*
ingannatore *embustero*
ingoiare *tragar, engullir*
ingombrare *embarazar, impedir*
innalzare *levantar, elevar, alzar*
inno *himno*
inoltre *además, luego*
insegna *seña, muestra, letrero*
insième *juntos, al mismo tiempo*
insordire *ensordecer*
insuccesso, *descalabro*
intaccare *tajar; ofender, perjudicar*
intanto *entretanto*
intestazióne *encabezamiento*
intirizzire *entorpecer, arrecirse*
intorno *alrededor*
intraprèndere *emprender*
intravvedere *vislumbrar*
intrecciáre *enlazar, entretejer*
intréccio *enredo*
intronare *aturdir*
inumazióne *entierro*
invaghirsi *enamorarse*
invece *en vez; por el contrario*
inverno *invierno*
inviluppare *envolver, enmarañar*
invitare *convidar, invitar*
involto *envuelto; paquete, lío*
inzotichire *volver(se) grosero, zote*
inzuppare *embeber, empapar*
iòdio *yodo*
iosa (a) *abundantemente*

ipocrisía *hipocresía*
íride *iris, arco iris*
irrequièto *inquieto, bullicioso*
irrigare *regar*
irrómpere *prorrumpir, hacer irrupción*
irrugginire *enmohecer*
irto *erizado*
ísola *isla*
isolato *aislado; isla (de edificios)*
istinto *instinto*
iúgero *yugada*
iunióre *más joven, menor*
ivi *allí, allá.*

L.

La *la*; là *allá*
labbro *labio*
lábile *corredizo, débil*
lacchè (m.) *lacayo*
láccio *lazo*
ladro *ladrón*
laggiù *allá abajo, allá, a lo lejos*
lagnarsi, lamentarsi *quejarse*
láico *lego*
lama (f.) *hoja (de espada)*; (m.) *llama (anim.)*
lambire *lamer*
lampeggiáre *relampaguear, relucir*
lampióne *linterna, farol*
lanciáre *lanzar, arrojar*
landa *erial, llanura inculta*
languire *penar, consumirse*
lanterna *linterna*
laònde *por eso, pues*
larghezza *anchura; liberalidad*
largire *conceder, dar con liberalidad, otorgar*
largo *ancho, extenso; generoso*
lasciáre *dejar, soltar*
lasso *cansado*; — di tempo *rato*; ahimè — *ay de mí*
lastra *losa, lámina*
latore (m.) *portador*
latrare *ladrar*; —ato — *ido*
latte (m.) *leche*
láuro *laurel*
láuto *espléndido, abundante*
lavoro *trabajo; obra*
lazzo *chiste*

lebbra *lepra*
leccare *lamer*
lega *liga, alianza*; *legua*
legáccio *liga*
legare *atar, encuadernar, ligar*
legatore (di libri) *encuadernador*
legatura *ligadura*: *encuadernación*
légge (f.) *ley*
lèggere *leer*
leggière, -o *ligero*; di leggièri
fácilmente
legna *leña*
legno *madera*; *navío, coche*
legume (m.) *legumbre*
lei *ella*; Lei *usted*
lena *aliento, fuerza*
lente (f.) *lenteja, lente*
lenza *sedal*
lenzuòlo *sábana*
lepre (f., m.) *liebre*
lesto *ágil, listo*
letízia *alegría*
lèttera *carta, letra*
lettiga *litera*
letto *lecho, cama*; — di fiume
madre de un río; p. p. *leído*
leva *palanca*; *leva*
liberare *librar, libertar*
líbero *libre*
lido *ribera, orilla, playa*
lièto *alegre, gozoso*
límpido *claro, limpio*
lindo *lindo, limpio*
lingua *lengua*
liquore (m.) *licor*
lisciáre *pulir, bruñir, halagar*
líscio *liso, igual*
lite (f.) *pleito, disputa, riña*
litigare *reñir, litigar*
liúto *laúd*
livello *nivel*
lívido *lívido, cárdeno, amoratado*
lodare *alabar, loar*
lode (f.) *alabanza, loor*
lòggia *galería, balcón, logia*
lontano *lejos*; *lejano, distante*
lordo *sucio*
loro *ellos, -as*; *su, sus*; *ustedes*
loto *lodo, barro, cieno*
lotta *lucha*
lotto *lotería*

lúccio *sollo*
lúcciola *luciérnaga*
lucèrtola *lagarto*
lucígnolo *pábilo*
lume (m.) *luz, candil*
lungi *lejos*
lungo *largo*; lungo (o lun'ghesso)
il fiume *a lo largo del río*
luogo *sitio, puesto, lugar*
lupo *lobo*
lusinga *lisonja, halago*
lustro *lustro*; *lustre, esplendor*

M.

Ma *pero, mas, sino*
mácchia *mancha*; *zarza, bosque-
cillo*
macinare *moler*; *mácina muela*
mággio *mayo*
magro *flaco, delgado, seco, magro*
mãi *alguna vez*; non — *nunca,
jamás*
maiale *cerdo*
maledetto *maldito*
maledire *maldecir*
malgrado *a pesar de* [*guar*
mancare *faltar, disminuir, men-
mandare *enviar*
mándorla *almendra*
mangiáre *comer*
maniscalco *herrador*
mantello *capa*
manzo *buey, vaca*
márcio *podrido*
maritare *casar*
marmo *mármol*
máschio *macho*
masso *peñasco*
matassa *madeja*
materasso *colchón*
matita *lápiz, lapicero*
matrigna *madrastra*
mattino, -a *mañana*
matto *loco*
mattone (m.) *ladrillo*
mazzo *haz, manojo*; — di carte
baraja; — di fiori *ramo*; —lino
ramillete
meco *conmigo*
medèsimo *mismo*
mèglio *mejor*; vale o è — *más
vale*; di bene in — *de mejor
en mejor*

mela *manzana*
melagrano *granado*
melaráncia *naranja*
membro *miembro*
menare *llevar, conducir, guiar*
mento *barba*
mentre *mientras, a la vez que*
menzogna *mentira, embuste*
mercante (m.) *mercader*
mercantessa *mercadera*
mercato *mercado, tráfico;* a buón
— *barato*
merce (f.) *mercancía*
mercoledì (m.) *miércoles*
meríggio *mediodía*
meritare *merecer*
merletto *encaje*
merlo *mirlo;* (di cast.) *almena*
méscere *escanciar*
mesciroba *aguamanil*
messa *puesta;* misa; — bassa
— *rezada;* — alta *o* grande
— *mayor*
messággio *mensaje*
messe (f.) *cosecha*
messo *mensajero*
mestière (m.) *oficio;* fa —i *es
menester*
mesto *triste, afligido*
metà *mitad*
meta *mira, fin, término*
méttere *meter, poner*
mezzanino *entresuelo*
mezzo *medio*
miètere *segar*
míglio *legua, milla;* mijo
miglióre *mejor*
mígnolo *dedo meñique*
mináccia *amenaza*
minestra *sopa*
minore *menor*
minuto *minuto; menudo, -a;* al —
al por menor
míschia *pelea, refriega;* —re
mezclar
miscúglio *mezcla*
mite *dulce, manso, benigno*
mòggio *moyo*
móglie (f.) *mujer, esposa*
molle *blando, flojo, muelle, mojado*
molo *muelle*
molto *mucho;* muy
mònaca *monja;* —co *monje, fraile*

mòrbido *blando, mullido, mór-
bido*
morso *freno;* mordedura
morte (f.) *muerte*
muffa *moho*
mugnaio *molinero*
muliebre *mujeril*
múngere *ordeñar*
múmmia *momia*
muòvere *mover, menear, inducir*
mustácchio *bigote*
mutande (f. pl.) *calzoncillos*
muto *mudo.*

N.

Nari (o narici) *ventanas de la*
náscere *nacer, salir*   [*nariz*
náscita *nacimiento*
nascondíglio *escondrijo*
naso *nariz*
naspo *devanadera*
nastro *cinta*
natura *naturaleza*
navalestro *barquero*
navata *nave*
navigare *navegar*
navíglio *navío;* flota
nazióne (f.) *nación*
ne *de éste, de él etc.;* de allí
etc.; *nos*
ne' *en los o las*
nè *ni;* n'è verò? *¿no es verdad?*
neanche, *v.* nemmeno
nébbia *niebla*
negare *negar, rehusar*
neghittoso *perezoso*
negletto *descuidado*
negoziante (m.) *comerciante*
nemico *enemigo*
nemmeno *ni siquiera, tampoco*
nènia *cántico fúnebre, nenias*
neonato *recién nacido*
nerbata *corbachada*
nerbo *vigor*
nerezza *negrura, maldad*
nervo *nervio*
nèspola *níspola*
nettare *limpiar*
nèttare (m.) *néctar*
netto *limpio*
neve (f.) *nieve;* nevicare *nevar*
níbbio *milano*
nícchia *nicho*

niègo, di— *denegación*
niènte *nada*
ninnare *mecer cantando*
nínnolo *friolera*
nipote (m., f.) *sobrino, -a*
nipotino, -a *nieto, -a*
nitrire *relinchar*; —itò *relincho*
niúno *ninguno, nadie*
nocca *nudillo*
nòcciolo *cuesco, pepita*
noccivòlo, -a *avellano, -a*
noce (m.) *nogal*, (f.) *nuez*
noia *fastidio, enfado*
noleggiàre *fletar, alquilar*
noléggio, nolo *flete, alquiler*
nome (m.) *nombre*
nominare *nombrar, elegir*; —rsi
noncuranza *descuido* [*llamarse*
nonna *abuela*; —o *abuelo*
nonnulla *friolera*
nosco *con nosotros*
notare *(a)notar, apuntar, reparar en, observar*
nottata *noche, espacio de una
noche, trasnochada*
notte (f.) *noche*
nòttola *murciélago*
novella *noticia, novela*
noverare *numerar*
noverca *madrastra*
nozze (pl. f.) *bodas*
nulla *nada*; il — *la nada*
nulla(di)meno *sin embargo*
nuòcere *dañar, perjudicar, las-
timar*
nuotare *nadar*
nuovo *nuevo*
nutrice (f.) *nodriza*
núvola, nube (f.) *nube*
nuvoloso *nublado, -oso.*

O.

Òasi (f.) *oasis*
obbedire *obedecer*
òbbligo *obligación, deber, cargo,
empeño*
o(b)blìo *olvido*
obbròbrio *oprobio, afrenta*
oblatore (m.) *ofrecedor*
oca *ganso*
occhiáia *ojera, cavidad del ojo*
occhiáli (m pl.) *gafas, anteojos*
occhiata *mirada*

occhièllo *ojal*
òcchio *ojo*; — a *cuidado con,
atended a*
oculatezza *atención, cuidado,
prudencia*
odièrno *de hoy, actual*
officina *taller*
officio, v. ufficio
oggi *hoy*
ogni *cada*; —dove *en todas par-
ognora *siempre* [*tes*
ohibó! *¡quita allá!*
olezzo *fragancia, perfume*
òlio *aceite*
oliva *aceituna*
oltracciò *además*
oltracotanza *presunción, prepo-
tencia*
oltraggiare *ultrajar*
oltranza (ad) *a todo trance*
oltre *además de, allende, más
allá, fuera de, a más de* . . .
oltre misura *sobremanera*
oltremonti *de la otra parte de
los montes, tras los montes*
omàggio *homenaje*
ombra *sombra*
ombrella *paraguas*
ombrello, —ino *quitasol*
óncia *onza*
onde *de donde*; *por esto, por
eso*; *de que, del cual*, etc.
onesto *honrado*
ònice *ónice*
onta *vergüenza, afrenta*; ad —
di *a pesar de*; in — a *a des-
pecho de*
ontano *aliso*
òpera *obra, trabajo, labor*
operaio *obrero, oficial*
operoso *laborioso, activo*
opifìcio *taller, oficina*
opprimere *oprimir, agobiar,
agravar*
ora *hora, tiempo*; *ahora*; *pues*;
or ora *luego*; *poco ha*; ora . . .
ora *ya* . . . *ya*; or bene, or vía
pues bien, y bien
oramái *ya, ahora, desde ahora*
orbare *privar, cegar*
órcio *cántaro, alcarraza*
orciuòlo *jarro, vasija*
orda *tropa*

ordimento, orditura *urdidura, enlace, enredo*

órdine (m.) *órden*; in — a *por lo que toca a, tocante a*

orécchia, -o *oreja, oído*

orecchino *arete, pendiente*

oréfice (mf.) *platero*

oriuòlo, orològio *reloj*

orlo *borde, orilla, orla, repulgo*

ormai, oramai *ahora*

orso *oso*

orsú *; ánimo! ¡vaya! ¡sus!*

ortáglia *huerta*

orto *huerto*; Oriente

orzo *cebada*

usso *hueso, cuesco*

ostággio *rehén*

oste (m.) *hostelero, mesonero, fondista*; *huésped*; *hueste, ejército*

osteggiáre *oponerse a, contrariar, hostilizar*

ostello *habitación, posada*

òstico *áspero, desagradable*

òstrica *ostra*

ottenebrare *oscurecer*

ottenere *lograr, conseguir, obtener*

ottimate (m.) *magnate*

ottone (m.) *latón*

otturare *tapar, obstruir*

ovatta *acolchado*

òvest *oeste*

ovvero *o, o bien.*

P.

Pacare *calmar, apaciguar*

pace (f.) *paz*; darsi — *calmarse, sosegarse*

padella *sartén*

padiglióne (m.) *pabellón*

padrona *ama, dueña, señora*

padule (m.) *laguna, pantano*

paffuto *gordo, (re)gordete*

pággio *paje*

pagherò *vale, pagaré*

páglia *paja*

pagliáccio *bufón*

paglieríccio *jergón*

pagnotta *pan, mollete*; pagnottella *panecillo*

paio *par, pareja*

palato *paladar*

palco *entablado, cadalso, palco*

palesare *descubrir, relevar*

palla *bala, bola, pelota, bocha*

palo *estaca*

pálpebra (y palpèbra) *párpado*

panciòlle (stare o essere in) *estar a sus anchuras*

panciòtto *chaleco*

pánia *liga (para aves)*

panière *cesta, canastillo*

panni *vestidos*

pannolino *lienzo*

panzana *cuento, patraña*

papávero *adormidera*

pápero *ansarón*

pappagallo *papagayo*

paralume (m.) *pantalla*

parapíglia *gentío, batahola, riña*

parare *adornar, ataviar*; *parar, desviar*

paravento *biombo*

parecchi, -ie *algunos, varios, unos, -as*

pareggiáre *igualar*

parentado *parentesco*

parentesco (adj.) *de parientes*

parére *parecer, semejar*

párgolo *niño, niñito*

parlare *hablar*

parlata *discurso, habla, lengua*

parola *palabra, voz*

parrucca *peluca*

parteggiáre (per) *tomar partido (por), ser partidario (de)*

partenza *salida, partida*

partita *partida, partición, salida*; *cantidad*

partito *partido, determinación, casamiento, modo*; donna di — *ramera*

partorire *parir*

parvenza *apariencia*

páscere, pascolare *pacer*

passeggiáta, passéggio *paseo*

pássero *gorrión*

pássola *pasa, uva seca*

pasticcería *confitería, pastelería*

pastíccio *pastel; embrollo*

pasto *comida, manjar, alimento*

pastoie (f. pl.) *maniotas, trabas, impedimento*

pastrano *gabán*

pateréccio *panadizo*

patíre *padecer, sufrir*
patrigno *padrastro*
paúra *pavor, miedo*; per — *de miedo*
paventare *temer*
pavonazzo *amoratado*
pazzo *loco*; — da legare *loco rematado*
pecca *defecto, vicio, falta*
pécchia *abeja*
pece (f.) *pez (f.)*
pècora *oveja*
pecorone (m.) *necio, tonto*
pedággio *peaje*
pedata *patada, pisada, huella*
pedignone (m.) *sabañon*
pedone (m.) *peón*
pèggio, —óre *peor*
pegno *empeño, prenda, seguridad*
pellíccia *piel, pelliza, ropón forrado de pieles, abrigo de pieles*
pelo *pelo*; — dell' acqua *superficie del agua*; a — *a punto*
peloso *velludo, velloso*
peltro *peltre, estaño*
pendío *pendiente, cuesta, declivio*
pendolone (adj.) *pendiente*
penna *pluma*; — d'acciajo *pluma metálica*
pennello *pincel*; a — *perfectamente*
pensièro *pensamiento*; essere in — *estar con cuidado*
péntola *puchero*
pepe (m.) *pimienta*
percórrere *recorrer*
percossa *golpe, azote*
perfino, *v.* persino
perforare *horadar*
pèrgamo *púlpito*
pèrgola *emparrado, parra*
pergolato *enramada, cenador*
pericolo, periglio *peligro*
perire *perecer*
peritanza *incertidumbre, duda, timidez*
perlustrare *explorar*
permaloso *quisquilloso*
pernice (f.) *perdiz*
pero *peral*
però *pero, mas, por esto*
perocchè *pues, porque*

perplesso *perplejo*
persino *hasta*; *aún*
pertanto *por eso*; *pues*
pertempo (per tempo) *temprano*
pertúgio *agujero*
pervenire *llegar, lograr, alcanzar*
pesa *balanza, peso*
pèsca *albérchiga*
pésca, pescagióne *pesca*
pesce (m.) *pez, pescado*; pescecane *tiburón*
pesta *huella, pisada, pista, rastro*
pestare *hollar, machacar, pisar, moler*
petente (m., f.) *suplicante*
pettégola *mujercilla, charlatana*
pettinatura *tocado*
pèttine (m.) *peine*
petto *pecho*
pezzo *pedazo*; *cañón*; un —largo tiempo, *largo rato*
pezzuòla *pañuelo*
piacére (m.) *placer, servicio, favor, gusto, agrado*; con — *de buena gana*; *v.*, *placer, gustar, agradar*
piacévole *agradable, alegre*
piacimento *placer, voluntad*
piaga *llaga, calamidad, plaga*
pianella *chinela*
piángere *llorar*
piano *llano, claro, quedito, llanura*; *piso*; pianterreno *piso bajo*
pianto *llanto, lloro*   [bajo
piastra *plancha, lámina*
piatto *chato*; *plato*; *manjar*
picchiáre *pegar, golpear, llamar*
pìcchiotto *aldaba*
piccino, píccolo, pícciolo *pequeño*
picciuòlo *pezón, pedículo*
picco *pico, peña*; a — *perpendicular(mente), despeñado, a pique*
pidòcchio *piojo*
piède *pie, pata*
pièno *lleno, henchido*
pieváno, piováno *párroco*
pigiáre *hollar, comprimir, henchir*
pigióne (f.) *alquiler*; prèndere a — *arrendar*; dar a — *alquilar*
pigliare *coger, asir, tomar, aceptar*

píglio *ademán, gesto, ceño*
pignorare *embargar, empeñar*
pigolare *piar*
pigro *perezoso*; pigrone *holgazán*
pingue *grueso, abultado, corpulento*; (f.) *fértil, rico*
piòggia *lluvia*
piombo *plomo*
piòppo *álamo*
pira *hoguera*
più *más, ya*
piuttosto *más bien, antes bien*
polpastrello *yema (del dedo)*
poltíglia *papilla*
poltrona *sillón, butaca*
poltrone (m.) *holgazán, bellaco*
pólvere (f.) *polvo*; *pólvora*
pomodoro *tomate*
pompa *pompa*; far — *hacer alarde*
pondo *peso, fardo, importancia*
pòpolo *pueblo, nación*
poppare *mamar*
pòrgere *alargar, ofrecer, presentar, proporcionar*
porre *poner*; — cura *cuidar*; — giù *deponer*; — in non cale *no hacer caso de*; — mano a *empezar*
portafogli (invar., m.) *cartera*
portalèttere (m.) *cartero*
portare *llevar, traer*; *alegar, citar*
portone (m.) *puerta cochera*
posa *pausa, descanso*; senza — *sin cesar*
posare *poner, colocar, asentar*
posata *cubierto*
poscritto *posdata*
possa, possanza *potencia, poder, fuerza*; a tutta possa *a más no poder*
posta *posta, correo*; apposta, a bella posta *adrede*
postutto (al) *al fin, al cabo; al fin y al cabo*
pranzo *comida (mayor)*
preda *presa, rapiña*
pregare *rogar, orar*
prèmere *apretar, importar*
premura *apresuramiento, cuidado, interés, solicitud, prisa*
prèndere *tomar, recibir, empezar*
presa *presa, toma*; far — *jun-*

tarse, *tener influencia*; veníre alle prese *reñir, pelear*
presciútto *pernil, jamón*
presepe, -èpio *pesebre*
presso *cerca, vecino, junto*; — a poco *poco más o menos*
presto *presto, pronto; temprano*
prete (m.) *sacerdote, cura*
pretto *mero, puro, castizo*
prezzo *precio, valor*
prima *antes, primeramente*; a tutta — *al pronto*
primeggiáre *sobresalir, distinguirse*
procacciáre *proporcionar, procurar*
produrre *producir, causar*
proflúvio *cantidad, profusión*
prosciòlto *absuelto, libre, suelto*
pròssimo *próximo*; *prójimo*
prova *prueba, ensayo*
provvedére *proveer, abastecer*
prugna *ciruela*; —gneto *ciruelar*
prurito *comezón, picazón*; antojo, gana*
pugna *pelea*
pulcella *doncella*
pulito *limpio, aseado, cortés*
púngere *picar*
pungiglióne(m.), púngolo *aguijón, pincho*
punteggiáre *puntuar*
puntura *picadura*
punzecchiáre *picotear, fastidiar*
puppáttola *muñeca*
pure *también, asimismo*; *sin embargo*
puzzare *heder.*

Q.

Quáglia *codorniz*
quagliáre (y cagliare) *cuajarse*
qualche *algún . . .*; *alguno que otro*
qualunquo *cualquier(a)*
quantunque *aunque*
quasi *casi*
quèrcia *encina, roble*
querela *queja, pleito*
qui *aquí*
quiète (f.) *calma, sosiego, tranquilidad, descanso*
quinci *de aquí*

qui(e)tanza *recibo*
quivi *allí, allá*
quota *cuota*; -to *cociente.*

R.

Rabbonire *reconciliar, aplacar*
rabbrividire *templar, tiritar, estremecerse*
raccapricciáre *horrorizar(se)*
raccògliere *recoger, reunir, levantar*
raccolto *cosecha*
racconto *relato, cuento*
raddrizzare *enderezar*
rádere *raer, afeitar*
radice (f.) *raíz*
rado, raro *raro*; di — *raramente*
rafforzare *fortalecer*
ragazzo *muchacho, chico, rapaz*
ragguagliáre *igualar, informar*
ragguardévole *notable*
ragionière (m.) *contador, tenedor de libros*
ráglio *rebuzno*
ragno *araña*
rallentare *relajar, aflojar, moderar*
rame (m.) *cobre*
ramingo *errante*
-ammárico *queja, pesadumbre, lástima*
:ampogna *reprensión*
:ampollo *retoño, vástago*
randágio *vagabundo, gandul*
randello *palo*
ranno *lejía*
rántolo *hipo*
rapa *nabo*
rapire *robar, arrebatar, emberapprèndere cuajar   [lesar*
rassegnare *entregar; deponer; hacer la reseña;* —rsi *resignarse*
rassodare *afirmar, fortalecer*
ratto *pronto, listo; ratón; robo, rapto*
reame (m.) *reino*
recapitare *dirigir, enviar, hacer llegar, entregar*
recare *llevar, traer*
rècere *vomitar*
rècita *representación, recitación*
rèdina *rienda*

refe (m.) *hilo (de lino)*
règgia *palacio real, corte*
rèndere *hacer, producir, devolver*
renne (m.) *rengífero*
resa *rendición, entrega*
ressa *gentío, muchedumbre*
restare *quedar, restar, cesar*
resto *resto*; del — *por lo demás, además, en fin, enfín*
retta *línea recta ; pensión; dar — escuchar, atender a*
rezzo *sombra*
riacquistare *recobrar*
ribaltare *volcar*
ríccio *rizo; erizo*
ricerca *pesquisa*
richièsta *petición, demanda, pedido*
riconoscenza *agradecimiento, gratitud*
ricusare, rifiutare *rehusar*
rídere *reir*
ridíre *repetir*
riflèttere *reflejar, reflexionar*
rigoglióso *fuerte, vigoroso, lozano*
riguardo *miramiento*; — a *tocante a*
rilevare *levantar (de nuevo), advertir, percibir*
rilièvo *relieve, realce;* cosa di — *cosa importante*
rimanére *quedar, permanecer*
ringraziare *dar gracias, agradecer*
ripa *orilla, ribera*
riposare *descansar*
riscaldare *calentar, acalorar*
rispóndere *contestar, responder*
ritorno *vuelta;* —are *volver*
riva, v. ripa
róndine (f.) *golondrina*
rosso *rojo*
rozzo *grosero, tosco*
rúggine (f.) *orín, moho; enemis-*
rugiáda *rocío*   [*tad*
rumore *ruido*
rupe *peña, roca*
ruscello *arroyo*
ruzzolare *rodar.*

S.

Sábbia *arena*

sacchéggio *saqueo*

sacco *saco*; *saqueo*

sággio *sabio, cuerdo*; *ensayo, prueba, muestra*

sala da pranzo *comedor*

salame (m.) *tocino, salchichón*

salasso *sangría*

saldo *firme, sólido*; *remate de cuentas, saldo*

salire *subir*; —ita *subida, cuesta*

saliscendi *picaporte, pestillo*

salma *cadáver*

sanguinare *echar sangre*

sapone (m.) *jabón*

sarto *sastre*; —a *costurera*

sasso *piedra, peña, guijarro*

sássone *sajón*

satollare *saciar, hartar*

sbadíglio *bostezo*

sbagliáre *errar, faltar*; *equivocarse*

sbarlordire *aturdir*

sbaragliáre *desbaratar, derrotar*

sbáttere *sacudir, agitar*

sbeffare *burlar, mofar, escarnecer*

sbiadito *desteñido*, **descolorido**

sbigottito *asustado, atemorizado*

sbranare *desgarrar*

scacciáre *expeler, echar, ahuyentar*

scaffale (m.) *estante*

scagliáre *arrojar, lanzar*

scala *escalera, escala*; — a piuòli *escala de manos*; — a lumaca *escalera de ojo*

scaldare *calentar*

scalpore (m.) *queja, ruido*

scaltro *socarrón, astuto*

scampare *salvar(se), poner(se) en salvo*

scampo *salvación*; senza — *sin remedio*

scanalatura *estría, muesca*

scannare *degollar*

scapestrato *disoluto, calavera*

scápolo *soltero*

scaricare *descargar*

scarno *flaco, seco, delgado*

scarpa *zapato*; *escarpa*

scátola *cajita*

scégliere *escoger, elegir*

scemare *menguar*

scettro *cetro*

schéggia *astilla, acepilladura, rancajo*

schèletro *esqueleto*

scherma *esgrima*

schermo *defensa, abrigo*

scherno *burla, mofa, injuria*

scherzo *broma*

schiacciáre *aplastar, machacar*

schiáffo *bofetón*

schièna *espinazo, lomo*

schifo *asco*; *barco, esquife*

schiòppo *escopeta, fusil*

schizzo *bosquejo*

sciagura *desgracia, desdicha*

sciáme (m.) *enjambre*

scí(m)mia, —iòtto *mona*, —o

scintilla *chispa, centella*

sciòcco *bobo, tonto, necio*; *soso*

sciògliere *soltar, desatar, derretir*

sciupare *ajar, apañuscar*; *derrochar, malgastar*

scoccare *disparar, flechar*; *dar (horas)*

scojáttolo *ardilla*

scomméttere *descomponer, destrabar*; *apostar*

scóncio *inconveniente, indecente; sucio*; (m.) *desorden*

sconfíggere *derrotar*

sconforto *desaliento, desconsuelo*

sconvolgimento *trastorno, desorden*

scopare *barrer*

scopo *objeto, mira, hito, blanco*

scoppiáre *estallar, reventar, henderse*

scòppio *estallido, explosión*

scoraggi(á)re *desalentar*

scòrgere *divisar, vislumbrar, percibir*

scórrere *escurrir, recorrer; pasar, deslizarse, fluir, manar*

scorso *pasado*

scorticare *deshollar*

scostare *alejar, apartar*

scostumato *disoluto*

screpolare **agrietar(se), hender(se)**

scricchi(ol)áre *chirriar, crujir*

scrittoio *escritorio, despacho; escribanía*

scrivere *escribir*

scrutare *escudriñar*

scudería caballeriza, cuadra
scuola escuela ; — d'equitazione picadero
scuòtere sacudir, menear
scusare dispensar, excusar
sdegno desdén, enojo
sdrucciolare resbalar
sdruscire gastar, deteriorar
sécchia cubo; piòvere a sécchie (o a catinelle) llover a cántaros
secco seco, agostado, marchito
seco consigo
sècolo siglo
sedére sentarse, estar sentado; asiento, trasero
sega sierra
selvaggina caza ; salvajina
seme (m.) semilla, simiente
seminare sembrar
sémplice simple, sencillo
senno buen sentido, juicio, tino, cordura; da — de veras
senza sin; — più sin más ni más
sera tarde, noche; serótino tardío
serto guirnalda
serva, servente criada
sfacciato descarado
sfamare quitar el hambre, hartar, saciar
sferzare azotar
sfogare desahogar, desfogar
sfoggiáre ostentar, hacer alarde de
sfruttare explotar
sfumare evaporar, disiparse, perderse, esfumar
sgarbo grosería, descortesía
sghembo oblicuo, sesgado; sesgo
sghignazzata carcajada
sgomb(e)rare desembarazar, desocupar, quitar, salir
sgozzare degollar
sgravare aliviar; —rsi parir
sgridare reconvenir, regañar, reprender
sguardo mirada
sièpe (f.) seto, cercado
siffatto tal
símile, simigliánte semejante, parecido
siniscalco senescal
sinistro izquierdo; siniestro

sito sitio, lugar; mal olor
slegare desatar
smagliánte brillante
smarrire perder, desviar, extraviar
sméttere dejar, cesar
smòrfia melindre; momo
sobborgo arrabal
soffiáre soplar
soffiétto fuelles
soffitto techo, artesón; —a zaquizamí
soffrire sufrir, padecer
soggiórno estancia, paradero, morada, permanencia
solére acostumbrar
solfo azufre
sollevare levantar, aliviar
soma carga; somma suma
sopra sobre, arriba; encima
sopraggiúngere sobrevenir, sorprender
soqquadro trastorno, desorden
sórcio ratón, rata
sorella hermana
sórgere surtir; salir (astros); levantarse
sorrídere sonreir
sorso sorbo, trago
sotto bajo, abajo, debajo
sovente a menudo
spalancare abrir de par en par
spalla hombro
spaventare espantar, asustar
spazzare barrer
spázzola cepillo
spècchio espejo
spègnere apagar, extinguir
spelonca cueva, caverna
spèndere gastar
spesso espeso, denso; a menudo
spezzare despedazar, destrozar
spiccare desprender, desatar; distinguirse, sobresalir
spilla alfiler
spillo brocha
spíngere empujar, impeler
spízzico (a) poco a poco
sponda orilla, margen, ribera
sporco sucio, puerco
spòrgere sobresalir, asomar, proyectar
sprone (m.) espuela aguijón

spuntare *asomar, (empezar a)*
  brotar; *despuntar*
sputare *escupir*
stagióne (f.) *estación (del año)*
stalla *cuadra, establo*
stamane (adv.) *esta mañana*
stame (m.) *estambre*
stampa *prensa*; *impreso*; *estampa, grabado*
stanco *cansado*
stanza *cuarto, estancia, paradero*
stella *estrella*
stesso *mismo*; fa *(o è)* lo — *lo mismo da*
stivale (m.) *bota*
stracciáre, straziáre *desgarrar*
stráccio *andrajo, trapo*
strada *camino, calle*; per istrada
  o strada facendo *en el camino*
strappare *arrancar, desgarrar*
strappo *arranque, estirón, rasgadura, rasgón*
strèpito *ruido, estruendo*
stríngere *apretar, estrechar*
strisciáre *arrastrarse*
stupire *admirarse, asombrar*
stupore (m.) *asombro*
stuzzicare *excitar, irritar*
su *en, sobre, arriba*
súcido, sudício *sucio*
suggellare *sellar, lacrar*
suòcero, -a *suegro, -a*
suono *sonido*
susina *ciruela*
svegliáre *despertar*
svéglio *despierto*; *inteligente, pronto*
Svèzia *Suecia*; svedese *sueco*
svista *equivocación, inadvertencia, error*
Svízzera *Suiza.*

Tafferúglio *alboroto*
tagliáre *cortar, talar*
táglio *corte, filo, cortadura*
talchè *de modo que, así que*
talvolta, talora *a veces*
tappeto *alfombra, tapiz*
tarlo *carcoma*
tasca *faltriquera, bolsillo*
tastare *tentar, tocar*
tasto *tecla (del piano)*; *objeto*

teco *contigo*
tedesco *alemán*
tégola *teja*
tèma (m.) *tema*; tema (f.) *temor, miedo*
temporale (m.) *chubasco, tempestad,* (adj.) *·al*
tènebre (f. pl.) *tinieblas*
tenère *tener, guardar, conservar*
tèssere *tejer*
testa *cabeza*; *cabo*; *cabecera*
tetto *tejado*
tirare *tirar, lanzar*
tògliere, tòrre *quitar*
tòrchio *prensa, lagar*
torso *troncho, tronco*
torto *torcido*; *injuria, agravio*;
  aver — *no tener razón*
tosto *pronto, luego*
tra *entre en*
traballare *vacilar, tambalear*
traboccare *rebosar*
tráccia *vestigio, huella, rastro*
tradire *hacer traición a*
tragittare *pasar a la otra parte*
tralasciare *dejar*
tramontare *ponerse (astros), decaer*
trangugiáre *tragar, engullir*
tráppola *trampa*
trarre *tirar, sacar*
trasalire *sobresaltar, estremecerse*
trasandare *descuidar*
trascinare *arrastrar*
trasecolato *atolondrado, asombrado*
tratteggiáre *sombrear con líneas, rasguear*; *describir sumariamente*
trattenère *detener*; —rsi *contenerse, detenerse, permanecer, parar*
tratto *rato, espacio, rasgo*; ad
  un — *de pronto, de repente*;
  in un — *a la vez*; — — *de vez en cuando*
tremare *temblar*
triregno *tiara*
trito *triturado*; — e ri— *vulgar, ordinario, usado*
troia *puerca, cerda*
trónfio *engreido, orgulloso*

troppo *demasiado*
trovare *encontrar, hallar*
truffare *estafar*
tuffare *zambullir, sumergir*
turare *tapar, cerrar*
túrbine *remolino, tormenta*
tuttavía *sin embargo, todavía*
tuttochè *con tal que; aunque.*

U.

Ubertoso *fértil*
uccello *ave, pájaro*
uccídere *matar*
udire *oir*
ufficio, —ízio *oficina, despacho, oficio, empleo*
uggióso *fastidioso, cargante*
úgola *galillo*
uncino *gancho*
únghia *uña; casco (de cuadrúp.)*
uòmo *hombre*
uòpo *menester;* all' — *para esto*
uòsa *polaina*
urlare *aullar*
urtare *chocar, topar con*
úscio *puerta*
uscire *salir*
usignuòlo *ruiseñor*
útile *útil, provechoso;* (m.) *provecho, utilidad.*

V.

Vagheggiáre *cortejar; desear*
vagheggino *pisaverde, galancete*
vaghezza *deseo; hermosura, garbo*
vago *vago; bonito, lindo*
vaiuòlo *viruelas*
valicare *transitar, pasar (montes)*
vampa *llama(rada), ardor*
vaneggiáre *delirar, disparatar*
vanga *azada*
vantare *alabar, jactarse*
vanto *jactancia, gloria;* menar — *jactarse*
variopinto *abigarrado, pintado*
vaso *vasija, maceta*
vedére *ver*
vedetta *atalaya, centinela*
védovo, -a *viudo, -a*
vegliáre *vigilar; velar*
velluto *terciopelo*
vendetta *venganza*
vendicare *vengar*

venire *venir, llegar;* — a capo *concluir, salir;* — al punto *venir al caso;* — a schifo *causar hastío;* — il destro *tener la ocasión propicia;* — meno *desmayarse; faltar*
ventáglio *abanico*
vergogna *vergüenza*
verità *verdad*
verme (m.) *gusano*
vero *verdadero;* per — *a la verdad;* n'è —? *¿no es verdad?*
versare *verter, derramar*
verso *verso; hacia; a eso de*
veruno *ninguno*
vestáglia *bata*
veste, —ito, —imento *ropa, vestido, traje, hábito;* aver veste (di o per) *tener autoridad (para)*
vetro *vidrio*
vetta *cumbre*
vezzo *collar, gargantilla; caricia, halago;* vezzi *prendas, encantos*
vezzoso *lindo, guapo, gentil*
vi *allí; os; a él, a ella, etc.*
via *vía, calle, camino; ¡vaya!;* andar — *salir, irse, marcharse;* andò — *se fué;* via di qua! *¡vete (o váyanse Vds., o idos) de aquí!;* tòglier — *quitar;* per — *en el camino*
vicenda *vicisitud, turno;* a — *recíprocamente, alternativamente*
vicerè *virrey*
vièto *viejo, añejo, desusado; rancio*
villa *quinta, casa de campo*
villággio *lugar, aldea, pueblo*
vino *vino;* — rosso — *tinto*
viòttolo *senda, callejuela, vereda*
viso *cara, rostro*
vitello *ternero, -a*
vitto *alimento(s)*
vivanda *comida, alimento*
vòglia *deseo, gana, gusto*
vòlgere *volver*
volontièri *de buena gana*
volpe (f.) *zorra*
volta *vez; bóveda; vuelta, turno;* alla — di *hacia, en dirección a;* a(lle) volte *a veces*

volto *rostro, cara, semblante*
vosco *con vosotros, con Vds.*
vuòto *vacío; hueco.*

Z.

Zampa *garra, pata*
zampillare *surtir, manar*
zanna *colmillo*
zappa *azadón*
zàtterra *almadía*
zèffiro *céfiro*
zía, -o *tía, -o*
zitella *doncella, muchacha*

zitto! *¡ silencio! ¡chitón !*
zòccolo *zueco, zócalo ; casco (de cuadrúpedos)*
zolfo *azufre*
zonzo (andare a) *vagar, azotar calles*
zoppicare *cojear*
zoppo *cojo*
zòtico *grosero, rústico*
zucca *calabaza ; cabeza*
zúcchero *azúcar*
zuffa *riña, pelea*
zufolare *silbar, zumbar*
zúfolo *silbato*
zuppa *sopa.*

Español-Italiano.

A.

Abajo *giù, abbasso, sotto;* hacia — *all' ingiù*
abandonar *abbandonare*
abanico *ventáglio*
abeja *ape, pécchia*
abierto *aperto*
abogado *avvocato*
abrevar *abbeverare*
abrigo *ricóvero, protezióne; soprábito*
abrir **aprire[1])*
abuela *ava, nonna*
abuelo *avo, nonno*
abundante, -cia *abbondante, -za*
aburrir *(an)nojare*
acá *qua, qui*
acabar *finire, terminare;* — de v. Lecc. 13.ª
acaso *forse, per avventura;* por — *per caso*
aceite *òlio*
aceituna, -o *oliva, ulivo*
acerca de *circa, intorno a*
acercarse *avvicinarsi*
acero *acciáio*
acertar **colpire, *riuscire, indovinare*
aconsejar *consigliare*
acontecer **avvenire, *accadére*
acostarse *coricarsi*
acostumbrar *avvezzare; *solére*

adelante *avanti;* en — *d'ora innanzi*
además *inoltre*
adiós *addío*
admirarse *meravigliarsi*
adonde *(verso) dove*
adrede *apposta*
aduana *dogana*
afamado *cèlebre, rinomato*
afán *affanno, pena, sollecitúdine*
afeitar **rádere, *fare la barba*
agarrar **ghermire, afferrare*
agradable *gradévole, piacévole*
agradar **piacére*
agradecido *grato, riconoscente*
agradecimiento *gradimento, ringraziamento*
agrio *ácido, acre*
agua *acqua*
aguijón *pungiglióne (m.), púngolo*
águila *áquila*
aguja *agc*
agujero *buco, pertúgio*
ahora *ora;* — mismo *sul momento, all' istante;* desde — *d'ora in avanti o innanzi*
aire *ária*
ajeno *(d')altrúi (invariable)*
ala *ala ;* tesa *(de sombrero)*
alabar *lodare*
alabanza *lode (f.)*

---

[1]) El * indica que el verbo al que está antepuesto es *irregular* o toma el incremento *isc.* — V. los apéndices correspondientes.

alambre *filo di metallo*

alargar *allungare*; **pòrgere*

albañil *muratore* (m.)

alcalde *síndaco, podestà*

alcanzar **raggiúngere*, **ottenére*

aldea *villaggio*

aldeano *villano, contadino*

alegre *allegro, gajo*

alejar *allontanare*

alemán *tedesco*

Alemania *Germánia*

alfiler *ago, spillo, -a*

alfombra *tappeto*

algo *qualche cosa, qualcosa*

algodón *cotone* (m.)

alguacil *poliziòtto, guárdia di polizia*

alguien } *alcuno, qualcuno,*
alguno } *qualche*

alianza *alleanza*

aliento *álito, respiro*

alma *ánima*

almirante *ammiráglio*

almohada *guanciale* (m.), *cuscino*

almorzar **far colazióne*

almuerzo *colazióne* (f.)

alondra *allòdola*

alquilar *affittare, *dare o *prèndere a pigióne*

alquiler *affitto, pigióne* (f.)

alrededor de *intorno a*

alrededores *dintorni* (pl. m.)

alumno *alunno, discèpolo*

allá *là*; allí *lì, là, quivi*

ama *padrona di casa*; *governante* (f.)

amable *amábile, gentile, garbato, cortese*

amanecer *spuntare il giórno,*farsi giorno*; al — *sul far del giorno*

amargo *amaro*

amarillo *giallo*

ambos, -as *entrambi, -e*; — a dos *ambedue*

amenaza *mináccia*

amistad *amicízia, amistà*

amo *padrone*; *proprietário*

anciano *vècchio*; *anziáno*

anclar *ancorare*

ancho *largo, ámpio*

andaluz *andaluso*

andén *scaffale* (m.); *marciapiède* (m.)

anoche *iersera*

anochecer *annottare*

anotar *annotare*

ante *davanti a*

anteayer *avant'ièri, ierlaltro*

antes *prima*; — bien *anzi, piuttosto*; — que *prima di o che*

antigüedad *antichità*

antiguo *antico*

anzuelo *amo*

añadir **aggiúngere*

añejo *annoso, vècchio*

año *anno*

apacentar *pascolare, far páscere*

apagar **spègnere; acquetare, appagare*

aparentar **fíngere*

apearse **scéndere, *metter piède a terra*

aplazar **differire, aggiornare*

apoderarse *impadronirsi*

apoyo *appòggio*

aprecio *prègio, stima*

aprender **apprèndere, imparare*

apresurarse *affrettarsi*

apretar *prèmere, *stríngere*

apretón *stretta, pressióne*

aprieto *distretta, bisogno*

aprisa *in o di fretta*

aproximadamente *approssimativamente, all'incirca*

aproximarse *avvicinarsi, approssimarsi*

apuesta *scommessa*

apuntar *appuntare, mirare, notare*

apuro *angústia, aflizióne*

arado *aratro*

araña *ragno*

arañar *graffiáre*

árbol *álbero*

arco iris *arcobaleno*

arenal *luogo arenoso*

arenque *aringa*

armario *armádio*

aro *anello*

arrancar *strappare*

arrastrar *trascinare*

arreglar *regolare*

arreglo *concertamento, regolamento*; con — *conformemente*

arrepentimiento *pentimento*

arriba *su, sopra, in alto*; más — de *al di sopra di*

12*

arrodillarse *inginocchiársi*
arrojar *gettare (vía), lanciáre*
arroyo *ruscello*
arzobispo *arcivéscovo*
asa *ansa, mánico*
asado *arrosto*
asamblea *assemblèa*
asco *schifo, ribrezzo*
ascua *brágia*; en —as *sulle brage*
aseado *pulito, netto*
asesino *assassino*
así *così*; —que *cosicchè, tostochè*
asiento *sedile, posto*
asimismo *parimenti*
asistir *assistere*
asno *ásino, somaro*
asombrar *meravigliáre, *stupire*
áspero *aspro*
astilla *trúciolo, schèggia*
asunto *assunto, oggetto, affare* (m.)
asustar *spaventare, impaurire*
atacar *assalire*
ataque *assalto*
atar *legare*
atender *attèndere, ascoltare, *fare attenzióne* (f.)
atrás *indiètro*; hacia— *all' indiètro*
atravesar *attraversare*
atreverse *osare, *ardire*
atrevido *ardito*
aún *ancóra*
aunque *benchè, quantunque*
ausente *assente*
auxilio *aiuto*
ave *uccello*
avellana *nocciuòla*
aventajar *superare, avvantaggiáre*
avergonzarse *vergognarsi*
averiguar *verificare, indagare*
avestruz *struzzo*
ayer *ieri*
ayuda *aiuto*; -*tante* (m., f.)
ayuntamiento *consiglio comunale, municipio*
azotar *báttere, sferzare*
azul *azzurro*.

B.

Baile *ballo*
bajar *abbassare, *scéndere*
bajo *sotto;* (adj.) *basso*
bala *palla, balla*
balanza *biláncia*

balde (de, en) *invano*
ballena *balena*
barandilla *ringhièra, sbarra, branca (di scala)*
barato *(a) buonmercato*
barril *barile* (m.), *botte* (f.)
bautizar *battezzare*
bávaro *bavarese, bávaro*
bebida *bíbita, bevanda*
bellota *ghiánda*
berza *cávolo, verza*
besar *baciáre*
¡bien venido seas! *benvenuto!*
bigote *baffo*
billete de banco *biglietto di banca*
bizcocho *biscotto*
blando *blando, molle, mòrbido*
bobo *sciòcco*
bodega *cantina;* stiva *(de buque)*
bola *palla*
bolsillo *borsellino, tasca*
bollo *focáccia*
bondadoso *buono, benigno*
bonito *bellino, graziôso, vago*
bordar *ricamare*
borrar *cancellare*
borrico *asinello, somaro*
bota *stivale* (m.)
bote *palischermo, navicella; balzo, salto*
botica *farmacía*
boticario *farmacista*
bramar *muggire, urlare;* bramire *(elef.)*
brillar *brillare*
brillo *lucentezza*
brincar *balzare, salt(ell)are*
bromear *scherzare*
buey *búe* (m.) (pl. *buói*)
bujía *candela, bugía*
bulla *strèpito; folla*
bulto *massa, balla*
buque *nave* (f.)
buque de vapor *piròscafo, battello a vapore* (m.)
burro *ásino*
buscar *cercare*
butaca *poltrona, sèdia a bracciuòli.*

C.

Caballeriza *scudería*
caballero *signore, cavalière*

caballo *cavallo*

cabal(mente) *preciso, -samente; appunto*

caber **capire, *contenére*

cabo (al) *alfine*; al — de *in capo a*; al fin y al — *alla fin fine*

cacharro *còccio*

cada *ogni*

caer enfermo **cadére ammalato, ammalarsi*

cafetera *caffettièra*

caída *caduta*

caja *cassa*

cajero *cassière*

caldera *caldaia*

caldo *brodo*

calentar *(ri)scaldare*

calentura *febbre* (f.)

caliente *caldo*

calzoncillos *mutande* (pl. f.)

callar **tacére*

calle *vía*

cama *letto*

camino *strada*; — de hierro *ferrovía, strada ferrata*; por el camino *strada facendo, per vía*

canario *canarino*

canela *cannella*

cansado *stanco, affaticato*

cántaro *brocca*

caña *canna*

cáñamo *cánapa* (f.), *-e* (m.)

capa *cappa, mantello*

capullo *bottone* (m.) *(di fióre)*

cara *viso, volto, fáccia*

caracol *lumaca*

carga *cárico, cárica*

cariño *tenerezza, affetto*

caritativo *caritatévole*

carnero (m.) *montone* (m.)

carnicero **macellaio**

carpintero *falegname, carpentière*

carretera *strada postale*

carretero *carrettière* (m.)

carrillo *guáncia, gota*

carruaje *carro, carriággio, carrozza*

carta *lèttera*

cartera *portafogli* (m. invar.)

cartero *portalèttere* (m. invar.)

casarse (con) *sposare*

cáscara *gúscio*

casco *únghia*; *zòccolo* (de cuadr.)

casi *quasi*

castellano *castigliáno*

catedrático *professore*

cavar *scavare*

caza *cáccia*; estar de — *èssere (o *andare) a cáccia*

cebada *orzo*

cebar *cibare, ingrassare*; *adescare*

cebo *cibo, pastura; esca*

cebolla *cipolla*

cedazo *stáccio*

celo *zelo*; celos *gelosía*

cementerio *cimitero*

cenador *pergolato*

ceniza *cènere* (m., f.)

centeno *ségala, -e* (f.)

cepillo *spázzola*

cerca *vicino, presso (a)*

cercano *vicino*

cercar *assediáre*

cerdo *porco, maiale* (m.); —a *scrofa, troia*

cereza *ciliègia*

cerilla *cerino*

cerrajero *fabbro da serrature* (f. pl.)

cerrojo *chiavistello*

cervecería *fábbrica di birra, birreria*

cesar *cessare*; sin — *senza posa*

cetro *scettro*

cigüeña *cicogna*

cinta *nastro*

ciruela *prugna, susina*

cirujano *chirurgo*

ciudadano *cittadino*

clavar *inchiodare*

clavel *garòfano*

clavo *chiòdo*

cobarde *vigliácco, codardo, vile*

cobrar **riscuòtere*

cocer **cuòcere*

cocina *cucina*; cocinero *cuòco*

coche *carrozza, vettura, còcchio*

cochero *cocchière*; puerta —a *portone* (m.)

cochino, -a *porco. troia*

codo *gómito (pl. gómita)*

coger *pigliáre, afferrare*

cojear *zoppicare*; cojo *zoppo*

cola *coda*

colcha *coperta (da letto)*

colchón *materasso*
cólera (f.) *la còllera*; (m.) *il colèra*
colgar *appèndere, appiccare*
colmena *árnia, alveare* (m.)
comarca *contrada, distretto*
combate *combattimento*
combatir *combáttere*
combustible *combustíbile* (m.)
comedor *sala da pranzo*
comer *mangiáre*
comida *pasto, pranzo*
compadecer *compatire*
compañero *compagno*
compasivo *compassionévole*
concluir *conclúdere, *conchiúdere*
condena, condenación *condanna*
conejo *coníglio*
confianza *fidúcia, confidenza*
confiar *confidare, affidare*
consejo *consíglio*
consuelo *consolazióne* (f.)
contrario (de lo) *altrimenti*
corazón *cuòre* (m.)
corcho *tappo, turácciolo, súghero*
cordel *corda, cordetta, cordoncino*
cordero *agnello*
corral *corte rústica*
correa *corréggia*
corregir *corrèggere*
correo *posta*
cortante *tagliènte*
cortaplumas *temperino*
cortar *tagliáre*
corte (f.) *corte*; (m.) *filo (di lama)*
corteza *cortéccia*
corzo *capriòlo*
coser *cucire*
costa *costa, costo*; a toda — *ad ogni costo*
costado *lato, fiánco, costato*
costal *sacco grande*; (adj.) *costale*
costilla *costa*
costumbre *costume* (m.), *abitúdine* (f.)
costura *cucitura, costura*
coyuntura *(con)giuntura*
cráneo *cránio*
creador *creatore* (m.)
crear *creare*
crecer *créscere*

creer *crédere*
criada, -o *serva, -o*; *domèstica, o*
criar *allevare, educare*
crimen *delitto*
criminal *reo, delinquènte*; *criminale* (adj.)
crujir *scricchiolare, crocchiáre*
cruz *croce* (f.)
cuadra *stalla, scudería*
cualquiera *qualunque, qualsivòglia, qualsíasi*
cuan(to) *quanto*
cuarto *quarto*; *cámera, stanza*
cuba *botte* (m.), *tino*
cubierto *coperto*
cubo *cubo*; *sécchio*; *mozzo (de rueda)*
cuchara *cucchídio*
cucharilla *cucchiáino*
cuchillo *coltello*
cuello *collo*
cuenta *conto*
cuento *racconto, narrazióne* (f.)
cuerda *corda, fune* (f.)
cuerdo *sággio, prudente, sávio*
cuerno *corno*
cuero *cuòio*; en —os *nudo*
cuerpo *corpo*
cueva *cantina, caverna, spelonca*
cuidado *cura, prudenza*; poner — *porre (o aver) cura*
cuita *pena, afflizióne*
culebra *serpe, serpente, biscia*
cumplido *compíto*; *complimento*
cumplimiento *adempimento*
cumplir *adempire, cómpiere*
cuna *culla*
cuñada, -o *cognata, -o*
cura *prete, curato*
cuyo *di cui.*

CH.

Chafar *ammaccare*
chaleco *panciòtto*
chaqueta *giacca, -cchetta*
charco *pozza*
chico *píccolo, piccino*
chillar *gridare, strídere*
chimenea *camino*
chinche *címice* (f.)
chinela *pantòfola, pianella, zòccolo*
chirriar *crepitare, scricchiolare, strídere*

chispa *scintilla*
chisporrotear *scintillare, scoppiettare*
chiste *spiritosità, argúzia*
chocar *urtare*; choque *urto*
chocolate *la cioccolata, il -atte*
chorizo *salsicciòtto, cervellata*
choza *capanna, casúpola*
chuleta *co(s)toletta, polpetta*
chupar *succhiáre.*

D.

Dañar *danneggiáre, guastare*
daño *danno, male* (m.)
dátil *dáttero*
debajo *sotto, al di sotto*
deber **dovére*
débil *débole*
decir **dire*
dedo *dito (*pl. *dita)*
deducir **dedurre*
dejar *lasciare*
delante *davanti, avanti*
delgado *magro, sottile*
demasiado *troppo*
departir **discórrere, conversare*
depender **dipèndere*
derecha *diretta; destra*; a la —
  a diritta, a destra
derecho *diritto, dritto*
desabrochar *sbottonare, sfibbiáre*
desaforado *smisurato*
desagradable *sgradévole, sgradito*
desaparecer **sparire*
desarrollo *sviluppo, svolgimento*
desatar *slegare, staccare*
descanso *riposo*
desconfiar *diffidare*; —ado *diffidente*; *sfiduciato*
descontento *scontento, malcontento*
descubrimiento *scoperta, scoprimento*
descuidado *negligente, incurante*
descuidar *trascurare*; ¡descuidad!
  non pensarvi, non temére
descuido *negligenza, incúria*
desde *da, sin da*; — luego *tosto, súbito*; — entonces *d'allora
  (in poi)*
desdichado *sventurato*
desear *desiderare*
desembocadura *sbocco, foce*

desgarrar *stracciáre, straziáre*
desmañado *maldestro, inábile, goffo*
desmayarse **svenire*
desnudar *denudare*
despacho *stúdio*; *távolo da lavoro*
despacio *adágio*
despedazar *spezzare, *méttere in pezzi, *(in)frángere*
despedida *congedo, commiáto*
despertar *svegliáre, -rsi*
despierto *svéglio*
despreciable *spregévole*
despreciar *sprezzare, spregiáre*
después *pòi, pòscia, dopo, quindi*
destapar *sturare, stappare*
desterrar **(s)bandire*
destruir **distrúggere*
desvergonzado *impudente, svergognato*
deterner(se) *fermar(si), *trattenér(si)*
detrás *diètro*
deuda *débito*
devolver **restituire*
día *dì, giórno*
diablo *diávolo, demònio*
diario *giornale*; (adj.) *giornalièro*
dibujar *disegnare*
dicha *fortuna, buona ventura, felicità*
dichoso *felice, avventurato*
dictar *dettare*
diente *dente* (m.); dentar **méttere
  o *fare i denti*
diestro *destro, ábile*
difícil *difícile*
dinero *denaro, danaro*
Dios *Dío, Iddío*
diosa *dea, iddía*
discípulo *scolaro, discèpolo*
disculpa *discolpa*
disparar *sparare*
disparate *sciocchezza*
dispensar *scusare, dispensare*
dispersar **(di)spèrdere*
disponer **disporre*
disputa *dispúta, contesa, lite* (f.)
distinguir **distínguere*
distraído *distratto*
divisar **scòrgere*
dócil *dòcile*
domingo *doménica*

don *dono, regalo*; *don*
doña *donna*
doncella *donzella, fanciúlla, camerièra*; doncel *giovinetto*
donde *dove*; de — *donde, onde*
drama *dramma*   [*da dove*
duda *dúbbio*; dudar *dubitare*
dueña *padrona, governante* (f.)
dueño *signore, padrone*
dulce *dolce*
duque, duquesa *duca, duchessa*
duración *durata*
duro *duro*; (sust.) *scudo*.

E.

Eclesiástico *ecclesiástico*
ecuador *equatore* (m.)
echar *gettare, *spándere, versare*
efecto *effetto*
Egipto *Egitto*
eje *asse* (de carro) (m.)
ejecutar *eseguire*
ejemplo *esèmpio*
ejercicio *esercízio*
el *il*
él *egli, esso*
elección *elezióne* (f.)
elegir *elèggere*
embajada *ambasciáta*
embargo *ostácolo*; sin — *tuttavia, nulladimeno*
embriagarse *inebbriársi*
embustero *ingannatore, mentitore, bugiardo*
embutido *salsíccia*
empaquetar *impaccare*
empero *ma, tuttavía*
empezar *(in)cominciáre*
emplear *adoperare, usare, impiegare*
emprender *intraprèndere*
empujar *spíngere*
encaje *merletto, trina*
encantador *incantatore;* —*tévole*
encargo *incárico*
encender *accèndere*
encerrar *racchiúdere, *inchiúde.e, (rin)serrare*
encima *sopra; su*
encina *quèrcia, róvere* (f.)
encomendar *raccomandare*
encuadernación *(ri)legatura*

enemistad *(i)nimicízia*
enero *gennaio*
enfadar *irritare, *stizzire*
enfermedad *malattía, infermità*
enfrente *in fáccia, rimpetto (a)*
engordar *ingrassare, -rsi*
enhorabuena (dar la) *augurare felicità, felicitare*
enmendar *emendare, *corrèggere*
enmudecer *ammutolire*
enramada *pergolato*
enredar *intralciáre, intricare*
enredo *intrigo, intréccio*
enriquecer *arricchire*
ensanchar *estèndere, allargare*
ensuciar *insudiciáre, lordare*
enterrar *interrare, *seppellire*
entierro *funerale* (m.), *sotterramento, seppellimento*
entonces *allora*
entre *fra, tra;* —tanto *frattanto, intanto*
entregar *consegnare, *riméttere*
enviar *mandare, *spedire*
envolver *inròlgere, *avvòlgere*
equivocación *errore, sbáglio, inavvertenza*
erizo *ríccio* (anim.)
esbelto *svelto, sottile, snello*
escalera, escala *scala*
escama *squama*
escarcha *brina, prina*
escaso *scarso*
esclavo *schiávo*
escoba *scopa, granata*
escoger *scégliere*
esconder *nascóndere*
escopeta *schiòppo, fucile* (m.)
escribir *scrívere*
escuchar *ascoltare*
escudo *scudo*
escuela *scuòla*
escupir *sputare*
ese *cotesto, quello, -a*
esgrimir *tirar di scherma*
esmero *cura, accuratezza*
espalda *dorso*
español *spagnuòlo*
espejo *spècchio*
espuela *sprone* (m.)
espuma *spuma, schiúma*
esquela *bigliétto, scheda, fogliétto*

esquina *canto, ángolo*
establo *stalla*
estación *stazióne*; *stagione* (del año) (f.;
estallar *scoppiáre*
estampa *stampa, incisióne* (f.)
estómago *stòmaco*
estorbar *(di)sturbare*
estornudar *sternutare*
estrecho *stretto*
estrella *stella*
estruendo *fragore* (m.), *strèpito*
estudiante *studente* (m.)
exacto *esatto*
excelente *eccellente*
excepción *eccezióne* (f.)
exigir *esigere*
explicar *spiegare*
expresar *esprímere*
extranjero *stranièro, forastièro*
extraño *strano*
extraviar(se) *traviár(si), smarrir(si)*.

F.

Fábula *fávola*
facistol *leggío*
falda *ábito, gonna*; *falda*
fallo *decisióne* (f.), *sentenza*
falta *mancanza, errore* (m.), *sbáglio*; a — de *in mancanza di*; me hace — *mi manca, mi occorre*
farol *lanterna*
fe *fede* (f.); a — mía *in fede mía*
fealdad *bruttezza*; feo *brutto*
febrero *febbraio*
fecha *data*
feligrés *parrocchiáno*
ferrocarril *ferrovía, strada ferrata*
fiebre *febbre* (f.)
fiel *fedele*; fidelidad *fedeltà*
fiesta *festa*
fijar *fissare, fermare*
fingir *fíngere*
firme *fermo, stábile*
flaco *fiacco, magro*; (m.) *difetto, débole* (m.)
flojo *débole, flòscio*
flor *fióre* (m.)
florecer *fiorire*

fonda *albergo*
fondear *ancorare, dar fondo*
fortaleza *fortezza*
forzoso *forzoso, necessário*
foso *fosso, fossato*
frac *frac, marsina, ábito da ballo*
fragoso *scabro(so)*
fragua *fucina, ferrièra*
fraile *frate* (m.), *mònaco*
fraternal *fraterno*
freir *fríggere*
frente *fronte* (m., f.)
fresa *frágola*
frío *freddo*
frontera *frontièra, confine* (m.)
fuego *fuoco*
fuero *statuto*; — s *privilegi*
fuerza *forza*
funda *fòdero*; *fèdera*.

G.

Gabán *paltò, pastrano*
gafas *occhiáli* (pl. m.)
gallardo *gagliárdo, eccellente*
gana *vòglia*; de buena — *volontièri*; de mala — *malvolontièri*
ganancia *guadagno, víncita, profitto, vantággio*
gancho *gáncio, uncino*
ganso *oca*
ganzúa *grimaldello*
gañir *guaíre*
garganta *gola*
garra *artíglio*
gastar *spèndere*; gasto *spesa*
gatillo *cane (del fucile)* (m.)
gato *gatto*
gemir *gèmere*
género *gènere* (m.)
gentío *ressa, folla*
golondrina *róndine*
golpe *colpo*
goma *gomma*
gordo *grasso, paffuto*
gorra, -o *berretto, -ta*
gorrión *pássero*
gota *góccia*
gozar *gioíre, rallegrarsi, godére*
gozo *gioia, allegría, godimento*
gracia *grázia*: dar —s *ringraziáre*

granizar *grandinare*

grasa *grasso, gráscia*

griego *greco*

grosero *grossolano, rúvido, rude*

grueso *grosso,. corpulento*

guapo *grazióso, bello, attraènte, avvenente*

guarda *guárdia*

guardar *curare*, **far guárdia*

guia *guida* (f.)

guinda *marasca*

guirnalda *ghirlanda*

guisar **cuòcere, *condire*

gusano *verme* (m.); — de seda *baco (da seta)*

gustar *gustare, *piacére.*

H.

Hábil *ábile*

habitación *abitazióne* (f.), *cámera*

hablar *parlare, favellare, *discórrere*

hacer **fare*

hacia *verso*

hacienda *sostanza, podére, beni* (pl.)

hacha *áscia, accétta, scure* (f.)

halagar *blandire, (ac)carezzare*

hallar *trovare*

hambre *fame* (f.)

hambriento *affamato*

hasta *fino a, sino a; persino;* — ahora *finora*

hay *v'e, c'è; vi sono, ci sono*

hazaña *fatto eròico;* —s *gesta* (pl. f.)

hebrå *filo, fibra*

hecho *fatto*

helar *gelare*

heno *fièno*

heredero, -a *erede* (m., f.)

herencia *eredità*

herida *ferita;* herir **ferire*

hermana *sorella (germana)*

hermano *fratello (germano)*

hermoso *bello, formoso*

hermosura *bellezza, beltà*

héroe *eròe;* heroína *eroína*

herrador *maniscalco*

herrero *fabbro(-ferraio)*

herrería *officina (da fabbro)*

hervir **bollire (fèrvere)*

hielo *gelo, ghiáccio*

hierro *ferro*

hija *figlia;* hijo *figlio*

hilera *fila;* filièra

hilo *filo*

hoja *fòglia; fòglio* (de papel); *lama* (de espada)

holgazán *fannullone* (m.); *pigro*

hombre *uòmo;* — de bien *uòmo dabbene;* ¡ — ! *cáspita! per-bacco!*

hombro *spalla, ómero*

hondo *profondo*

honra *onore* (m.)

honradez *onestà, onoratezza, pro-bità*

honrado *onesto;* onorato

hormiga *formica*

horno *forno*

horrible *orríbile*

hoy *oggi;* — día *oggidì*

hueco *vuóto, cavo*

hueso *osso (pl. ossa)*

huevo *uòvo* (pl. *uòva*)

huir *fuggire*

humildad *umiltà*

humilde *úmile*

humo *fumo;* humear *fumare*

hurtar *rubare, involare.*

I.

Iglesia *chièsa*

ilustre *illustre, cèlebre*

imprenta *tipografia*

impresión *impressióne* (f.), *stampa*

impreso *stampato* (adj. y sust.)

imprimir **imprímere, stampare;* arte de — *stampa*

incienso *incenso*

incluir **inchiúdere, *inclúdere*

incomprensible *incomprensíbile*

increíble *incredíbile*

indudable *indubitábile, indúbbio*

inesperado *inaspettato, insperato*

infiel *infedele*

inflamar *infiammare*

injusto *ingiusto*

inmenso *immenso*

inmóvil *immobile, immoto*

inocente *innocente*

instruir **istruire*

instrumento *(i)strumento;* tocar un — *suonare uno strumento* inteligencia *intelligenza*

interés *interesse, -ssamento*

inundar *in(n)ondare*

ir **andare;* — montado en *ca-valcare, andare a cavallo di;* irse *andársene;* — por *andare per, andare a *prèndere o a cercare*

iris *íride;* arco — *arcobaleno*

isla *ísola*

izquierdo *sinistro, mancino.*

J.

Jabón *sapone* (m.)

jamás *giammái, non . . . mai*

jamón *prosciútto, presciútto*

jardín *giardino*

jardinero *giardinière* (m.)

jarro *giara, brocca*

jaula *gábbia*

jefe *capo*

jinete *cavalière, uomo a cavallo*

jofaina *bacino, catinella*

jornalero *giornalièro, lavorante*

joven *gióvane*

judío *ebrèo, giudèo*

juego *giuòco*

jueves *giovedì* (m.)

juez *giúdice* (m.)

jugar *giuocare*

jugo *sugo*

juicio *giudízio*

julio *lúglio*

junio *giúgno*

junto, -a etc. *insième;* — a *vicino a*

jurar *giurare*

justo *giústo*

juventud *gioventù, giovinezza*

juzgar *giudicare.*

K.

Kilogramo *chilogrammo (o-a)* (m.)

L.

Labio. *labbro* (pl. *-i* y *-a*)

labrador *contadino*

labrar *lavorare, coltivare*

lado *lato, fianco;* por este — *da questo lato, da questa parte;* al — de *accanto a, al fianco di, presso*

ladrar *abbaiare, latrare*

ladrido *latrato, abbaiamento*

lamer *leccare, *lambire*

lámina *lámina, imágine, vignetta*

lápiz *lápis* (m.), *matita*

largo *lungo;* a lo largo de *lungo, lunghesso*

lástima *pietà, gèmito;* ¡lástima! *peccato!*

látigo *scudíscio*

latir *báttere, palpitare*

laudable *lodévole*

laurel *alloro*

lazo *láccio*

leche *latte* (m.); lechera *lattivèn-dola, lattaia; vaso pel latte*

lejos *lontano, lungi;* a lo — *da lungi, da lontano*

leve *lière, leggièro*

ley *legge* (f.)

libre *líbero*

librero *libraio*

liebre *lepre* (mf.)

ligero *leggièro, svelto*

limosna *elemòsina*

limpio *netto, pulito*

lindo *bello, leggiádro, lindo*

lío *fáscio, pacco, fagotto*

liso *líscio*

lisonja *adulazióne* (f.), *lusinga*

lisonjear *adulare, lusingare*

listo *pronto, lesto*

lobo *lupo*

lóbrego *oscuro; cupo*

loco *pazzo, matto*

lograr **riuscire, (a), *ottenére*

lomo *schièna, dorso, lombo*

losa *(lastra di) piètra*

loza *majòlica, porcellana*

lucir **rilúcere, splèndere*

lucha *lotta*

luego *quindi, pòi; súbito*

lugar *luògo, villággio;* en — de *invece di, in luògo di*

lujo *lusso*

lumbre *fuòco*

lunes *lunedì* (m.)

luz *luce* (f.), *lume* (m.).

Ll.

Llama *fiámma;* (anim.) *lama* (m.)

llamar *chiamare, nominare*

llano *piáno*

llave *chiáve* (f.)

llegada *arrivo*

llegar *arrivare, *giúngere*
llenar *émpiere, empíre*
lleno *pièno*
llevar *portare, recare*
llorar *piángere*
llover *piòvere*
lluvia *piòggia.*

M.

Madera *legname* (m.), *legno*
madrileño *madrileno*
madrugar *levarsi di buon'ora* o *per tempo*
Mahoma *Maometto*
mal *male*; malo *cattivo*
maleta *valígia*
malgastar *sciupare, dissipare, sprecare*
mancha *mácchia*
mandar *comandare, ordinare*; *mandare, *spedire*
manga *mánica*
mango *mánico*
manso *mansuèto*
manta *coperta*
manteca *burro, butirro*
mantel *továglia*
manzana *mela*; —o *melo*
mañana *domani*; *mattina, -o*; pasado — *dopodomani*
mapa *mappa, carta, geográfica*
marcha *márcia, andatura*
marchitarse *appassire*
margen *márgine* (m.) *sponda*
mariposa *farfalla*
mármol *marmo*
maroma *gomena, fune* (f.)
martes *martedì* (m.)
mas *ma*; más *più*; poco más o menos *all' incirca, un po' più un po' meno, a un dipresso*
mascar *masticare*
matar *uccídere, ammazzare*
mayo *maggio*
mecha *lucígnolo, míccia*
media *calza*
mediados (a) *(circa) alla metà di*
mediano *mediáno, mezzano*
medida *misura*
medio *mezzo*
mediodía *mezzodì* (m.), *mezzogiór-*
medir *misurare* [*no*
mejilla *guáncia, gota*

mejor *mèglio, migliòre*
melocotón *pesco, -ca (durácino,*
mendigo *mendico, -cánte* [-a]
menear *dimenare, *scuòtere*
menospreciar *sprezzare, disisti-*
mare, spregiáre
mentira *menzogna, bugía*
mentiroso *menzognero, bugiárdo*
menudo *píccolo, minuto*; a — *sovente, spesso*
mesa *távola, mensa*
miedo *paúra*; de — *per paúra*
miga *bríciola*
milagro *mirácolo*
mirada *sguardo*
mirar *guardare, mirare*
mismo *stesso, medésimo*; ahora — *súbito, immantinente*
mojado *bagnato*
molinero *mugnaio*
molino *mulino*; — de viento *mulino a vento*
monje *mònaco, frate* (m.)
mono *scímmia, scimmiòtto*
montar *salire, cavalcare*
montón *múcchio*
morder *mòrdere*
mosquito *moscherino, zanzara*
mozo *ragazzo*; *mozzo* (de nave)
muchacho *ragazzo, fanciúllo*
mucho *molto, assái*
mudar *cambiáre, mutare*
mueble *mòbile* (m.)
muela *(dente) molare* (m.)
muerte *morte* (f.)
muestra *mostra, insegna, prova*
mujer *donna, móglie* (f.)
mundo *mondo*
muñeca *puppáttola, bámbola*; *polso*
muy *molto.*

N.

Nabo *rapa, navone* (m.)
nacer *náscere*; nacido *nato*
nada *nulla* (m.), *niènte* (m.)
nadie *nessuno, niúno*
naranja *aráncio (-a), melaráncia*
nariz *naso*; ventana de la — *narice* (f.)
nata *crema*
navaja *coltello da tasca*; **rasoio**
navío *nave, navíglio*

necio *sciòcco, scémpio*
nevar *nevicare*; nieve *neve*
ni . . . ni . . . *nè . . . nè . . .*
niebla *nébbia*
nieto *nipote*; *abbiático*
niño *ragazzo bambino*
niñez *infánzia, fanciullezza*
noble *nòbile*
noche *notte* (f.); buenas —s *buona*
nogal *noce* (m.) [*notte*
nombrar *nominare*
nombre *nome* (m.)
norte *nord* (m.), *settentrióne* (m.),
  tramontana
notable *notévole*
notar *notare, osservare*
novela *novella, romanzo*
novia *promessa sposa, fidanzata*
nudo *nudo* (adj.); *nodo* (sust.)
nuera *nuòra*
nuez *noce* (f.)
nunca *giammái, non . . . mai.*

O.

Obedecer **ubbidire, *obbedire*
obispo *véscovo*
objeto *oggetto, scopo, mira*
obrar *operare, *agire*
obrero *operaio*
octubre *ottobre* (m.)
oeste *òvest* (m.), *ponente* (m.)
ofensa *offesa*
oficina *ufficio*
oficio *mestière, officio*
ofrecer **off(e)rire*
oido *udito; orécchio, -a*
oir **udire*
ojal *occhièllo*
ojalá *Dío vòglia! almeno!*
ojo *òcchio (pl. occhi);* — a ba-
  da(te)
ola *onda*
oler **sapér odore* (m.), *odorare*
olvidar *scordare, dimenticare*
omitir **ommèttere*
orar *pregare, orare*
orden (m.) *órdine* (m.)
orden (f.) *órdine* (m.), *comando*
orgullo *orgóglio*
orilla *lembo, orlo, riva, sponda,*
  spiàggia
oruga *bruco*
os *vi, voi*

oso *orso*
otoño *autunno*
otro *altro, un altro*
oveja *pècora*
ovillo *gomítolo.*

P.

Padecer **patire, *soffrire*
paja *páglia*
pájaro *uccello*
palabra *parola*
palacio *palazzo*
palangana *bacinella, trògolo*
pálido *pállido, smorto*
paloma *colomba, picciöne* (m.)
paño *panno*
pañuelo *fazzoletto, moccichino*
papel *carta; parte* (teatro); —
  de cartas *carta da lèttere*
paquete *pacco, pacchetto*
par *paio* pl. *paia,* (f.)
para *per;* — con *verso, con*
parada *fermata; parata*
paraguas *parapiòggia, ombrella*
parar *fermare, parare*
parecer **parére, sembrare*
parecido *símile, somigliánte*
pareja *còppia*
párpado *pálpebra, -pèbra*
parra *pèrgola*
parte *parte* (f.), *lato;* en todas —s
  dappertutto; por otra —*d'al-*
  tro lato, d'altronde
partida *partenza, partita*
partir *partire, *divídere, *spar-*
pasajero *passeggièro* [*tire*
pasear *passeggiáre*
paseo *passeggiáta;* dar un —
  *fare una passeggiata
pasillo *passággio, corridoio*
pata *zampa*
patio *corte* (f.), *cortile* (m.)
pato *ánitra, pápero*
paz *pace* (f.)
pecho *petto;* —o *poppe* (pl. f.)
pedazo *pezzo, frusto;* hacer —s
  *méttere in pezzi, *fare a pezzi
pedido *tributo, petizióne* (f.), *com-*
  missióne (f.), *domanda*
pedir **chièdere, domandare*
peine *pèttine* (m.)
pelea *combattimento, mischia*
pelear *combáttere*

peligro *perícolo*
pelota *palla*
pellejo *pelle* (f.), *scorza*
península *penísola*
peor *pèggio, peggióre*
pequeño *piccolo, piccino*
pera *pera*; peral *pero*
percibir *scòrgere, *percepire*
perder *pèrdere, *smarrire*
perdiz *pernice* (f.)
perecer *perire*
pereza *pigrizia, indolenza*
perezoso *pigro, indolente*
periódico *periòdico; giornale* (m.)
perjudicar *pregiudicare*
permanecer *rimanére, restare*
permitir *perméttere, *concèdere*
perro *cane* (m.), perra *cagna*
perseguir *perseguire, inseguire, perseguitare*
pertenecer *appartenére*
pesado *pesante, grave, greve*
pescado *pesce* (m.)
pestaña *cíglio* (pl. *cíglia,* f.)
pez *pesce* (m.); *pece* (f.)
pie *piède* (m.)
piel *pelle* (f.)
pierna *gamba*
pieza *pezzo, pezza*
pintado *dipinto, variopinto*
pintar *dipíngere*
pintor *pittore*
pisar *calpestare, calcare*
piso *piano, pavimento*
plana *página, facciata; bozza* (de imprenta)
planchar *stirare*
planeta *pianeta* (m.)
plano *piano*
plata *argento*
pleito *processo, piáto*
pliego *fòglio di carta; piègo*
pliegue *pièga*
plomo *piòmbo*
pluma *piúma, penna*
población *popolazióne; villàggio*
pobre *pòvero*
pobreza *povertà*
podrido *marcio, pútrido*
polvo, pólvora *pòlvere* (f.)
portamonedas *portamonete* (m.), *borsellino*
portero *portinaio*

poseer *possedére*
postres *le frutta*
potro *puledro*
preciso *necessário, preciso*
pregunta *domanda*
prender *imprigionare, accalappiáre*
presumido *presunto; presuntuoso*
prima, -o *cugina,* -o
primero *primo; dapprima*
principiar *principiáre, (in)cominciáre*
prisa *fretta*; darse — *affrettarsi*; de — *in fretta, affrettatamente*
prisionero *prigionièro*
producir *produrre*
producto *prodotto*
profesora *professoressa*
pronto *pronto, súbito;* de — *ad un tratto, improvvisamente;* por de — *frattanto*
propiedad *proprietà*
proponer *proporre*
proporcionar *procurare, *offrire*
provechoso *vantaggióso*
provisión *provvigióne* (f.)
puchero *péntola*
pueblo *pòpolo, villàggio*
puente *ponte* (m.)
pues *dunque, ora, quindi, pòi*
púrpura *pórpora*
pus *márcia, pus.*

Q.

Quebrantar *rómpere, spezzare*
quebrar *fallire*
quedar *restare, *rimanére*
queja *lamento, reclamo, lagno*
quejarse *lagnarsi, lamentarsi*
quemar *(ab)bruciáre*
querer *volére; amare*
querida *mantenuta, ganza, amante*
querido, -a *caro,* -a
queso *cácio, formággio*
quien *chi*
quinqué *lámpada, lampadário*
quitar *tògliere;* quitasol *ombrellino, parasole*
quizá(s) *forse.*

R.

Rábano *ravanello, rapa*
raíz *radice* (f.)

rallar *grattugiáre*
rama *ramo*
ramillete *mazzolino di fiori*
ramo *ramoscello, ramo; mazzo di fiori*
rata *sórcio;* — o *spázio di tempo*
ratón *topo*
raya *stríscia, riga*
rayo *rággio; fúlmine, lampo*
rebajar *ribassare*
rebaño *gregge* (m.)
rebelde *ribelle* (m., f.)
recibo *ricevuta, qui(e)tanza*
recio *violento, forte*
recobrar *ricuperare*
recoger **raccogliere*
recto *ritto, diritto, retto*
rechazar **respingere, ricacciáre*
reflexionar *riflèttere*
refrán *provèrbio*
regir **règgere*
regresar *tornare indietro, *retrocèdere*
regular *regolare;* por lo — *di règola*
reina *regina*
reinado *regno, governo*
reir(se) **rídere*
relámpago *lampo*
relampaguear *lampeggiáre*
reloj *orològio, oriuòlo*
relojero *orologiáio*
reñir **contèndere, litigare*
resbalar *sdrucciolare, scivolare*
resfriarse *raffreddarsi*
resma *risma*
respecto a *(per) rispetto a, (in) quanto a, circa*
respetuoso *rispettoso*
resuelto *deciso, risoluto*
retraso *ritardo*
rey *re* (invar.)
rezar *pregare, orare, dir orazióni*
ribera *riva, sponda*
rienda *rèdina;* a — suelta *a bríglia sciòlta*
riesgo *ríschio, rísico*
rincón *ángolo, canto*
río *fiúme* (m.)
risa *riso, risata*
robo *furto, rubalízio*
roca *ròccia, rupe* (f.), *macigno*
roce *attrito*
rocío *rugiada*

rodear *circondare, *cíngere, *circuire*
rodilla *ginòcchio;* de —as *in ginòcchio, ginocchioni*
roer **ródere, rosicchiáre*
rogar *pregare, supplicare*
rojo *rosso*
ronco *ráuco*
ropa blanca *biancheria*
rosal *rosaio*
rubio *biondo*
rudo *rude, rúvido*
ruego *preghièra*
ruido *rumore* (m.), *strèpito, baccano*
ruiseñor *rosignuòlo, usignuòlo*
Rusia *Rússia.*

S.

Sábana *lenzuòlo*
sabiduría *sciènza, sapiènza*
sabio *sággio, sapiènte*
sable *sciábola*
sacar **trarre, *estrarre*
sajón *sássone*
salchichón *salsíccia, salame* (m.)
salida *uscita, partenza;* — del sol *lo spuntar del sole*
salir **uscire, partire, *sórgere* (astros); — bien *o* mal *riuscire o non riuscire*
salitre *salnitro*
salvaje *selvággio; selvático*
sanar **guarire, sanare*
sartén *padella*
sastre *sarto*
satisfacer **soddisfare*
satisfactorio *soddisfacente*
sed *sete* (f.)
seda *seta*
seguridad *sicurezza, sicurtà*
sello *sigillo, suggello*
semana *settimana*
sembrar *seminare*
semilla *seme* (m.)
sencillo *sèmplice*
sentar **porre;* -se **sedére, *sedersi*
señalar *segnare, segnalare; indicare*
séquito *séguito*
ser **èssere;* llegar a — **divenire, diventare*

serpiente *serpe* (f.,m.), *serpente* (m.)

servilleta *tovagliuòlo*

servirse *aver la bontà, la cortesía*; sírvase Vd. *vòglia, favorisca*, etc.

sexo *sesso*

siega *raccolto, messe* (f.)

siembra *seminagióne* (f.), *sementa*

sien *tèmpia* (invar.)

sierra *sega*

siglo *sècolo*

silbar *sibilare, fischiáre, zuffolare*

silla *sella, sèdia*

sillón *poltrona, segaiolone* (m.)

simiente *semènza*

sin *senza*; — embargo *tuttavía*

singular *singolare*

sino *ma*; no . . . — non . . . *che*

si no *se no, altrimenti*

siquiera *almeno*; ni — *nemmeno*

sirvienta *servente* (f.), *fantesca, domèstica*

sirviente *servo, servitore, domèstico*

sitiar *assediáre*

sitio *luogo, posto, assèdio*

situación *posizióne, condizióne*

soberano *sovrano*

soberbia *supèrbia*

soberbio *superbo*

sobrar *avanzare, èssere di troppo, eccèdere*

sobresaliente *spiccante, risaltante; sopra(n)numerário*

sobresalir *spiccare, risaltare, *distínguersi, superare*

sobretodo *paltò, soprábito, pastrano; specialmente*

sobrino, -a *nipote* (m., f.)

soga *fune* (f.), *corda*

solícito *sollécito*

soltar **sciògliere, rilasciáre, liberare, slegare*

sombra *ombra*

sombrero *cappello*

sombrilla *ombrellino, parasole* (m.)

sonido *suòno*

sonreir **sorrídere*

sopa *zuppa, minestra*

soplar *soffiáre*; soplo *sóffio*

sortija *anello*

subir **salire*

sublevado *sollevato*; *ribelle* (m., f.)

suceso *avvenimento, successo*

sucio *súcido, sudício, sporco*

suegra, -o *suòcera, -o*

sueldo *soldo, paga, stipèndio*

supuesto (por) *certamente*; — que *supposto che*

sur *sud* (m.), *mezzodì* (m.)

sustento *sostentamento*

susto *spavento*.

T.

Tabla *távola, asse* (f.); *dipinto, pittura*

tacón *tacco, calcagno*

tahona *panettería*

tal *tale*; con — que *purchè, a patto che*

talón *tallone, calcagno*

tal vez *forse*

tallo *tallo, gambo*

también *anche, pure, altresi*

tampoco *nemmeno, nemmanco*

tan *tanto, così*

tanto *tanto*; por lo — *quindi, dunque, epperò*; entre— *frattanto*; en — *mentre*

tapar **chiúdere, turare*

tapón *turácciolo, tappo*

tarea *cómpito*

tarjeta *bigliétto; cartolina*

taza *tazza*; plato de — *sottocoppa, piattello*

techo *soffitto, impalcato*

tejado *tetto*

teleta *carta asciugante*

temblar *tremare*

tempestad *temporale* (m.), *tempesta*

temprano *per tempo, (di) buon'ora, presto*

tenedor *forchetta*; — de libros *ragionière* (m.), *tenitore di libri*

terciopelo *velluto* [libri

ternera *vitello*

testigo *testimònio* (m.), *teste* (m., f.), *testimone* (m., f.)

testimonio *testimoniánza*

tía *zía*; tío *zío*

tienda *bottega, tenda*

tiesto *còccio, vaso di terra*

tijeras *cesoie* (pl. f.), *fòrbici* (pl. f.)

timbre *bollo; campanello*

tinta *inchiòstro*; tintero *calamaio*
tocar *toccare*; *suonare*
tocino *salame* (m.)
todavía *ancóra*
tomar **prèndere, pigliáre*
tomate *pomodoro* (pl. *pomidoro*)
tontería *sciocchezza, scempiág gine* (f.)
torcida *lucignolo, stoppino*
tormenta *tormenta, uragano*
torpe *goffo, sciòcco, tórpido*
torre *torre* (f.); — de iglesia *campanile* (m.)
tortilla *frittata*
trabajar *lavorare*
traer *portare, recare*
tragar **inghiottire*
trago *sorso*
traje *vestimento, ábito*
trapo *céncio, stráceio*
tras *diètro, dopo*
tratar *trattare, tentare di, sforzarsi di*
trato *tratto, trattamento, il trat-*
trepar *arrampicarsi* [*tare*
trigo *grano, frumento, granáglia*
tronar *tuonare*
tropa *truppa*
tropel *squadra, _manipolo; calpestío; precipitazióne; múcchio confuso*
tropezar (con) *inciampare (in)*
trozo *pezzo; passo* (de libro)
tuerto *guèrcio.*

U.

Ufano *orgoglioso; allegro*
ultrajar *oltraggiáre*
umbral *sòglia*
uncir *aggiogare*
unir **unire, *congiúngere*
untar **úngere*
uña *únghia, ugna*
usted *Lei, Ella; —es Loro, Elleno.*

V.

Vacío *vuoto, vácuo, vano*
valiente *valente, valoroso*
valor *valore* (m.), *corággio, ánimo*
vara *bacchetta; bráccio* (medida)
vasija *vasellame* (m.), *vaso*
vaso *vaso; bicchière* (m.)

vejez *vecchiézza, vecchiája*
vejiga *vescica*
vela *vela; candela*
velar *vegliáre*
venganza *vendetta*
vengar *vendicare*
venidero *futuro, venturo*
venta *véndita*
ventaja *vantággio*
ventana *finestra*; — de la nariz *narice* (f.)
verano *estate* (f.)
ver **vedére*
verdad *verità*; a la — *in verità, per vero*
vergüenza *vergogna, onta*
verificarse *verificarsi, *avvenire, accadére*
verter *versare, *spárgere*
vez *volta, fiata*; a la — *in pari tempo, insième*; a veces *talvolta, talora, a(lle) volte*; tal — *forse*; de — en cuando *di tempo in tempo*; otra — *di nuòvo, ancóra*; me toca la — *tocca a me, è la mia volta*
viajante *viaggiatore (di commèrcio)*
viajar *viaggiáre* [*cio*)
viaje *viággio*
vidriera *vetrata, invetriáta*
vidriero *vetraio*
vidrio *vetro*
viejo *vècchio*
villa *città*
vinagre *aceto*
visita *vísita*
vista *vista*; a — *in (o a) vista*
viuda, -o *védova, -o*
víveres *víveri* (pl. m.)
volver *ritornare, girare, *vòlgere, voltare*
vosotros *voi* [*voltare*
voz *voce* (f.); en alta — *ad alta voce*; en — baja *a bassa voce, (o a v. b.), sottovoce*
vuelta *ritorno, giro*, dar una — **fare un giro, una passeggiáta.*

Y.

Y *e, ed*
ya *già*; — . . . — *ora . . . ora*; — no *non . . . più*
yedra *édera*
yegua *cavalla*

yema *gemma*; *polpastrello* (del
yerno *gènero*   [*dedo*)
yerro *errore* (m.), *sbáglio*
yeso *gesso*
yugo *giógo*.

Z.

Zagal *pastore*

zaguán *vestíbolo*
zapatero *calzolaio*
zapatilla *pianella*, *pantófola*
zapato *scarpa*
zorra, -o *volpe* (f.)
zumo *sugo*, *succo*
zurdo *mancino*; a zurdas *colla
sinistra*.